Voyageurs de passages

Pierrette Beauchamp

Voyageurs de passages

tome 3

Le passé recomposé

Roman historique

Hurtubise

Catalogage avant publication de Bibliothèque et Archives nationales du Québec et Bibliothèque et Archives Canada

Beauchamp, Pierrette, 1953-

    Voyageurs de passages : roman historique

    Sommaire : t. 3. Le passé recomposé.

    ISBN 978-2-89723-357-0 (vol. 3)

    I. Beauchamp, Pierrette. Passé recomposé. II. Titre. III. Titre : Le passé recomposé.

PS8603.E275V69 2013   C843'.6   C2013-940460-0
PS9603.E275V69 2013

Les Éditions Hurtubise bénéficient du soutien financier des institutions suivantes pour leurs activités d'édition :

- Conseil des Arts du Canada ;
- Gouvernement du Canada par l'entremise du Fonds du livre du Canada (FLC) ;
- Société de développement des entreprises culturelles du Québec (SODEC) ;
- Gouvernement du Québec par l'entremise du programme de crédit d'impôt pour l'édition de livres.

Conception graphique : René Saint-Amand
Illustration de la couverture : Éric Robillard, Kinos
Maquette intérieure et mise en pages : Andréa Joseph [pagexpress@videotron.ca]

Copyright © 2014 Éditions Hurtubise inc.

ISBN 978-2-89723-357-0 (version imprimée)
ISBN 978-2-89723-358-7 (version numérique PDF)
ISBN 978-2-89723-359-4 (version numérique ePub)

Dépôt légal : 4ᵉ trimestre 2014
Bibliothèque et Archives nationales du Québec
Bibliothèque et Archives Canada

Diffusion-distribution au Canada :
Distribution HMH
1815, avenue De Lorimier
Montréal (Qc) H2K 3W6
www.distributionhmh.com

Diffusion-distribution en Europe :
Librairie du Québec/DNM
30, rue Gay-Lussac
75005 Paris FRANCE
www.librairieduquebec.fr

Imprimé au Canada
www.editionshurtubise.com

Personnages principaux

Bilodeau, Patrice: fils de Janine Provencher et de Pierre Bilodeau. Ami d'enfance de Stéphane Gadbois. Épidémiologiste reconnu.

Bilodeau, Pierre: ami d'enfance de Janine. Peintre et professeur de dessin.

Duminisle, Marie-Claire: fille de Charles Duminisle.

Gadbois, Gaétan: oncle de Stéphane. Concessionnaire automobile.

Gadbois, Stéphane: ami d'enfance de Patrice Bilodeau. Professeur d'histoire.

Jessen, Phil (alias Jess): ami de Stéphane Gadbois. Musicien renommé.

Jones, Garry: médecin américain vivant à San Francisco. Ami de Pierre Bilodeau.

Lafontaine, Juliette: seconde épouse d'Ernest Provencher. Mère de Laurent, Janine et Gaston.

Lamarche, Nathalie: épouse de Stéphane Gadbois.

Larivière, Joseph: surnommé Jo, ancien voisin d'Ernest Provencher et ami de Laurent.

Marie-des-Saints-Anges, sœur (Thérèse Lafontaine): religieuse de la congrégation des petites franciscaines de Marie. Tante de Janine et sœur de Juliette.

Provencher, Émile: deuxième fils de Juliette et d'Ernest.

Provencher, Ernest: père de Laurent, Gaston et Janine, menuisier aux usines Angus.

Provencher, Gaston: fils d'Ernest et de Juliette.

Provencher, Janine: fille d'Ernest et de Juliette, mère de Patrice.

Provencher, Laurent: fils aîné d'Ernest et de Juliette, électricien.

Tanasescu, Ana: propriétaire de la galerie d'art Signature.

À André Gagnon,
mon éditeur
le meilleur ami des Voyageurs.

Ton histoire est mon histoire
Ta douleur est ma douleur
Ta route est ma route...

Ton histoire

(chanson de Jacques Veneruso
interprétée par Isabelle Boulay)

Chapitre 1

Lundi 22 septembre 1959

Janine descendit du bus avec un ami précieux: le journal qu'elle destinait à Stéphane. Elle avait mal aux pieds: tout l'après-midi, elle avait parcouru la rue Sainte-Catherine pour dénicher ce qu'elle recherchait. Elle ne s'attendait pas à trouver grand-chose chez Dupuis frères, mais elle s'y était arrêtée pour se procurer deux robes assez amples pour ses premiers mois de maternité qu'elle devait absolument camoufler avant son mariage.

Les grands magasins Morgan, Eaton et Simpson n'offraient que des cahiers d'écolier ou des petits agendas annuels, munis d'une clé. Elle dut poursuivre sa marche jusque chez Ogilvy, au coin de la rue de la Montagne, pour mettre enfin la main sur ce qu'elle désirait: un journal relié de cuir rouge à tranche dorée qu'elle avait enroulé dans l'une de ses robes.

Elle entra chez elle à temps pour se changer avant de se rendre au château de Marie-Claire Duminisle où on l'attendait pour souper. En déposant ses achats sur la table de cuisine, elle aperçut Pierre, dans l'ancienne chambre de sa mère ; il la salua. Juché sur un escabeau, spatule à mastic en main, il s'acharnait sur un morceau de papier peint fleuri. Janine se posta dans l'embrasure de la porte en retenant un soupir. Depuis qu'il l'avait retrouvée, saine et sauve, cinq jours plus tôt, Pierre se dévouait corps et âme pour lui faire plaisir.

— Tu as l'air d'en arracher, constata-t-elle.

— Je ne sais pas depuis quand cette maudite tapisserie est là, mais la colle de ce temps-là... Ah, enfin !

Il descendit, triomphant, de son perchoir avec le morceau récalcitrant. Janine entra dans la pièce et jeta un regard circulaire : trois murs avaient déjà été dénudés. Peu à peu, elle prenait possession de la chambre de Juliette.

— Où est papa ? demanda-t-elle.

— Il a reçu un coup de fil, dix minutes après mon arrivée. Ses amis de l'usine l'ont invité à jouer aux cartes. De toute façon, avec son épaule amochée, il ne pouvait pas vraiment m'aider.

« Il est déjà au château avec Laurent », songea la jeune fille.

Elle regrettait de devoir dissimuler à son fiancé le retour de son frère aîné dans le quartier, car même si Pierre avait appris avec stupeur la façon dont Janine avait échappé au sous-sol de l'hospice en flammes, il ignorait tout de son séjour dans le futur.

— Après avoir traversé le souterrain, elle a dû attendre mon retour de l'hôpital avant de sortir de la cave, parce que la trappe était barrée. Elle avait beau crier et frapper sur la porte de cave, personne ne l'entendait.

Le récit du père de Janine était plausible, puisque victime d'un violent choc nerveux et d'une mauvaise brûlure à l'épaule, Ernest avait été conduit à l'hôpital Notre-Dame où on l'avait gardé pendant trois jours.

La même version avait été donnée à Gaston, le jeune frère de Janine, trop bavard pour mériter la confiance.

Les gens du quartier en savaient beaucoup moins, car même si Gaston avait parlé du souterrain à un journaliste, Ernest avait démenti la nouvelle et fourni une autre explication : sa fille avait quitté l'hospice peu avant l'incendie, pour se rendre chez une amie à Joliette. Alertée par l'article de *La Presse*, relatant sa disparition, elle avait aussitôt donné signe de vie.

Le secret du réseau souterrain avait été préservé. Même sœur Marie-des-Saints-Anges, la tante de Janine, avait cru la version d'Ernest.

En 1959, seulement quatre personnes savaient réellement ce qui s'était passé pendant ces trois jours : Ernest, Laurent, Jo Larivière et Marie-Claire Duminisle, dont la cave à vin de sa grosse maison était le point de convergence du réseau clandestin déployé dans le sous-sol de Rosemont. Eux seuls connaissaient l'existence des couloirs temporels, eux seuls pouvaient affirmer qu'il était possible de voyager dans le temps...

Pierre descendit de l'escabeau et alla se laver les mains, puis il décrocha son veston du dossier d'une chaise. Il était venu directement chez Janine après ses cours de pédagogie à l'École normale.

— Ma mère m'attend pour souper, je reviendrai finir le travail après. Tu as toujours l'intention de passer la soirée au château ?

Cet élan d'amitié vers Marie-Claire Duminisle avait d'abord surpris Pierre, puis il s'était souvenu du lien que la bienfaitrice du quartier entretenait avec Laurent avant qu'il disparaisse, en 1957, à la suite des accusations de meurtre qui pesaient sur lui.

— Oui. Avant son départ pour le Cameroun, Marie-Claire a voulu organiser un souper pour les bénévoles qui l'ont aidée à accueillir les sinistrés de l'hospice et elle a pensé à m'inviter. Elle fait ça à la bonne franquette, c'est pour ça que je ne t'ai pas invité à m'accompagner…

Elle détourna le regard en retenant un soupir : « Une entourloupette de plus… Désolée, Pierre… »

— Et je suis en retard ! Je n'ai même pas eu le temps de faire un saut chez Eugène Bélanger, chercher les échantillons de peinture.

— Bah, laisse faire, j'irai demain après mes cours.

— Merci, t'es pas mal fin. Je te donnerai un coup de main pour le découpage. On commence quand ?

Pierre afficha un air contrarié.

— Malheureusement, pas avant vendredi soir. On a un imprévu. Tu ne devineras jamais qui a téléphoné tout à l'heure… Le père Pigalle !

Janine gloussa : le sobriquet dont Pierre avait gratifié le père Picard, le jésuite aux idées rétrogrades des cours de préparation au mariage, la faisait toujours rigoler.

— Attends, tu vas moins rire… Imagine-toi qu'il nous oblige à reprendre les trois cours qu'on a ratés depuis la mort de ta mère.

Le visage de la jeune fille s'allongea ; comme retour aux réalités de son époque, elle allait être servie !

— Oh, non! Après tout ce qui m'est arrivé, on ne pourrait pas obtenir une dispense?

— Crois-moi, Janine, j'ai essayé… Tu sais ce que je pense de ces "soirées mondaines"… Mais le bon père m'a répondu, et je le cite: "Pas de cours, pas de mariage!" Alors, ma chère, voici le programme pour nos trois prochaines soirées: demain, cours de budget au soubassement de l'église Saint-Jean-Berchmans; mercredi, conférence sur l'éducation des enfants, offerte par deux couples de parents à la paroisse Saint-Marc, et jeudi, le dessert: toute une soirée à Sainte-Philomène[1] avec notre ami Pigalle qui nous reparlera (il poussa un long soupir) du rôle des époux dans le sacrement du mariage.

Janine haussa les sourcils:

— Encore! Seigneur, j'te dis qu'il aime ça, s'écouter parler, lui…

« Qu'il en profite, son règne achève, poursuivit-elle en pensée. Il en perdrait son latin s'il avait seulement une petite idée de tout ce que j'ai vu en 2000…»

Un sourire s'épanouit sur les lèvres de Janine.

— Ça t'amuse? s'étonna Pierre. Tant mieux pour toi! Moi, j'en ai plein le dos que l'Église gouverne nos vies.

Avant de s'éclipser par la porte arrière, il s'inclina pour embrasser sa fiancée, un chaste baiser auquel elle répondit sans enthousiasme avant de se détourner pour échapper à son étreinte.

---

1. En 1964, à la suite d'une décision de Rome de retirer sainte Philomène du calendrier des saints, le diocèse de Montréal a changé le nom de cette paroisse pour Saint-Esprit.

«Pourquoi est-elle si froide avec moi? s'inquiéta-t-il en empruntant la ruelle. Autant elle s'est rapprochée de son père, qu'elle a toujours détesté, autant elle a pris ses distances avec moi... M'aime-t-elle encore? À moins qu'elle ne m'en veuille de l'avoir mise enceinte? Elle m'épouse peut-être juste pour donner un père à son enfant... Et si elle se doutait de quelque chose?»

Cette supposition l'effrayait tellement qu'il chassa aussitôt cette pensée: Janine avait toujours fait fi des rumeurs à son sujet et personne n'était au courant de son aventure avec l'inconnu du parc Lafontaine sur qui il ne cessait de rejeter la faute pour se déculpabiliser: «J'étais désespéré, j'avais besoin de réconfort, il a profité de moi. Ça ne m'arrivera plus jamais...»

Quelques minutes plus tard, en remontant la rue d'Orléans, Janine songeait à Pierre. Même si sa réaction enthousiaste à la perspective d'être père et son sens des responsabilités avaient diminué sa rancœur envers lui, il n'en restait pas moins qu'il s'était servi d'elle pour camoufler son orientation sexuelle. Cette trahison avait détruit sa confiance envers lui.

Le piège allait bientôt se refermer: pour le bien de son enfant à naître, le 10 octobre, elle deviendrait madame Pierre Bilodeau, et son fiancé préserverait sa réputation en jouant l'époux attentionné. Son mariage serait bâti sur une double imposture et elle n'aurait que son père pour l'aider à survivre dans une époque où elle n'avait plus sa place. Si au moins Laurent avait été là... Mais dans une dizaine de jours, il quitterait le pays pour s'établir au Cameroun. Marie-Claire n'avait eu aucun mal à le convaincre. Elle avait trouvé un acheteur pour le château dont le produit de la vente financerait la construction d'une école. Un faux passeport serait bientôt délivré grâce à l'un de ses contacts : « Laurent Lafontaine » passerait les frontières ni vu, ni connu...

Janine s'arrêta un instant devant le jardin de l'hospice, saccagé par l'eau et le passage des pompiers. La veille, sœur Marie-des-Saint-Anges lui avait appris qu'une équipe de bénévoles serait bientôt à pied d'œuvre pour tout nettoyer :

— Ne t'en fais pas, ma petite Janine, plus rien n'y paraîtra l'été prochain. La nature est forte et la Providence encore plus : c'est Elle qui t'a sauvé la vie en t'éloignant d'ici.

La jeune fille avait pincé les lèvres. Sa fuite par le souterrain, ses trois jours dans le futur, sa grossesse, il lui avait fallu tout dissimuler à sa tante : une vie de mensonges se profilait...

Rue Dandurand, la maison de vieillards, cernée d'un cordon de sécurité, lui arracha un soupir douloureux : toutes les fenêtres de l'aile sinistrée avaient éclaté, un mur s'était effondré et une odeur âcre de cendre et de bois calciné ajoutait à la désolation des lieux. D'ici un an, les vieux pensionnaires réintégreraient leur logis : « Une attente si courte à côté de la mienne... Oh, Stéphane, comment vais-je faire pour vivre sans toi ? »

Chose certaine, Janine n'avait nulle envie de se plier au « devoir conjugal », c'était au-dessus de ses forces. « Il va pourtant falloir que je trouve un moyen... », se dit-elle en jetant un regard circulaire aux alentours.

Depuis 1918, les arbres avaient poussé rue Dandurand et de nouvelles demeures avaient comblé les espaces vides. Coin Charlemagne, une école primaire avait remplacé la petite chapelle Saint-François-Solano. Seul le château avait traversé le temps sans subir la moindre transformation.

Janine traversa la rue et gravit l'escalier de la grosse maison en pierre. C'était la première fois qu'elle revoyait Marie-Claire depuis son retour. Lorsque celle-ci vint lui ouvrir, le contraste avec la jeune fille de 1918 lui serra le cœur : des cheveux gris encadraient un visage flétri et la tache de vin sur sa joue avait pris une teinte violacée.

— Janine, quel plaisir de te revoir ! s'exclama-t-elle en l'embrassant chaleureusement.

Une bonne odeur de rôti accueillit l'invitée d'honneur à ce souper de retrouvailles. Des dizaines de boîtes de carton étiquetées longeaient le mur du grand salon, situé à droite d'un large escalier menant à l'étage.

Elles entrèrent dans la salle à manger où la table avait été dressée avec soin.

— Laurent viendra nous rejoindre dans une demi-heure. Il a travaillé toute la journée en bas.

— Qui a acheté la maison ? demanda Janine.

— Un actionnaire du Canadien Pacifique. Il m'avait déjà fait une offre l'année passée. Ça m'avait donné à réfléchir…

— C'est à ce moment-là que vous avez pensé au Cameroun ?

Le regard de Marie-Claire plongea dans celui de Janine.

— Tu dois m'en vouloir d'emmener ton frère loin d'ici…

La jeune fille poussa un soupir résigné.

— C'est le prix à payer pour qu'il retrouve la liberté. Comment pourrais-je vous en vouloir de lui donner cette chance ?

— Merci, Janine, tu me rassures. Mais… s'il te plaît, cesse de me vouvoyer, nous sommes amies, maintenant.

Un éclat de voix venant de la cuisine fit sourire Marie-Claire.

— Ne fais pas de bruit et viens voir, chuchota-t-elle en entraînant la jeune fille avec elle.

Les deux femmes entrèrent dans la pièce enfumée où une scène réjouissante attendait Janine : son père attablé avec Jo Larivière devant un jeu de dames.

— Ah ! Ah ! En plein ce que j'attendais ! Attends, mon vieux maudit, s'écria Ernest en saisissant un jeton rouge pour zigzaguer sur le damier en raflant au passage une demi-douzaine de pièces noires.

Jo haussa les épaules d'un air dédaigneux.

— Pfff ! Fallait bien que je t'en laisse gagner une, t'es tellement mauvais perdant.

— Ouais, ouais… Tu peux ben parler, mon vlimeux. T'es même pas capable d'admettre que je t'ai eu.

Enfin réconciliés après 41 années de bouderie, les deux anciens voisins poursuivirent leur discussion en replaçant les pièces sur le jeu. Un doigt sur les lèvres, Marie-Claire fit signe à Janine de la suivre dans l'escalier de la cave à vin.

— Il me reste encore quelques bonnes bouteilles. Tu préfères du rouge ou du blanc ?

— Peu importe, répondit Janine en retenant un sanglot.

« Oh, Stéphane, nous étions ici, il y a cinq jours… »

La pièce, encombrée de sacs de ciment, n'avait guère changé : la grande table flanquée des deux bancs de bois et la chaise capitonnée dans laquelle elle s'était assise en 1918 étaient encore là. Par contre, le chandelier et les barriques de vin avaient disparu. Un paquet de cigarettes Export « A » et un cendrier rempli de mégots étaient posés au bord de la table. Sur le mur du fond, une étagère avait été déplacée et, derrière, un lourd rideau de velours rouge, tiré sur un côté, dévoilait une porte entrouverte.

Le cœur lourd, Janine s'approcha : le passage secret menant au puits de la maison de son père pourrait la ramener à l'an 2000, quelques minutes la séparaient de l'homme qu'elle aimait.

Elle sentit une main sur son épaule.

— Allez, il vaut mieux remonter…

Janine se retourna vers son hôtesse.

— C'est si dur, Marie-Claire ! Si au moins j'avais pu rester là-bas, avec lui, dit-elle avant d'éclater en sanglots.

La châtelaine prit Janine dans ses bras pour la serrer contre elle. Marie-Claire était toujours aussi menue et, l'espace d'un instant, Janine eut l'impression d'étreindre la jeune fille désespérée de 1918. Sauf qu'aujourd'hui, les rôles étaient inversés…

— Allons, courage, ma chérie, je sais que ce doit être très difficile, mais tu es assez forte pour passer à travers…

«Pauvre Janine, songeait-elle, que pourrais-je te dire pour te réconforter? Tu me rirais au nez si je te disais à quel point je te comprends...»

Pendant les deux dernières années, Marie-Claire n'avait vécu que pour le retour de Laurent, mais elle avait tout de même pu suivre son périple dans le passé grâce à ses réminiscences – ces éclairs subits dans son esprit à chaque fois qu'il intervenait dans son passé à elle ou dans celui de Jo. Malheureusement, Janine n'aurait pas cette chance... De plus, elle devrait s'astreindre à épouser un homme qu'elle n'aimait pas pour éviter le déshonneur de mettre au monde un bâtard. En revanche, cet enfant pourrait bien représenter une planche de salut...

Marie-Claire relâcha son étreinte pour regarder Janine dans les yeux :

— Pense à ton petit bébé. Vois-le comme un cadeau du Ciel. Personne, à part lui, ne pourra te donner le sentiment d'être aimée inconditionnellement et l'impression de faire quelque chose de vraiment important.

Un pâle sourire effleura les lèvres de la jeune fille qui tenta de refouler ses larmes.

— Il s'appellera Patrice et, un jour, il sera un médecin-chercheur célèbre.

— Tu sembles déjà si fière de lui... Tu vois, Patrice te fait dès maintenant du bien : il t'aidera à passer à travers les prochaines années. Après, tu seras assez solide pour t'organiser une vie à ton goût.

— Oui... Mais dans trois semaines, je vais me marier, et je ne peux m'imaginer que je vais devoir... euh... bien... avoir des relations avec Pierre...

— Oui, je comprends… Mais tu pourrais peut-être t'arranger pour retarder un peu les choses. (Elle réfléchit un moment.) J'ai une idée ! Assois-toi, je vais t'expliquer…

Lorsque Laurent se présenta à l'entrée du passage secret, il trouva les deux femmes en pleine conversation.

— Eh, les filles ! Qu'est-ce que vous faites là à placoter ?

Il alluma une cigarette, savoura la première bouffée puis rejeta un panache de fumée. Une barbe de trois jours lui couvrait les joues. Ses cheveux, maintenant coupés court, étaient coiffés à la diable et ses vêtements étaient couverts de ciment.

— J'ai terminé ! Personne ne pourra se douter qu'il y a un couloir au fond du puits de l'hospice : j'ai colmaté la brèche que j'avais faite en 1955[2]. Demain, on condamnera le passage, ajouta-t-il en désignant la porte, derrière le rideau de velours. Jo s'y connaît en maçonnerie : on n'y verra que du feu.

— Ton père est arrivé, il est en train de jouer aux dames avec Jo.

Deux jours plus tôt, Marie-Claire avait assisté, émue, aux touchantes retrouvailles entre Laurent et son père. Toutefois, le bonheur d'Ernest s'était assombri en apprenant que son fils irait vivre des jours meilleurs en Afrique.

Le souper fut l'occasion de commenter longuement les événements des deux dernières semaines.

---

2. Cette brèche débouchait sur un couloir menant à l'école de filles, rue Masson. Laurent l'avait emprunté lors de son premier voyage temporel qui l'avait conduit en 1914 (voir tome II, chapitre 4).

Le nom de Stéphane fut évoqué à plusieurs reprises : Ernest et Laurent ne tarissaient pas d'éloges à son égard. Remarquant l'air morose de Janine, Marie-Claire détourna habilement la conversation vers sa mission au Cameroun. Ravi, Laurent enchaîna en parlant de leur village d'accueil, de la construction de l'école et de multiples projets. Son euphorie faisait plaisir à voir : nul doute, le frère de Janine avait enfin trouvé un endroit pour vivre libre et heureux. Le chagrin d'Ernest et de Janine s'en trouva amoindri.

Les trois soirs suivants, Janine et Pierre assistèrent docilement aux séances de préparation au mariage. Familiarisée depuis longuement avec l'administration d'un budget familial, la jeune fille s'ennuya ferme pendant le cours du mardi. En revanche, la rencontre du mercredi, portant sur l'éducation des enfants, offrait de bons conseils aux futurs parents et Janine se réjouit devant l'intérêt que Pierre démontrait.

Le lendemain, une quinzaine de couples étaient réunis au sous-sol de l'église Sainte-Philomène pour la rencontre avec le père Picard. Dans la salle, Janine et Pierre croisèrent Jean-Louis Veilleux, voisin de Janine, qui leur présenta Liliane Quevillon, une jolie petite rousse au visage parsemé de taches de rousseur.

—Je me demande ce qu'elle peut ben trouver à ce crétin, souffla Janine à Pierre dès que la jeune fille leur tourna le dos.

Pierre soupira bruyamment. La perspective d'avoir comme voisin l'ami d'enfance du jeune frère de Janine ne l'enchantait guère. Enfants, Gaston et Jean-Louis avaient été ses deux pires tortionnaires, se moquant de son allure efféminée, le bousculant à chaque fois qu'ils en avaient l'occasion.

Maintenant âgé d'une vingtaine d'années, Veilleux avait décroché un emploi de contremaître dans une manufacture de sous-vêtements pour dames et il passait la majeure partie de ses soirées assis sur son balcon, une bière à la main.

— C'est bien qui a hérité de la maison? s'informa Pierre.

— C'est parce qu'il était le seul enfant, répondit Janine. Sa mère a été bien bonne : Jean-Louis ne lui a jamais payé de pension. Maudit sans-cœur! En plus de le torcher, sa mère devait faire des ménages pour joindre les deux bouts.

Des yeux, elle repéra la jeune fille rousse, pendue au bras de son voisin.

— J'espère qu'elle a du caractère, parce qu'elle va en avoir besoin!

De timides applaudissements soulignèrent l'arrivée du père Théodule Picard sur l'estrade. Janine et Pierre prirent place à une extrémité de la dernière rangée, comme deux figurants résignés à leur sort.

Vêtu d'une soutane à col romain, le jésuite, un sexagénaire, consulta la liste des participants placée sur le lutrin. Sous ses lunettes aux verres épais, ses yeux globuleux faisaient des aller-retour de la salle à sa liste pour vérifier les présences. Satisfait, il s'empara de son stylo pour frapper impérieusement sur le microphone. Un silence entrecoupé de toussotements lui répondit.

Après s'être éclairci la voix, le père Picard commença son laïus d'un ton solennel :

— Chers fiancés, bienvenue ! Alors que le grand moment approche pour vous, j'aimerais profiter de notre ultime rencontre pour vous rappeler le neuvième commandement de Dieu : *L'œuvre de chair ne désireras, qu'en mariage seulement*. Vos dernières semaines de célibat doivent être dominées par la résolution ferme de vous présenter à l'autel sans vous être profanés.

— Oups ! Trop tard… glissa Pierre à l'oreille de Janine qui pinça les lèvres pour ne pas s'esclaffer.

— Mesdemoiselles, lança l'ecclésiastique en pointant un doigt vers l'assistance, sachez qu'il faut de grands efforts à votre fiancé pour résister, car l'instinct naturel chez l'homme soumet les meilleurs d'entre eux aux plus terribles tentations. Une jeune fille doit éviter tout ce qui pourrait déchaîner la passion de son fiancé, ce qui l'aidera à se dominer lui-même. Par contre, si elle lui cède… elle l'entraînera bien bas dans l'abîme du mal et du vice.

Dans la salle, un silence pesant accueillit les propos du jésuite.

« Ben oui, c'est encore la faute des femmes. Maudit qu'on a le dos large, nous autres ! », s'insurgea Janine.

— Quant à vous, messieurs, dites-vous bien que vos agissements, dans les prochaines semaines, refléteront le plus profond de votre âme. Ils prouveront que vous avez des sentiments nobles et élevés ou bien… que vous n'êtes que des êtres vulgaires se rabaissant au niveau de la bête.

— Il est vraiment très en verve, ce soir, murmura Pierre, en donnant un coup de coude à sa fiancée qui ne put retenir un petit rire.

Deux têtes se retournèrent et quelques «chut!» bien sentis se firent entendre. Un sourire taquin se dessina sur les lèvres de Janine : ils avaient l'air de deux élèves turbulents assis au dernier rang de la classe.

Sur l'estrade, le prêtre, imperturbable, poursuivait sur sa lancée :

— L'homme et la femme sont différents. Déjà, le petit garçon tend à s'affirmer. Devenu adulte, il cherche à organiser, à bâtir, à créer grâce à son intelligence sobre et réfléchie.

«Dieu a orienté la femme vers une tout autre destinée. Petite fille, elle n'a jamais été plus heureuse que lorsqu'elle pouvait jouer à la maman. D'emblée, elle manifestait une prédilection pour les occupations domestiques et ses jeux avec ses poupées démontraient toutes les qualités dont elle ferait preuve un jour en tant que mère soigneuse et attentive.

«Pour celle-ci, l'activité intellectuelle est vite troublée dès qu'une question influe sur le sentiment : tout ce qui est abstrait, philosophique ou scientifique n'est pas dans sa nature propre. Voilà pourquoi lorsqu'il est question de logique pure ou de pensées où la raison seule intervient, la femme est ordinairement, de loin, dépassée par l'homme.»

« Outch ! » Du coin de l'œil, Pierre observait sa fiancée : les traits durcis, Janine avait serré les poings. Et le prêtre continuait :

— Oui, les hommes et les femmes ont des natures différentes, mais il est impossible de peser les qualités propres de l'homme et de la femme pour juger à qui revient la priorité, admit-il. L'homme qui regarde sa femme avec hauteur, parce qu'il remarque en lui des qualités qui lui manquent, n'a strictement rien compris aux avantages féminins ; et il serait tout aussi ridicule pour une femme d'avoir honte de ce qui lui est propre et d'y renoncer pour essayer de devenir semblable à son mari. Elle renierait, par le fait même, ce qu'il y a de meilleur en elle : la chance d'être mère. Et croyez-moi, cette vocation d'épouse et de mère demande à la femme un bien plus grand don de soi qu'il ne l'exige de l'homme pour la paternité. N'oubliez pas que c'est la femme qui porte les plus lourds fardeaux dans le mariage, si bien que le rôle qu'elle y tient est incompatible avec n'importe quel autre emploi. Alors que les occupations normales de l'homme l'envoient hors du foyer familial, la grossesse, la naissance, l'allaitement sont de grands bonheurs pour la mère, même s'ils comportent leur lot d'incommodités et de douleurs, exigeant toujours de nouveaux renoncements et de nouvelles servitudes. Malgré tout, ce rôle, s'il est éclairé par un amour conjugal sincère, est pour elle, je ne dis pas une, mais la seule source de bonheur et d'allégresse réels.

Janine s'agita sur sa chaise, la moutarde commençait à lui monter au nez : « Pfff ! Je voudrais bien le voir accoucher, lui ! »

Des yeux, elle balaya l'assistance : pas une femme n'avait bronché. Tous les regards étaient rivés sur le bon père qui enchaîna :

— L'homme est, par la volonté de Dieu, le chef de famille : *Femme, tu seras soumise à ton mari et il te gouvernera*, affirme saint Paul.

Janine leva les yeux au ciel en étouffant un nouveau soupir : « Oh, Stéphane, c'est si loin l'an 2000… Veux-tu ben me dire qu'est-ce que je fais ici ? »

Le père Picard haussa le ton :

— Mais attention, messieurs ! pouvoir ne veut pas dire tyrannie, car saint Paul a aussi ajouté : *Mais vous, maris, aimez votre femme*. La soumission de votre femme ne sera possible que si elle vous estime du plus profond de son cœur. Lorsqu'elle vous verra gagner la vie de votre famille à la sueur de votre front ; lorsque, les jours de paye, vous rentrerez directement à la maison, sans passer par la taverne ; lorsqu'elle vous sentira digne et solide et qu'elle saura ses enfants à l'abri du besoin, alors la notion de soumission deviendra un pouvoir exercé par l'amour. Que de joie vous aurez, messieurs, à rentrer à la maison le soir après une journée éreintante, lorsque vos enfants vous sauteront au cou et que votre coquette petite femme vous accueillera avec un bon souper…

Il marqua un temps d'arrêt pour boire un peu d'eau, puis continua :

— Mesdemoiselles, je suis curieux : lesquelles d'entre vous sont diplômées de l'école ménagère ?

Une dizaine de mains se dressèrent fièrement.

—Je vous félicite ! Savez-vous à quel point vous êtes des trésors ?

De petits gloussements gênés lui répondirent.

—Ah ! Si vous saviez tous les problèmes qui surviennent dans les foyers quand la mère de famille ne sait pas tenir maison… Non seulement elle ne l'a pas appris, mais elle ne pourra pas former davantage ses filles aux travaux féminins.

« Alors, sachez-le bien, mesdemoiselles, votre habileté à diriger une maison est plus importante que tous les diplômes universitaires et l'étendue de vos lectures. »

Le grincement métallique d'une chaise repoussée vivement fit sursauter l'assistance : au dernier rang, Janine s'était levée d'un bond en agrippant son sac à main.

—Bon, là, ça va faire !

Pierre haussa les sourcils.

—Janine, qu'est-ce que tu f…? chuchota-t-il.

—Reste si tu veux, mais moi, j'en ai assez entendu, maugréa-t-elle entre ses dents.

Sur ces mots, elle se dirigea vers la sortie d'un pas rapide.

—Mademoiselle Provencher, le cours n'est pas terminé ! l'apostropha le père Picard du haut de sa tribune.

Fulminante, la jeune fille lança sans se retourner :

—Pour moi, oui. On étouffe, ici !

—Mademoiselle Provencher, vous retardez tout le monde ! Arrêtez de faire l'enfant et revenez vous asseoir !

Janine fit volte-face, les mains sur les hanches. Ses yeux fusillaient le jésuite.

— Qui êtes-vous donc pour parler des femmes et du mariage ? Vous ne connaissez rien là-dedans ! Moi, j'suis tannée de me faire rabaisser ! À vous entendre, les femmes sont une gang d'innocentes juste assez bonnes pour changer les couches, faire la vaisselle et servir leur mari ! On vaut cent fois plus que ça… l'avenir vous le prouvera !

Sur ce, elle tourna les talons et sortit de la salle, la tête haute.

Un silence de mort s'ensuivit. Toute l'assemblée guettait la réaction du père Picard qui, sans voix, avait blêmi d'un seul coup.

Pierre se leva à son tour. Le voyant gagner la sortie, le père Picard retrouva sa superbe :

— Monsieur Bilodeau, je vous conseille de raisonner votre fiancée, tonna-t-il, sinon… pas de mariage !

Un sourire narquois sur les lèvres, Pierre haussa les épaules d'un air dégagé :

— Ah, bon ? Si vous préférez nous voir vivre dans le péché, c'est votre choix…

Un « honnnn ! » généralisé et quelques ricanements nerveux accompagnèrent les derniers pas du fiancé de Janine vers la porte.

— Le sort en est jeté, ma chère. Désormais, pour tout le quartier, nous sommes un couple maudit, affirma-t-il en retrouvant Janine assise sur les marches du parvis de l'église.

Il alluma une cigarette, puis s'installa près d'elle pour lui raconter la suite des événements.

— T'as vraiment dit ça ? Wow ! Attends, toi ! dit-elle en l'attirant pour l'embrasser bruyamment sur la joue.

— Ben quoi ? J'allais tout de même pas rentrer dans mon trou après ta magnifique sortie. *My God !* Janine, quel front de beu ! On aurait cru entendre ton père.

— Écoute, j'en pouvais plus ! Pis, t'as vu ce troupeau de moutons assis ben tranquille à boire les paroles du maudit corbeau ?

Pierre lui donna un petit coup d'épaule amical.

— Comme ça, je n'épouserai pas une gentille petite femme soumise qui va m'apporter mes pantoufles ? la taquina-t-il.

— Tu vas te marier avec une fille qui a des opinions et qui ne veut surtout pas vivre la vie de sa mère.

— Tant mieux ! Tu vois, nous sommes vraiment faits pour vivre ensemble, conclut-il en se levant. Que dirais-tu d'une p'tite frite au Masson Hot-Dog pour célébrer ça ?

Le Masson Hot-Dog…

Janine baissa les yeux, une vague de tristesse assombrit son visage au souvenir de sa dernière visite en compagnie de Stéphane. Le goût de la savoureuse poutine revint lui chatouiller le palais.

— Janine ? insista Pierre, en lui tendant la main.

Levant les yeux, la jeune fille croisa le regard bienveillant de son copain d'enfance : le seul véritable ami qu'elle avait jamais eu.

— OK. En route ! lança-t-elle en saisissant sa main.

Leur banquette favorite étant occupée, le couple s'installa sur une autre, au fond du restaurant.

Janine observait Pierre, au comptoir, en train de commander leurs frites. Son geste solidaire à l'église lui avait permis de constater à quel point il avait pris de l'assurance depuis l'époque où il se laissait terroriser dans la ruelle. Ses études et ses lectures – la plupart mises à l'index – avaient parfait ses connaissances en philosophie, en littérature et en histoire. Ils partageaient les mêmes valeurs, les mêmes aspirations à une société plus évoluée : tous deux étaient fin prêts pour accueillir « les plus belles années du Québec », cette fameuse Révolution tranquille promise par Stéphane.

« Nous sommes faits pour vivre ensemble », avait affirmé Pierre en lui tendant la main. « Oui, peut-être... », songea Janine.

Oui, l'amitié pourrait peut-être suffire s'il acceptait de s'en contenter...

Pierre revint avec un plateau fumant.

— Mmmm... Ça fait une éternité que je n'ai pas mangé une frite ici. On devrait venir plus souvent.

Il se glissa sur la banquette et s'empara de la bouteille de ketchup.

— Ton père t'a-t-il parlé du cadeau qu'il voulait nous faire ?

— Poser du tapis "mur à mur" dans la chambre ? Oui. Toi, qu'est-ce que t'en penses ?

— C'est que... Je ne voudrais pas qu'il se lance dans de grosses dépenses, étant donné que nous ne resterons pas plus d'un an avec lui.

— Justement, je voulais t'en parler...

34

À quoi bon échafauder des plans pour déménager ? Janine savait déjà qu'elle quitterait la maison au milieu des années 1990…

— Depuis l'incendie, ça va beaucoup mieux avec mon père…

— C'est normal, Ernest a été très secoué par ta disparition. C'est d'ailleurs le seul qui te croyait encore vivante. Écoute, si tu préfères rester, moi, je n'y vois aucun inconvénient, au contraire : on pourrait économiser davantage pour acheter la galerie de monsieur Frigon.

En 2000, la galerie Signature avait toujours pignon sur rue. Le hasard l'avait placée sur le chemin de Janine, le jour où Stéphane avait aidé son ami Jess à déménager, et elle n'avait pu résister à l'envie de la visiter. La jeune fille qui l'avait accueillie n'avait jamais entendu parler d'Antoine Frigon. « Elle m'a seulement parlé des sœurs Labelle, à qui sa mère avait acheté la galerie dans les années 1980… »

Greta Tanasescu lui avait remis sa carte, l'invitant à téléphoner le lendemain à sa mère pour en apprendre davantage, mais à ce moment, Janine était déjà de retour en 1959…

« J'ai peut-être eu tort de tenir pour acquis que Pierre n'achèterait jamais Signature… »

Son fiancé n'en doutait nullement, et la perspective de hâter les choses avait allumé son regard.

— Ça fait longtemps que je n'ai pas parlé à monsieur Frigon. En fin de semaine, je passerai le voir afin de m'assurer qu'il veut toujours nous vendre la galerie. Ah, Janine, je suis tellement content : tout s'arrange magnifiquement bien. Dire qu'en plus, on va avoir un bébé! Ouf! S'il fallait que le père Pigalle le sache...

— S'il veut nous empêcher de nous marier, je ne me gênerai pas pour le lui dire : il n'aura pas le choix.

— En tout cas, c'est toute une femme que j'ai devant moi, affirma Pierre en lui prenant la main pour la porter à ses lèvres.

Mal à l'aise, Janine baissa les yeux : « C'est le moment, il faut que je lui parle... »

La date du mariage approchait, Pierre devait s'attendre à faire l'amour avec elle. Même si son animosité envers lui avait diminué, Janine savait très bien qu'elle se rallumerait aussitôt qu'il tenterait de la toucher. Il était temps de faire appel à « la solution » conseillée par Marie-Claire...

— Pierre... il faut que je te dise... Aujourd'hui, j'ai été voir le docteur parce que... depuis l'incendie, j'ai des saignements...

Inquiet, le jeune homme fronça les sourcils.

— Le bébé... Mon Dieu, est-ce que c'est grave?

— Pour le moment, ça va, mais je dois me reposer, éviter les gros travaux, et pour le reste de ma grossesse... eh bien, le docteur a dit qu'il vaudrait mieux nous abstenir de... Tu comprends?

— Oh, Janine, cet enfant, je l'aime tellement déjà. S'il fallait qu'on le perde à cause de ça, je ne me le pardonnerais jamais. Sois tranquille, ajouta-t-il avec un sourire railleur, ton futur mari n'est pas un de ces êtres vulgaires qui se rabaissent au niveau de la bête.

Rue d'Orléans, une longue accolade et un chaste baiser conclurent la soirée. Pierre était rassuré : à son insu, le père Picard avait ravivé la complicité entre Janine et lui. Comme avant, ils avaient joyeusement arpenté la rue Masson, main dans la main, vers leur bon vieux Masson Hot-Dog. Comme avant, ils avaient discuté de leurs projets communs.

Rue Charlemagne, Pierre s'assit sur une marche devant chez lui pour fumer une cigarette. Jamais il ne s'était senti si bien : il allait se marier dans trois semaines ; dans sept mois, il serait père (et malgré ses appréhensions, Ernest ne lui avait fait aucun reproche) ; en septembre prochain, il obtiendrait un poste de professeur ; d'ici cinq ans, il aurait économisé assez d'argent en vue de faire une offre d'achat pour la galerie dont il rêvait. La nuit de noces qu'il redoutait tant ne serait que partie remise et, d'ici là, son écart de conduite avec l'homme du parc Lafontaine ne serait plus qu'un lointain souvenir. L'avenir lui souriait…

Or, pour Janine, l'avenir revêtait une tout autre signification : « J'peux pas croire que je vais être obligée de rentrer dans le moule », songea-t-elle en revenant chez elle.

Si le sermon du père Picard l'avait mise hors d'elle, la résignation docile des jeunes filles présentes à l'assemblée l'avait démoralisée. Depuis son retour en 1959, Janine était à même de mesurer l'ampleur de la campagne de promotion de la « Reine du foyer », dans les magazines, à la radio ou à la télévision. Son désir de rébellion était vif, mais elle se raisonnait, dans la crainte de changer son destin et de faire dévier le cours du temps.

Heureusement, la perspective d'entrer de plain-pied dans une ère nouvelle lui prodiguait un peu d'espoir.

Une idée lui vint. Sans bruit, elle colla l'oreille contre la porte de la chambre de son père : Ernest, qui commençait à travailler très tôt chez Angus, ronflait doucement dans son lit. À pas de loup, elle traversa le couloir vers la cuisine ; dans un tiroir du comptoir, elle prit une lampe de poche et la clé du cadenas, puis s'agenouilla sur la trappe de la cave. Maintenant, son impatience de retrouver son trésor était telle qu'elle ne pouvait attendre le lendemain. Elle descendit.

Au fond de la cave, Janine sortit, d'une boîte de carton, l'ensemble en molleton qu'elle avait enfilé lors de son voyage de retour, et elle déplia le pull.

Le faisceau de sa lampe tremblota sur la page glacée du magazine *Châtelaine* qui serait publié 41 ans plus tard :

> *De 1960 à 2000. Comme nous avons changé ! Que de bouleversements depuis l'époque où nos lectrices signaient au bas de leurs lettres le nom de leur mari : « Madame Jean-Paul Héroux », maîtresse de maison !*

Janine s'assit par terre avec le supplément rapporté en douce de son voyage temporel.

En 2000, Stéphane l'avait longuement entretenue de la Révolution tranquille et de l'émancipation des femmes. En bon professeur d'histoire, il avait mentionné plusieurs dates. L'une d'elles avait retenu l'attention de Janine : en 1961, une femme serait élue pour la première fois à l'Assemblée nationale. On lui confierait même un ministère!

Fébrile, Janine feuilleta les pages du magazine à la recherche du nom de la députée. «Je l'ai! Claire Kirkland-Casgrain.»

Elle s'appuya contre une boîte et dirigea sa lampe sur la brève biographie. «C'est ça, je m'en souviens maintenant: c'est elle qui fera voter la fameuse loi[3] qui permettra aux femmes mariées de devenir de "vraies personnes".»

Elle parcourut encore quelques lignes. «Seigneur! La loi ne passera pas avant quatre ans… Ça veut donc dire qu'une fois mariée, je n'aurai pas encore le droit d'hériter de la maison de mon père… Je ne pourrai même pas signer un bail ou faire un testament!»

Elle lut encore, quelques pages plus loin…

«Ah, le contrôle des naissances… Quand est-ce qu'elle va arriver, leur fameuse pilule, qu'on puisse enfin lâcher la méthode du thermomètre?»

Trois lignes plus bas, elle apprit que la pilule anti-conceptionnelle, commercialisée en 1962, obtiendrait un vif succès auprès des jeunes femmes malgré l'interdiction de l'Église.

«Dire que ç'a toujours été péché mortel d'empêcher la famille. Oh là là, j'imagine la réaction des curés lorsqu'on va permettre l'avortement…»

Elle continua à tourner les pages: «Oh! On parle de Judith Jasmin, "la première à militer pour l'éducation

---

3. Il s'agit de la Loi 16, adoptée le 14 février 1964, mettant fin à l'incapacité juridique des femmes mariées.

accessible et gratuite pour tous"… Ça ne me surprend pas, elle est tellement brillante. Ça, c'est une femme libre!»

Un grand frisson la parcourut, un peu plus loin, à la vue d'une photo prise en 1968 où des centaines de femmes avaient envahi les rues de Montréal pour dénoncer la position de l'Église sur l'avortement. Sur une bannière, on pouvait lire: *Nous aurons les enfants que nous voudrons!*

«Hi! Hi! Attachez vot' tuque, père Pigalle, les Reines du foyer vont bientôt rendre leur tablier!»

Chapitre 2

Jeudi 16 juin 1960

Cher Stéphane,
Il est 4 heures du matin, je ne dors plus. Le cauchemar est revenu. Ça faisait des mois que ça ne m'était pas arrivé. Dans mon rêve, j'étais à l'hospice au milieu de l'incendie. Une chaudière à la main, j'ai monté l'escalier vers le réfectoire enfumé d'où me provenaient les pleurs d'un bébé. Arrivée à la dernière marche, j'ai aperçu un berceau près de la grande table. Des flammes le cernaient de toutes parts. J'ai crié de toutes mes forces, ça m'a réveillée...

En ouvrant les yeux, j'ai aperçu mon mari au bout du lit avec Patrice dans les bras. Le petit pleurait à chaudes larmes ; j'ai tendu les bras vers lui. Il avait faim ; j'ai été m'asseoir dans la cuisine pour le nourrir. Le sentir tout contre moi m'a réconfortée.

Après l'avoir recouché dans son berceau, je suis allée chercher mon journal dans la boîte à chapeau. Ça fait longtemps que je ne t'ai pas écrit, je le sais...

Laurent et Marie-Claire ont quitté le pays le 6 octobre pour le Cameroun. Avant son départ, mon frère m'a prise à part pour me faire ses dernières recommandations : ma connaissance du futur ne devra jamais influencer mes actions présentes. Je dois m'efforcer de vivre heureuse aux côtés de mon mari sans faire de vagues et, surtout, je dois t'oublier... du moins d'ici à ce que tu réapparaisses dans ma vie en 1971.

J'ai bien essayé, mais je pense à toi tout le temps. Même le jour de mon mariage, où mon père m'a retrouvée en larmes dans ma robe de mariée.

On n'a pas fait de voyage de noces. Pierre avait ses cours et, de toute façon, je n'avais pas le cœur à ça...

Patrice est arrivé le jour de Pâques, comme tu l'avais dit. Pierre était fier comme un coq et mon père a pleuré comme un enfant quand je lui ai mis son petit-fils dans les bras. Il l'a bercé des heures dans sa chaise berçante. Pas moyen de le lui enlever.

Mon mari est un bon père. Dans les semaines suivant mon retour, j'étais distante avec lui, mais peu à peu, les choses se sont arrangées et notre amitié a repris le dessus.

Pierre a toujours été un homme aux idées modernes croyant à l'égalité entre les hommes et les femmes. Il s'intéresse beaucoup à la politique (depuis quelques semaines, il est bénévole au comté de Laurier, où René Lévesque s'est présenté pour le Parti libéral). Bientôt, il obtiendra son brevet de professeur et en septembre, il commencera à enseigner dans une école dans le nord de Montréal.

Tout va toujours bien entre mon père et moi. Le soir, après le souper, il lui arrive souvent de jouer aux dames avec Jo Larivière. (Tu te rappelles ? C'était son voisin d'en face, en 1918, celui qui devait nous conduire au parc Dominion.)

Mes journées se déroulent entre la cuisine et la chambre de Patrice. Même si j'ai de quoi m'occuper, je trouve le temps long et je n'arrive pas à me mettre en tête que je vais passer des années entre les quatre murs de la maison à jouer les ménagères.

Je ne sors pas souvent et j'ai peu d'amis (je n'ai malheureusement plus de contact avec mes collègues d'Angus). Il me reste Susan et André, le couple avec qui Pierre et moi allions danser, dans le temps. Je sympathise aussi avec ma voisine, Liliane, qui s'est mariée deux semaines après moi avec Jean-Louis Veilleux, un ami de mon frère Gaston.

Tu me manques tellement, Stéphane. Je revis sans cesse les trois jours que nous avons passés ensemble. Tout à l'heure, le cauchemar m'a rappelé celui que j'avais fait le deuxième soir quand j'étais avec toi. Tu m'avais prise dans tes bras pour me rassurer, c'est si loin déjà…

Le cœur lourd, Janine referma son journal et le remit dans la boîte à chapeau qu'elle rangea dans la penderie de son ancienne chambre.

Ce soir-là, on célébrait la Fête-Dieu dans les rues de Rosemont. Après le souper, Janine coucha Patrice et sortit deux chaises sur le balcon. Des drapeaux fleurdelisés, ornés d'un cœur cerclé d'une couronne d'épines, et des fanions papaux or et blanc ornaient les fenêtres et les balcons environnants. D'ici quelques minutes, un imposant cortège devait défiler, rue d'Orléans.

— Ah, ben! La suffragette!

Agacée, Janine leva les yeux au ciel. Son voisin Jean-Louis Veilleux, qui l'avait affublée de ce sobriquet depuis son esclandre au cours de préparation au mariage, était assis en camisole sur une marche de son perron, une bière à la main.

— Dis-moé pas que tu vas r'gârder passer la procession? lança-t-il d'une voix empâtée par le houblon. Hééé! Toé qui manges du curé, t'as pas peur de faire une indigestion d'soutanes?

Un gros rire gras ponctua cette mauvaise blague dont il semblait très fier. Janine voulut répliquer, mais une voix derrière elle la devança:

— Qu'est-ce que t'as encore à dire, le smatte?

À la vue d'Ernest Provencher, Veilleux s'étouffa avec sa bière et fut pris d'une longue quinte de toux qui l'accompagna jusque dans sa maison.

— Maudit enfant de nanane! maugréa le sexagénaire en sortant sa blague à tabac et une pipe de sa poche de pantalon.

Il s'assit sur une chaise et rapprocha la table d'appoint pour y vider le contenu de sa pochette en cuir craquelé. Souriante, Janine se pencha vers lui pour l'embrasser sur la joue.

— Vous êtes mon ange gardien. Je suis certaine qu'on le reverra plus de la soirée, il a assez peur de vous…

— Y a ben raison ! s'exclama Ernest, en bourrant rageusement sa pipe. Y'est ben mieux de se t'nir le corps raide pis les oreilles molles, parce qu'il va finir par en manger toute une !

— C'est parce qu'il n'a rien d'intelligent à dire, papa. Y était d'même quand y était p'tit.

— Pis y valait déjà pas grand-chose ! En tout cas, moi, je suis pas mal fier de toi : t'as ben fait de lui river son clou, au maudit jésuite. Le verrat ! Quand j'pense qu'y a fallu que j'aille moi-même au presbytère pour arranger les affaires avec le curé... J'aurais ben voulu qu'il refuse de te marier !

En réalité, les choses s'étaient plutôt bien passées entre le curé Lafrenière et Ernest Provencher. L'ecclésiastique, qui ne portait pas particulièrement les jésuites dans son cœur, avait bien reçu le père de Janine. Ne l'avait-il pas vu à la messe le dimanche suivant le retour de sa fille ? Entre contrarier le père Picard, qui se prenait pour Dieu le Père, ou se mettre à dos la brebis galeuse de la paroisse qui semblait reprendre le droit chemin, le choix n'avait pas été difficile.

On entendait déjà la fanfare de la paroisse. La tête du cortège religieux apparut, coin Laurier. Enfants de Marie, Croisés, Dames de Sainte-Anne, de même que toutes les associations catholiques de la paroisse Saint-François-Solano devaient défiler, rue d'Orléans, puis emprunter la rue Dandurand jusqu'au reposoir, dressé sur le parvis de l'église.

— C'est Pierre qui vous a téléphoné pendant que j'endormais le p'tit ?

— Oui, il voulait m'inviter au comité pour rencontrer René Lévesque, mais j' suis trop fatigué. On fait des grosses journées à' *shop*, pis je recommence à avoir mal dans l'dos. J'espère que j'aurai une autre chance de rencontrer Lévesque… Ton mari est pas mal sûr qu'il va rentrer, le 22. Toi, qu'est-ce que t'en penses ?

Une lueur amusée alluma le regard de Janine. Depuis le départ de Laurent pour le Cameroun, elle avait évité de reparler de son aventure en 2000 avec son père : parler du futur, c'était aussi parler de Stéphane… Pourtant, ce n'était pas l'envie qui lui manquait de partager avec Ernest ses connaissances sur l'avenir du Québec. Aujourd'hui, l'occasion était trop belle…

— Jean Lesage et ton Ti-Poil seront élus, papa, et l'Union nationale va perdre les élections.

— Torvis ! T'as l'air pas mal sûre de ton affaire, ma fille !

— Je ne suis pas sûre, papa, je le sais ! J'ai passé trois jours dans le futur, vous ne vous en souvenez pas ?

Sur le point d'allumer sa pipe, Ernest suspendit son geste pour la dévisager :

— Qu… quoi ? Tu sais tout ce qui va arriver et c'est maintenant que tu me le dis ? Ma p'tite vlimeuse ! Tu penses que ton père est pas capable de garder un secret ?

Il avait pincé les lèvres en frappant l'accoudoir de sa chaise, mais il ne parvenait pas à éteindre la petite étincelle espiègle de son regard.

— Laurent ne serait pas content s'il savait que je vous en ai parlé, lui murmura Janine à l'oreille.

— Y'est loin, ton frère ! Allez, raconte à ton vieux père, chuchota-t-il.

Il frotta une autre allumette, alluma sa pipe et rapprocha sa chaise de jardin de celle de sa fille.

Le regard brillant d'excitation de son père ramena Janine au souper du 14 septembre 2000, lorsque Stéphane lui avait servi une inoubliable leçon d'histoire.

— Il va se passer quelque chose de très important, le 22 juin…

— Ouais, ben, si les libéraux rentrent, c'est sûr que ça va être important.

— Plus que ça, papa. Ça va être la révolution.

Ernest haussa les sourcils et retira sa pipe de sa bouche.

— Hein ? Voyons, Janine, Jean Lesage, c'est loin d'être Fidel Castro !

La jeune femme éclata de rire.

— C'est juste une façon de parler, papa. Stéphane disait que ce serait une révolution… tranquille. En tout cas, c'est comme ça que les historiens vont l'appeler. Vous verrez, d'ici 10 ans, vous ne reconnaîtrez plus la province de Québec : le nouveau gouvernement va moderniser le système au grand complet, à commencer par la création d'un ministère de l'Éducation.

Elle avait dû hausser le ton pour couvrir le bruit des tambours du cortège qui défilait maintenant devant la maison.

Ernest lui lança un regard dubitatif:

— Pfff! L'école, c'est l'affaire des bonnes sœurs pis des frères, tu penses vraiment qu'ils vont se laisser faire? Hey, c'est fort la religion, icitte, ma p'tite fille.

Comme pour lui donner raison, la foule entama une dizaine de chapelet alors que loins derrière, les Filles d'Isabelle entonnaient le cantique *Cœur sacré de Jésus*.

— Y en aura plus, des processions d'même, dans les années 1970, affirma Janine. Les gens iront même plus à la messe, le dimanche.

Soufflé, Ernest écarquilla les yeux.

— Ben là… Qu'est-ce qu'y vont faire de leurs journées, les curés, quand y pourront pus enseigner pis écrire des sermons?

Lorsque sa fille lui apprit qu'une grande partie du clergé allait quitter les ordres, le sexagénaire haussa les sourcils.

— J'en reviens pas! Le cardinal Léger va ben en faire une maladie…

Songeur, il s'enfonça dans sa chaise et tira une longue bouffée de sa pipe en observant les membres de la Ligue du Sacré-Cœur déambuler au rythme de *J'irai la voir un jour* interprété par une chorale d'enfants de chœur en tuniques rouges.

— Ouais… t'as raison, ma fille, ça va être toute une révolution!

— C'est pas tout, papa, renchérit Janine. Bientôt, les Canadiens français ne laisseront plus partir leurs richesses naturelles sans rien dire, comme dans le temps de Duplessis. Tenez, dans deux ou trois ans, on va même nationaliser l'électricité.

— Ah, oui ? Eh ben, tant mieux ! Ça sera une maudite bonne affaire. Depuis le temps qu'on nous fait
accroire qu'on est nés pour un p'tit pain… C'est donc
d'valeur que ton mari puisse pas entendre ça…

⁕

Membre du Parti libéral depuis quelques mois,
Pierre était fier de consacrer un peu de son temps à
René Lévesque qu'il avait découvert par le biais de ses
reportages radiophoniques et l'émission de télé *Point
de mire*. Orateur fougueux, l'ancien journaliste de
guerre électrisait les foules par son charisme et ses
qualités de pédagogue.

Ce jeudi-là, au quartier général du Parti libéral
dans Laurier, Pierre préparait les piles de tracts à
distribuer dans le quartier. Durant cette tâche répétitive et monotone, un pli soucieux s'était creusé sur
son front comme à chaque fois où il songeait à sa vie
avec Janine…

Bien qu'il ait accepté avec un certain soulagement
de ne consommer le mariage qu'après l'accouchement,
Pierre ne s'attendait pas à ce que sa femme soit si avare
d'affection. Ses baisers étaient aussi rares que brefs et
même s'ils partageaient le même lit, elle avait pris
l'habitude de se coucher après lui. Chaque matin, il la
retrouvait invariablement endormie, le dos tourné,
recroquevillée en fœtus, aussi loin de lui que possible.

Au début, il avait cru qu'elle agissait ainsi pour ne
pas le tenter, mais depuis la naissance de leur fils, son
attitude le rendait de plus en plus perplexe.

49

Deux mois après l'arrivée de Patrice, Pierre s'attendait à un signe de Janine qui ne venait pas. Incapable d'aborder «ces choses-là» avec elle, il n'en éprouvait pas moins d'insoutenables envies de lui faire l'amour afin de faire table rase de son passé trouble. Plus les semaines passaient et plus ce besoin devenait impérieux, surtout depuis sa rencontre avec Jean...

Célibataire dans la trentaine, Jean Brousseau était diplômé en sciences sociales de l'Université Laval. Après ses études, Brousseau avait vécu quelques années en France avant de s'établir à Montréal où il avait ouvert une petite librairie, rue Saint-Denis. Dès leurs premières conversations, Pierre avait été séduit par l'érudition et le franc-parler de cet ardent nationaliste qui n'avait pas hésité à fermer temporairement les portes de son commerce pour veiller à l'encadrement des bénévoles du comté de Laurier.

Jean avait tout de suite remarqué Pierre Bilodeau, cet intellectuel maniéré qui se donnait tant de mal pour camoufler son homosexualité. Il avait reconnu en lui le jeune homme torturé qu'il avait déjà été avant son séjour en France où l'amour lui avait donné la force de s'assumer.

Au fil des longues heures d'activisme partagées, les deux hommes s'étaient liés d'amitié. Depuis quelques semaines, ils terminaient leurs soirées dans un bar du quartier avec d'autres militants. Le temps d'une bière, le groupe commentait les dernières actualités et établissait des plans pour les jours à venir, puis chacun partait de son côté, laissant Pierre et Jean prolonger leurs conversations.

Tout au long de leurs discussions, Jean avait appris à apprécier Pierre à sa juste valeur : sa connaissance de la machine électorale et l'étendue de sa culture personnelle faisaient de lui un élément de choix au sein de l'organisation, mais aussi un compagnon agréable avec qui échanger des idées modernes.

Le matin même, après trois jours d'examens ardus dont la préparation l'avait retenu loin de Laurier, Pierre avait prévenu Janine qu'il passerait au comité après sa dernière interrogation de la journée. Dès lors, une grande fébrilité l'avait gagné à l'idée de revoir Jean Brousseau. En classe, il avait eu beaucoup de difficulté à se concentrer sur son premier examen, relisant deux ou trois fois la même question avant de trouver difficilement les mots pour répondre.

Il se sentait bien avec Jean, trop bien... Il avait de plus en plus de mal à s'arracher à leurs conversations et détourner les yeux de ce regard troublant qui s'attardait sur lui.

À la fin de l'interrogation, conscient d'avoir rendu un questionnaire bâclé, il décida de couper court à ses divagations et prit la ferme résolution de rentrer directement à la maison après le second examen.

Quatre heures plus tard, il était si satisfait de sa deuxième performance qu'il changea d'idée et décida qu'il méritait de se récompenser. Toutefois, dans le bus en direction du quartier général, les tourments revinrent hanter son esprit. Incapable de se décider à rebrousser chemin, pour se déculpabiliser, il se promit d'appeler son beau-père afin de l'inviter à le rejoindre : depuis le temps qu'Ernest voulait rencontrer René Lévesque...

«Nous reviendrons ensemble à la maison et… de bonne heure…»

— Pauvre Pierre, c'est sûr que j'aurais aimé ça, mais j'ai ma journée dans l'corps : y m'reste juste assez de force pour m'écraser sur l'balcon et r'garder passer la procession d'la Fête-Dieu.

Quelques heures plus tard, au bar habituel, Pierre écoutait Jean vanter les mérites de son ancien professeur de philosophie, Georges-Henri Lévesque, le dominicain fondateur de l'École des sciences sociales de l'Université Laval.

Tout au long de la conversation, le regard des deux hommes se croisait sporadiquement pour s'enfuir aussitôt dans la fumée de leurs cigarettes. Puis tout à coup, Jean posa sa main sur le bras de Pierre :

— J'ai une bonne bouteille de whisky à partager. Pourquoi ne viendrais-tu pas chez moi ?

Pierre dévisagea son compagnon un instant avant de détourner son regard.

— Il est un peu tard… il faut que je rentre bientôt et…

Jean ravala sa déception.

— C'est pas grave, on se reprendra, dit-il. On n'a pas fini de se croiser d'ici le 22. Tu pars déjà ?

Debout, Pierre décrochait son veston du dossier de sa chaise.

— Janine va se demander où je suis rendu. Je fais mieux d'y aller.

Retenant un soupir, Jean suivit Pierre des yeux jusqu'à la sortie. Il lui faudrait déployer toute sa patience, mais l'éclair qu'il avait surpris dans le regard du jeune père lui permettait d'espérer.

Pierre sauta dans un autobus et consulta sa montre : 10 h 20. « Janine est peut-être en train de nourrir le p'tit. »

Bouleversé par ses pensées coupables, le jeune homme décida de s'attarder le temps que sa femme se soit endormie. Il descendit à l'arrêt suivant. La rue était déserte. Il regarda autour de lui, ne sachant où aller. Puis, attiré par l'enseigne d'une taverne, il poussa la porte.

L'endroit était bondé pour un soir de semaine. « Jour de paie », déduisit Pierre en faisant signe au serveur. Il alluma une cigarette et commanda une bière.

« Ça n'a pas de bon sens... Je ne dois plus me retrouver seul avec Jean. Je serais déjà rentré si seulement le beau-père était venu me rejoindre. Tout ça ne serait jamais arrivé... »

Il avait tort et il le savait. Depuis des semaines, Jean occupait toutes ses pensées. Et visiblement, l'attirance était réciproque.

« J'ai bien failli le suivre... *My God*, s'il avait fallu ! »

Il n'aurait eu qu'un geste à faire et tout aurait de nouveau basculé...

— Hé ! C'pas toi qui te promènes avec Lévesque ?

À la table voisine, un homme costaud dans la cinquantaine, vêtu d'un pantalon de travail et d'une chemise à carreaux, avait levé son bock dans sa direction. Pierre le salua de son verre.

— Cré Ti-Poil! Enfin un homme qui a d'l'allure! C'est sûr que je vais voter pour lui.

Pierre hocha la tête en silence, se forgea un sourire puis retourna au fond de son verre.

— Coudon, mon gars, t'as pas l'air dans ton assiette.

L'homme, maintenant debout devant sa table, y avait déposé sa bière.

— Tu permets que j'm'assise? C'est pas toujours bon d'être tout seul à ronger son frein. T'en veux-tu une autre? ajouta-t-il en désignant le verre de Pierre.

— Pourquoi pas... souffla le jeune père.

L'empathie de l'ouvrier lui faisait du bien. Il s'appelait Lucien et travaillait comme journalier dans la construction. Marié depuis 25 ans, il était père de cinq enfants.

— Pis toi aussi, t'es marié, d'après ce que j'peux voir, ajouta-t-il en apercevant l'alliance de Pierre. Veux-tu ben me dire qu'est-ce qu'elle t'a fait, ta femme, pour que tu sois icitte en train de te soûler?

Pierre fut agacé par les commentaires.

— Non, non... ma femme est ben correcte...

— T'as perdu ta job, d'abord? insista l'autre.

Les yeux dans le vague, Pierre secoua la tête.

Le serveur se présenta avec les deux bières. Lucien blagua avec lui et paya la tournée. Après avoir avalé une longue gorgée, il observa Pierre en silence.

— Bon, d'accord, reprit-il, t'as une job pis une femme ben correcte... Il reste juste une affaire pour te donner c'te face de carême-là: le manque de cul.

Déconcerté par tant de familiarité, Pierre ouvrit de grands yeux.

54

— Quoi ? J'te choque ? Ça paraît que tu viens pas souvent icite, toé, ricana Lucien. Écoute, mon jeune, j'suis p't'être pas ben instruit, mais j'connais ça, les tavernes : s'il y a une place où on en entend des vertes pis des pas mûres, c'est ben icitte. Fa que, profites-en pis lâche-toi lousse ! Ça fait combien de temps que t'es pas allé avec ta femme ?

« Presque un an, pensa Pierre, et avant on l'a fait juste trois fois... »

— Elle vient d'avoir un bébé... Un garçon, notre premier.

— Ah, j'comprends... Pis les dernières semaines avant l'accouchement, ça d'vait pas lui tenter l'yable... Elle aime-tu ça, au moins ?

Embarrassé, Pierre sentit le rouge lui monter aux joues.

— Euh... j'sais pas trop... J'pense bien... balbutia-t-il avant de prendre une gorgée de bière.

Un sourire amusé étira les lèvres du quinquagénaire. L'embarras du jeune père le touchait.

— Ça fait combien de temps qu'y est né, ton gars ?

— Deux mois.

— Calvaire ! Tu veux dire que ça fait plus de deux mois que tu l'as pas fait ? Voyons donc, qu'est-ce que t'attends, mon vieux ? C'est toi, l'homme, c'est à toi à prendre les d'vants. Si c'est vrai que ta femme aime ça, ça doit lui démanger elle aussi... Moi, à ta place, je rentrerais chez nous pour vérifier.

Il acheva sa phrase en vidant sa bière d'un seul trait.

— Arrête de t'en faire, tu verras, tout va s'arranger. Je dois rentrer. Allez, cale ta bière, j'vais aller te reconduire. Tu restes où ?

Pierre entra dans une maison endormie. Sans bruit, il ouvrit la porte de la chambre de Patrice et se pencha sur son berceau, maîtrisant l'envie de prendre son petit contre lui pour sentir un peu de chaleur.

Il faisait chaud dans la chambre conjugale malgré la fenêtre laissée grande ouverte. Pierre s'assit au bord du lit pour délacer ses souliers puis il se tourna vers sa femme. Un rayon de lune enveloppait le corps de Janine. Couchée sur le côté, elle dormait paisiblement. La voir encore de dos lui arracha un soupir douloureux : « Oh, Janine, aide-moi… Ne vois-tu pas que je suis en train de couler ? »

Sans se dévêtir, il s'étendit sur le lit et s'approcha d'elle. Janine portait une robe de nuit en coton jaune à demi déboutonnée. Elle sentait bon la poudre pour bébé. L'échancrure de son corsage laissait entrevoir la courbure d'un sein gonflé de lait. Retenant son souffle, Pierre effleura l'épaule de sa femme.

« C'est toi, l'homme, c'est à toi à prendre les d'vants », avait dit le type de la taverne.

Enhardi, Pierre faufila lentement une main sous la dentelle. Ses doigts malhabiles caressèrent un sein. Janine émit un petit soupir plaintif et sourit dans son sommeil. Le jeune père se détendit : le type de la taverne avait raison, il fallait juste démontrer un peu d'audace.

Pierre s'inclina vers elle et posa ses lèvres dans son cou. Aussitôt, Janine cligna des yeux et se retourna sur le dos. En apercevant son mari, elle tressaillit vivement.

— Voyons, Pierre, qu'est-ce que tu…

Elle fit un geste pour se lever, mais, une main sur son épaule, Pierre la retint.

— Ne t'en fais pas, Patrice dort, j'ai été le voir, lui souffla-t-il à l'oreille.

Sa main retrouva le chemin du sein généreux qu'il enveloppa doucement.

Il sentit Janine se crisper.

— Pourquoi es-tu nerveuse ? susurra-t-il d'une voix pâteuse. Je suis ton mari, c'est normal que j'aie envie de toi.

Janine s'écarta brusquement et reboutonna sa chemise de nuit.

— Pas maintenant… Le p'tit n'a pas encore eu sa tétée, il va bientôt se réveiller.

Pierre lui saisit le bras. Non, elle ne pouvait pas se refuser à lui, pas cette nuit où le corps de Jean ne cessait de l'obséder…

Son regard se fit suppliant :

— S'il te plaît, Janine… J'en ai besoin… Ça fait des mois que j'attends…

Il lui encercla les épaules et posa ses lèvres sur sa tempe.

— Si tu me laissais au moins t'embrasser…

Figée, Janine ne savait pas comment réagir : « Mon Dieu ! Qu'est-ce qui lui prend ? » Son pouls s'accéléra lorsque l'étreinte se resserra.

— Juste un baiser, murmura Pierre en laissant courir ses lèvres sur sa joue.

Son haleine empestait le tabac et la bière. Janine grimaça :

— Tu sens la tonne, pis j'ai pas le goût ! rétorqua-t-elle en tentant de se dégager.

Le sang de Pierre ne fit qu'un tour : « Là, ça va faire ! »

La raison embrouillée par l'alcool et le désespoir, il empoigna fermement sa femme par les épaules pour la recoucher sur le dos.

— C'est de ta faute si j'ai pris un coup ! J'suis tanné d'attendre le bon vouloir de madame. On est mariés ! T'en souviens-tu ? rugit-il en se couchant sur elle.

Pierre complètement ivre, furieux, entreprenant, agressif : un étranger... Affolée, Janine voulut se relever, mais son mari la plaqua de nouveau sur le matelas en tentant de l'embrasser.

— Non, Pierre, je ne veux pas ! Je ne veux plus ! hurla-t-elle, des sanglots dans la voix.

En entendant les pleurs de sa femme, Pierre se ressaisit, horrifié par sa conduite.

— Janine... excuse-moi, je... bredouilla-t-il en s'écartant.

Un long vagissement leur parvint de la chambre de Patrice. Janine se leva et, sans jeter un regard à son mari, elle s'empara de son peignoir et sortit de la pièce en refermant la porte derrière elle.

Dans son berceau, Patrice pleurait à fendre l'âme. Tremblant de tous ses membres, Janine le prit dans ses bras et l'étreignit contre son cœur. Des larmes glissèrent sur ses joues. « Je croyais que j'étais en train de rêver... Oh, Stéphane, je pensais que c'était toi...

Quand j'ai vu Pierre, je l'ai tellement haï!» La joue contre la tête de son bébé, elle sanglota sans bruit jusqu'à ce que les hurlements de Patrice la fassent réagir.

— Là... là, mon p'tit chou, t'as faim, hein? lui murmura-t-elle à l'oreille. Arrête de t'époumoner comme ça, tu vas réveiller ton pépère...

Au son de la voix de sa mère, le bébé se calma enfin. Janine lui donna sa suce puis l'étendit sur la table à langer pour changer sa couche. Ses mains tremblaient tellement qu'elle dut attendre avant d'insérer la première grosse épingle dans la flanelle.

«J'ai bien cru qu'il allait me forcer à le faire. Il était tellement enragé! Il n'a fait aucune tentative depuis l'accouchement, pis ce soir, il prend un coup et me saute dessus. Un vrai salaud!»

Elle fronça les sourcils, tout à coup perplexe: «Voyons, c'est pas lui, ça...»

Après avoir enfilé un pyjama propre à Patrice, Janine prit le bébé dans ses bras et alla dans la cuisine. Elle entendit des sanglots étouffés qui provenaient de la chambre. Bouleversée, elle s'approcha de la porte, ne sachant que penser:

«Mon Dieu, mais qu'est-ce qui lui arrive?»

Dans ses bras, le petit gigotait d'impatience.

— Ben oui, Patrice, maman s'occupe de toi.

Elle s'installa dans la berceuse de son père et déboutonna sa chemise de nuit. La douce chaleur de la joue du bébé contre sa poitrine l'aida à s'apaiser malgré la confusion qui l'habitait.

Dans les dernières semaines de sa grossesse, elle avait commencé à redouter le moment où Pierre voudrait faire l'amour avec elle. C'était un mari respectueux et attentionné, mais la seule pensée qu'il pourrait un jour faire valoir ses droits conjugaux la rendait malade. Comment s'en sortir ? Stéphane avait pris toute la place dans son cœur et elle ne se sentait pas la force de trahir cet amour en se donnant à son mari.

En avril, la naissance de Patrice avait semé la joie dans la maison et Janine s'était efforcée d'occulter ses appréhensions pour profiter pleinement du bonheur d'être mère. Les deux époux donnaient toute leur affection à leur fils. La situation entre eux restait inchangée.

Le 27 avril, Antonio Barrette, chef unioniste et premier ministre de la province de Québec, déclencha les élections et Janine ne fut guère surprise de voir son mari s'engager auprès de René Lévesque.

Pierre avait d'abord donné une soirée par semaine et tous ses samedis à l'ancien animateur de *Point de mire*. À la fin mai, il se rendait dans la circonscription de Laurier deux et même trois fois par semaine. Janine n'y voyait aucun inconvénient : son mari, qui rentrait tôt, consacrait le reste de son temps libre à préparer assidûment ses examens.

Début juin, à trois semaines des élections, le travail ne manquait pas dans Laurier : distribution de tracts, porte-à-porte avec le député, assemblées de cuisine et préparation du grand ralliement de l'« équipe du tonnerre » au Palais du Commerce, prévu le 20 juin. Pierre rentrait de plus en plus tard. Bien sûr, il lui arrivait souvent de s'attarder pour assister aux réunions de fin de soirée avec les militants du comté, dont un certain Jean, pour qui Pierre ne tarissait pas d'éloges…

Un soir où il vit son gendre quitter précipitamment la maison au milieu du souper, Ernest fit un commentaire qui laissa sa fille perplexe :

— Coudon, c'est qui c'te Jean-là ? Dieu l'père ? Jean par-ci, Jean par-là… Jean a dit ci, Jean a fait ça… Le téléphone sonne ? C'est Jean ! Oups ! Mon Pierre lâche tout pour courir le rejoindre dans Laurier. Torvis ! Heureusement que c'te gars-là, c'est pas une femme, parce que tu pourrais te poser de sérieuses questions, ma fille !

À l'évidence, Ernest n'avait jamais douté de l'orientation sexuelle de son gendre, mais il avait quand même un certain flair… Or, Janine, loin de s'inquiéter de cette amitié envahissante, s'était plutôt mise à espérer : « Tant mieux s'il peut trouver son bonheur avec lui. » Elle préférait fermer les yeux plutôt que de s'astreindre au « devoir conjugal ».

Janine, dans la berceuse, gratouilla la joue du petit Patrice, qui s'était assoupi pendant son boire. Le bébé cligna des yeux et recommença à téter.

« Je ne comprends pas… Si Pierre a quelqu'un, pourquoi insiste-t-il pour coucher avec moi ? J'ai toujours cru que les hommes aux hommes ne voulaient rien savoir des femmes… »

Si, dans les années 1960, discuter ouvertement de sexualité « ne se faisait pas », obtenir des éclaircissements au sujet de l'homosexualité relevait du tour de force : un épais mystère alimenté des pires préjugés entourait cette attirance que l'on prétendait contre nature.

«Des déviants, des vicieux… C'est seulement ça qu'on entend à leur sujet. Pauvre Pierre, il n'est vraiment pas tombé à la bonne époque…», songea-t-elle, réalisant soudain qu'elle ne s'était jamais attardée au drame que vivait son mari.

«S'il te plaît, Janine… J'en ai besoin…»

Il y avait un tel désarroi dans ses yeux… «Pierre, qu'est-ce que tu voulais vraiment me dire? Si seulement il n'y avait pas tant de cachettes entre nous…»

Qu'était-il advenu d'eux depuis les 18 derniers mois? Janine soupira. Le Pierre d'avant lui manquait terriblement: l'ami d'enfance à qui elle s'était confiée sans retenue, le partenaire de danse, celui qui, tous les samedis, lui offrait un peu de répit en l'éloignant de la chambre de sa mère.

Mais la sincérité de leur amitié avait été ébréchée le jour où il l'avait demandée en mariage. «Ça ne venait même pas de lui, c'était une idée de mon père. Pierre s'est laissé influencer…»

Même si elle n'était pas amoureuse, Janine avait accepté ce mariage de convenance parce qu'elle croyait qu'il apporterait un renouveau dans son existence morne et sans issue. Pour se convaincre de la viabilité de cette union insensée, elle avait fait la sourde oreille aux rumeurs colportées dans le quartier et passé outre les mises en garde de sa mère.

En 2000, la preuve irréfutable de l'homosexualité de Pierre, mise à nue dans la mosaïque de Patrice, l'avait anéantie. Dupée, piégée, elle avait perdu toute confiance envers son seul ami et devait se résigner à retourner à son époque pour épouser un menteur qui s'était servi d'elle.

Les mois avaient passé. Contre toute attente, une certaine complicité basée sur leurs valeurs communes avait aidé Janine à ravaler son amertume. Pourtant, le malaise perdurait entre eux. Ce mariage était la pire des trahisons : ne s'étaient-ils pas d'abord leurrés eux-mêmes pour ensuite s'enfermer dans une vie de mensonges ?

Et voilà que cette nuit, la dure réalité les avait rattrapés…

Qu'allait-il se passer, maintenant ? Devrait-elle acheter la paix avec son mari en lui offrant son intimité sans qu'aucun des deux n'y trouve du plaisir ? Combien de temps pourrait-elle jouer cette triste parodie avant de commencer à le détester ?

Angoissée, Janine contempla son fils assoupi contre son sein : « Et c'est lui qui pourrait le payer le plus cher… »

Son bébé dans les bras, elle se leva pour s'approcher de la porte de sa chambre : aucun bruit. Elle tourna la poignée. En apercevant Pierre endormi tout habillé, un long soupir gonfla sa poitrine : « Ça pourrait être si différent si nous mettions cartes sur table pour redevenir nous-mêmes. »

Confronter son mari en lui affirmant qu'elle avait découvert le pot aux roses n'était pas une bonne idée. Il fallait qu'il se livre lui-même, mais pour cela, il devait se sentir en totale confiance et Janine ne voyait qu'un seul moyen : « Je dois me jeter à l'eau la première… »

Sans lui dévoiler le voyage temporel, elle pourrait lui avouer qu'avant de se savoir enceinte, elle avait décidé de ne plus l'épouser. Elle pourrait même confesser l'avoir dupé en prétendant que le médecin lui avait recommandé d'éviter les relations sexuelles pendant sa grossesse.

« S'il voit que je ne lui en veux pas pour cette nuit et que je lui parle franchement, il pourrait peut-être s'ouvrir à son tour… »

Elle gagna la salle de bain où elle ouvrit la porte de la lingerie pour prendre un essuie-main qu'elle glissa sur son épaule, puis elle ramena Patrice dans sa chambre et lui fit faire son rot.

— J'espère que tu vas être sage, demain, mon lapin, parce que papa et maman vont avoir beaucoup de choses à discuter, souffla-t-elle à son fils en le couchant dans son berceau.

Elle retourna dans sa chambre et s'allongea à côté de son mari, confiante dans sa décision : elle allait jouer gros, la conversation promettait d'être difficile, mais leur fils méritait qu'elle prenne ce risque.

À 8 h, après le départ de son père, Janine prépara un nouveau percolateur de café. Soucieuse depuis son réveil, elle songeait aux exhortations de Laurent : surtout ne rien faire qui pourrait dévier le cours du temps…

«Je voudrais bien t'y voir!», rétorqua-t-elle mentalement en s'adressant au pommier qu'il avait planté dans la cour.

Elle se demandait ce qu'aurait été sa vie si elle avait emprunté le bon couloir et passé trois jours emprisonnée dans la cave. Aurait-elle eu le temps de rompre ses fiançailles avant d'apprendre qu'elle était enceinte? Les agissements de Pierre lui auraient-ils permis de découvrir son penchant envers les hommes ou aurait-elle été mise devant le fait accompli le jour où il l'aurait quittée après une dizaine d'années de mariage?

«Ce qu'on ne sait pas ne fait pas mal», disait souvent Ernest. Mais voilà, elle savait! Et pour Janine, faire comme si de rien n'était et tricher avaient la même signification.

«Je ne vois pas en quoi m'organiser une vie de famille plus agréable pourrait perturber mes retrouvailles avec Stéphane.» Cette pensée la détendit aussitôt.

Elle entendit Patrice gazouiller dans son berceau, l'heure de la tétée approchait. Elle se rendit à son chevet. À son retour dans la cuisine, elle aperçut Pierre, debout devant le comptoir en train de remplir sa tasse.

— Psst! Viens voir!

Pierre se retourna lentement, il avait une mine terrible.

— Viens voir le p'tit, il est pas mal drôle.

Le jeune homme, qui s'attendait à des reproches, haussa les sourcils. Il suivit sa femme jusque dans la chambre du bébé, et il s'approcha du berceau. Couché sur le dos, Patrice observait sa petite main bouger avec des yeux émerveillés.

— C'est la première fois que je le vois faire ça. On dirait qu'il ne se rend pas compte que c'est sa main à lui.

Un pauvre sourire apparut sur les lèvres du jeune père. Janine se pencha vers son fils pour le prendre dans ses bras. Patrice lui fit une risette.

— Oh, toi, t'es trop mignon! Je t'emmène avec nous.

Elle se dirigea vers sa chambre, puis, avant d'entrer, elle se tourna vers son époux.

— Viens, apporte ton café, ça fait longtemps que notre p'tit gars n'a pas vu ses deux parents ensemble.

Une bouffée de bonheur retroussa les lèvres de Pierre. Un espoir inespéré de rédemption se présentait à lui. Il suivit sa femme dans leur chambre.

Janine coucha le petit entre leurs deux oreillers, puis elle tapota le matelas en s'adressant à Pierre:

— Viens, assois-toi.

Pierre s'installa près de son fils. Janine fit de même. Patrice, les yeux grands ouverts, contempla ses parents, l'un après l'autre.

Son père s'inclina vers lui pour l'embrasser, puis croisa les yeux de sa femme qui l'observait d'un regard bienveillant. Plein de reconnaissance, Pierre ébaucha un sourire crispé.

— Janine… je ne sais pas quoi dire… je m'en veux tellement. J'avais trop bu et j'ai perdu la tête…

La voix étranglée par un sanglot, il baissa les yeux vers son bébé. Un lourd silence suivit, puis il entendit Janine inspirer profondément:

— Pierre… te rappelles-tu le jour où on a gagné le concours de rock and roll ?

Surpris, il releva la tête.

— Oui, mais pourquoi tu…

Janine posa la main sur son bras.

— Te souviens-tu de la date exacte ?

— Euh… c'était en juin 1958, un samedi, quelques jours après la fin de mes cours.

— Le 21 juin 1958, il y a presque deux ans. Mon Dieu qu'on avait travaillé fort ! Tu venais trois soirs par semaine à la maison. On poussait la table de la cuisine et on se pratiquait pendant des heures devant maman, elle aimait tellement ça !

Au souvenir de ces bons moments, Pierre esquissa un sourire sans joie. « C'est vrai que je me sentais à l'aise avec elle dans ce temps-là : j'avais l'impression de lui faire du bien, pas de lui jouer dans le dos… », pensa-t-il, amer.

— Le soir du concours, poursuivit Janine, on est allé fêter notre victoire avec la gang du Quartier latin. On a eu tellement de fun !

Elle s'arrêta pour le considérer gravement :

— Tu dois te demander où je veux en venir, n'est-ce pas ?

Pierre tressaillit. Cette question à brûle-pourpoint le laissa sans voix.

— C'est plus pareil depuis qu'on est mariés, on dirait qu'on s'est perdu de vue. Au lieu de se parler de ce qui nous tracasse, on garde tout en dedans. Ça n'a pas de bon sens.

Patrice poussa un petit gloussement joyeux.

— Alors, mon bonhomme, t'as besoin d'un peu d'attention ? lui dit sa mère en glissant un doigt dans sa petite main. Regarde, papa et maman sont là, juste pour toi. Tu sais, Pierre, reprit-elle en relevant la tête, je souhaite vraiment que ça marche, nous deux… Mais pour ça, il faut qu'on se retrouve comme dans le temps où on se disait tout.

Pierre fronça les sourcils.

— Mais nous sommes amis, Janine. Il me semble qu'on l'est encore plus depuis que nous vivons ensemble.

— Tu trouves ? Ah, bon… Et ce qui s'est passé cette nuit ? Tu penses que ce serait arrivé si on s'était vraiment tout dit ?

Honteux, Pierre baissa les yeux. D'un doigt sous son menton, Janine lui fit relever la tête. Elle affichait un sourire contraint.

— Tu sais… si tu n'avais pas baissé les yeux, c'est moi qui l'aurais fait… Écoute… il faut que je te dise… Je n'ai pas été toujours franche avec toi et je vis très mal avec ça…

Déstabilisé par cet aveu, Pierre sentit son cœur s'emballer.

— Rien de grave, au moins ?

L'appréhension étreignait la gorge de Janine : elle ne pouvait plus reculer, maintenant.

— Ça le deviendra si je ne t'en parle pas…

— Parle sans contrainte, Janine, l'encouragea Pierre en lui tapotant le bras.

Patrice se mit à pleurnicher. Janine plaça son oreiller contre la tête de lit et prit son petit dans ses bras pour l'allaiter.

—Veux-tu que je te laisse seule? lui demanda Pierre en ébauchant un geste pour se lever.

—Non, non, reste, murmura Janine dans un souffle.

Elle laissa passer quelques secondes avant de se lancer:

—La mort de maman a changé bien des choses pour moi. Pendant la semaine que j'ai passée à l'hospice, j'ai beaucoup réfléchi et je me suis rendu compte que je n'avais plus envie de me marier... Je voulais changer de vie, étudier, sortir de la maison, faire un peu la folle. Et puis... j'ai aussi réalisé que, même si nous étions bien ensemble, on ne s'aimait pas de cet amour-là...

—Voyons, Janine! répliqua vivement Pierre. Tu sais bien que je...

La jeune femme secoua la tête.

—On est amis, Pierre, c'est bien mieux. On s'est connus tout p'tits. On jouait à la cachette à l'hospice, on se couraillait dans la ruelle. On a dansé du maudit folklore pendant des années avant de découvrir le rock and roll, on a visité toutes les galeries d'art de Montréal. S'il t'arrivait une contrariété, tu venais tout de suite m'en parler. Quand j'avais besoin de chialer contre mon père, tu m'écoutais sans me juger. Tu as toujours été là pour moi et moi pour toi. Qu'est-ce qu'on avait d'affaire à se marier! Ça m'enrage juste à penser que c'est mon père qui te l'a suggéré.

Pierre grimaça en évoquant la vive réaction de Janine le soir où elle avait appris le rôle qu'avait joué Ernest dans cette proposition de mariage.

— Ton père pensait bien faire...

Janine soupira.

—Je sais, mais on n'aurait jamais dû embarquer là-dedans, pis... on n'aurait jamais dû coucher ensemble.

Au souvenir de leurs ébats maladroits, Pierre sentit la chaleur lui monter aux joues.

—J'ai dû être pitoyable...

Janine émit un petit rire nerveux :

— Fais-toi-z'en pas, nous l'étions tous les deux ! C'est un peu pour ça que... Tu sais, le soir du sermon du père Pigalle, quand on s'est retrouvés au Masson Hot-Dog ?

Elle s'arrêta un moment pour respirer profondément.

—Je t'ai menti au sujet de mes problèmes de femme enceinte : je n'ai jamais eu de saignements... C'est juste que je n'étais pas capable de te dire que... je ne voulais plus coucher avec toi... Que je t'avais épousé seulement pour donner un père à Patrice.

Le cœur serré, elle observa la réaction de Pierre : son visage s'était creusé, mais son regard restait impassible.

Le jeune homme avait retenu un soupir de soulagement : non seulement Janine n'était pas amoureuse de lui, mais il tenait enfin l'explication de son attitude lorsqu'ils s'étaient retrouvés après l'incendie : « C'est pour ça qu'elle était si distante avec moi : elle m'en voulait de l'avoir partie pour la famille... »

La main de Janine se posa sur son bras :

— Tu m'en veux ?

Surpris, Pierre cligna des yeux : c'était elle qui lui demandait ça ?

— T'en vouloir, après t'avoir mise enceinte ? Voyons, c'est toi qui en paies le prix aujourd'hui, c'est toi qui devrais être fâchée contre moi !

— Ben non, Pierre. On l'a fait ensemble, cet enfant-là, pis je veux qu'on l'élève ensemble. Il faut juste qu'on arrête de se faire des cachotteries, tous les deux. Toi... penses-tu être capable de me faire assez confiance pour redevenir mon ami ?

Pierre détourna les yeux en frissonnant. Il pensa : « Et toi, Janine, voudrais-tu encore de moi si je t'avouais ce que je ressens pour Jean ? Me pardonnerais-tu mon aventure avec le type du parc Lafontaine, alors que toi, tu te morfondais dans la cave de ton père ? » Non, jamais il ne pourrait se livrer complètement, elle ne comprendrait pas...

Janine cajolait son bébé en retenant son souffle. Elle avait été aussi loin qu'elle avait pu sans se compromettre, la balle était dans le camp de Pierre, maintenant. Allait-il dévoiler son terrible secret ?

« Courage, Pierre, vas-y, dis-le-moi », l'implora-t-elle en pensée...

Un silence mortel répondit à sa prière. En soupirant, Janine contempla leur fils, endormi contre son sein, puis regarda son mari :

— Tu ne trouves pas qu'il en vaut la peine ?

Les yeux du jeune père se remplirent de larmes.

— Oh, oui, il en vaut la peine, mais… toi, tu vas tellement me haïr…

Janine saisit la main de Pierre qu'elle serra très fort dans la sienne.

— Pourquoi je te haïrais ? Tu es mon meilleur ami et le père de mon enfant.

Pierre essuya ses yeux. Janine avait raison : une amitié sincère valait mieux qu'un mariage raté. La honte et la culpabilité le rongeaient depuis trop longtemps. Il fallait que ça cesse.

Sa main tremblante agrippa une couverture qu'il tordit entre ses doigts.

— Je… ne sais pas trop comment te dire ça, mais… même si je te trouve belle comme un cœur, je ne me sens pas attiré par toi… ni par aucune femme parce que… j'aime les hommes…

Enfin délivré du poids qui l'oppressait, Pierre lâcha la couverture et renversa la tête pour exhaler son soulagement.

Janine se taisait : jouer le rôle de l'épouse anéantie par ce terrible aveu ne ferait que prolonger le malaise entre eux. Pierre avait fait un grand pas, il avait besoin de compassion.

— Je suis désolée, murmura-t-elle, au bout d'un moment. Ça ne doit pas être évident pour toi.

Que pouvait-elle dire d'autre sans risquer de se trahir elle-même ?

— J'ai sauté sur l'occasion quand ton père m'a proposé de t'épouser, souffla Pierre. J'espérais que notre union me ramènerait dans le droit chemin…

Je m'en veux tellement de ne pas avoir été honnête avec toi. Quand je pense que t'étais la première à me défendre dans la ruelle quand Gaston et Jean-Louis me traitaient de fif...

— Penses-tu vraiment que je n'aurais rien dit à ces imbéciles ? Les deux ensemble ne t'arrivent même pas à la cheville.

— Tu dois tellement me trouver écœur...

— Stop ! coupa Janine. Arrête ça tout de suite ! Je ne suis pas là pour te blâmer ni pour t'empêcher de vivre ce que tu as à vivre. On n'en est plus là, toi et moi.

Le petit Patrice clignota des yeux en s'étirant dans les bras de sa mère. Janine tendit l'enfant à son père. Ému, Pierre se mordit les lèvres.

— Mais lui... Si jamais il l'apprend... Qu'est-ce qu'il va penser de moi ?

« Oh, moi, à ta place, je ne m'en ferais pas trop pour ça », songea-t-elle en évoquant la photo du couple gai exhibée au centre de la future murale de leur fils.

— Pour le moment, je pense qu'il s'en fiche pas mal, le rassura-t-elle. Il a juste besoin d'un père et d'une mère qui l'aiment et l'élèvent comme du monde. Ne trouves-tu pas qu'il est chanceux d'être tombé sur des parents ouverts comme nous autres ?

Chapitre 3

Janine avait retrouvé une certaine sérénité. Une connivence tacite régissait désormais son couple : même s'il partageait toujours son lit, Pierre pouvait mener sa vie affective comme bon lui semblait. En apparence, leur mariage ressemblait à beaucoup d'autres. Le jour, Janine veillait sur son fils et entretenait la maison pendant que son mari travaillait à l'extérieur. Le soir, quand Pierre était présent, ils s'assoyaient ensemble devant la télévision. Le samedi, quand ils n'allaient pas danser avec Susan et André, ils prenaient la route tous ensemble, direction Val-David, dans les Laurentides, pour entendre les chansonniers de la boîte à chanson La Butte à Mathieu, lieu mythique de la bohème montréalaise. Le lendemain matin, ils assistaient sagement à la messe en jetant des coups d'œil discrets à leurs montres.

Pierre avait installé son atelier dans la chambre de jeune fille de Janine. Il peignait surtout l'été. Ses tableaux, des paysages urbains fortement inspirés du courant impressionniste, avaient été exposés quelques semaines chez Signature et trois d'entre eux avaient trouvé preneur. Antoine Frigon, le propriétaire de la galerie, qui songeait à prendre sa retraite, avait réitéré son engagement de céder son commerce à Pierre, moyennant une mise de fonds de quelques milliers de dollars et des mensualités très raisonnables.

Les mois et les années passèrent. Comme avant, Janine donnait régulièrement un coup de main à sa tante pour l'entretien du jardin de l'hospice, laissant le petit Patrice gambader entre les plants de tomates et les pousses de fines herbes sous l'œil attendri de la vieille religieuse.

Embrigadée dans son rôle de mère au foyer, Janine se languissait de Stéphane et continuait à « faire son temps ». Même si elle adorait son fils, elle s'ennuyait ferme à la maison et sa routine quotidienne la ramenait constamment aux mornes années passées au chevet de sa mère.

En 1963, elle offrit ses services de tenue de livres à certains commerçants du quartier pour tromper son désœuvrement. Elle y travaillait tous les soirs, après avoir couché Patrice.

Marie-Claire et Laurent écrivaient de temps en temps pour donner des nouvelles. Le couple avait élu domicile dans un village au sud du Cameroun. Tous deux enseignaient à tour de rôle à des enfants âgés de 6 à 14 ans. Le matin, Marie-Claire veillait à l'alphabétisation des plus jeunes, et l'après-midi, Laurent apprenait l'anglais, les mathématiques et quelques rudiments de géographie aux plus âgés.

Au New Jersey, le frère cadet de Janine était devenu un agent d'immeuble prospère. Depuis le mariage de sa sœur, Gaston ne venait qu'une fois par année, pour le traditionnel souper du jour de l'An. Personne ne lui reprochait ses rares visites à Montréal, surtout pas Janine qui redoutait de voir éclater l'animosité entre son mari et son frère qui se détestaient cordialement.

En dépit de maux de dos chroniques, Ernest travaillait toujours aux usines Angus. Heureusement, son poste de contremaître lui permettait de déléguer les tâches les plus exigeantes. De retour à la maison, il s'empressait de retrouver son petit-fils pour jouer avec lui. Chaque jour, il savourait sa chance de partager sa maison avec sa fille et sa petite famille, même s'il jugeait son gendre un peu trop révolutionnaire pour un père de famille :

— Le Québec libre ? Voyons donc ! On est pas ben dans l'Canada ? Janine, ça te fait rien d'être mariée à un séparatiste ?

En 1961, Pierre et son ami Jean Brousseau avaient délaissé le Parti libéral pour adhérer au RIN, une organisation politique vouée à la promotion de l'indépendance du Québec. Fervent militant, l'époux de Janine consacrait beaucoup de temps à la cause dans des réunions, assemblées et manifestations souvent houleuses.

Par ailleurs, même si Pierre et son amant partageaient le même idéal nationaliste, leurs idées divergeaient sur la façon d'y parvenir : Pierre militait dans l'espoir de voir un jour le Québec se libérer par les voies démocratiques, alors que Jean, privilégiant des solutions plus radicales, s'était lié avec des membres du Front de libération du Québec.

Une douloureuse rupture se profilait…

En mars 1963, des cocktails Molotov furent lancés sur trois manèges militaires. Dans son premier manifeste, le FLQ revendiqua ces actes terroristes. Au cours des semaines suivantes, de multiples attentats à la bombe furent perpétrés contre des symboles de l'Empire britannique : en avril, une explosion au centre de recrutement de l'armée canadienne à Montréal fit un mort et, dans la nuit du 16 au 17 mai, cinq boîtes à lettres du quartier huppé de Westmount volèrent en éclats. Un sergent-major de l'armée fut blessé en tentant de désamorcer l'un des engins explosifs. Pierre, qui soupçonnait Jean d'être l'un des poseurs de bombes, l'avait accablé de reproches avant de rompre.

Le cœur brisé, il s'était confié à Janine, qui avait accueilli cette nouvelle avec soulagement : cet extrémiste ne pouvait qu'attirer des ennuis à son mari.

Le 17 juin, peu après le départ d'Ernest pour sa journée de travail, Pierre reçut la visite de deux officiers de la GRC. On l'interrogea quelques minutes au sujet de ses liens avec un certain Jean Brousseau, appréhendé la veille avec une vingtaine d'autres felquistes. Le couple Bilodeau en fut quitte pour une bonne frousse, ignorant que Pierre serait désormais fiché comme sympathisant du FLQ.

—

— Qu'est-ce que tu fais debout, mon p'tit vlimeux ?

Patrice, quatre ans, les yeux ensommeillés, était apparu dans la cuisine avec son ourson en peluche.

— J'ai pas eu mon histoire, gémit-il en se frottant un œil.

— Ben, quand j'suis venu te voir, tu dormais déjà. Allez, allez, r'tourne dans ton lit, ta maman sera pas contente, lui dit son grand-père en se levant de table.

— Non, j'veux pus faire dodo !

Le petit tourna les talons pour s'enfuir dans le couloir. Ernest le rattrapa dans le vestibule et le chargea sur son épaule comme une poche de sable. L'enfant gloussa de plaisir en battant ses petites jambes.

Attirée par le bruit, Janine sortit de sa chambre.

— Voyons, qu'est-ce qui se passe ici ?

Le vieil homme se retourna vers sa fille avec son précieux fardeau.

— Papa… Si vous continuez à l'exciter d'même, il sera plus capable de se rendormir.

Le vieil homme grimaça un sourire niais avant de déposer son petit-fils par terre.

— Viens, mon Pat, pépère va te raconter l'histoire du guenilloux.

— Pas trop longue, papa, il est déjà tard pour lui.

— Fais-toi-z'en pas, j'vais faire ça vite, *La poule aux œufs d'or*[1] commence dans 15 minutes. Penses-tu venir me rejoindre pour *Séraphin* ?

— Aussitôt que j'aurai terminé la comptabilité du salon de coiffure.

— T'as répondu à la lettre de Laurent ?

---

1. Jeu-questionnaire diffusé sur les ondes de Radio-Canada (1958-1966), animé tour à tour par Roger Baulu et Doris Lussier.

— Non, je le ferai demain soir. Vous aviez quelque chose de spécial à lui dire ?

— Oui, laisse un p'tit espace avant de signer ton nom, j'ai une nouvelle à vous apprendre. On s'en reparlera après *Séraphin*, ajouta-t-il devant l'air interrogateur de sa fille. À quelle heure attends-tu ton mari ?

— Pas avant 10 h.

Ernest se rembrunit : « J'te gage qu'y est encore à une de ces maudites réunions ! Torieux ! Un œil au beurre noir pis un coup de matraque en arrière d'la tête, c'était pas assez ? »

En effet, le samedi 10 octobre 1964, Pierre, accompagné d'un groupe de militants du RIN, avait été manifester à Québec à l'occasion de la visite de la reine Élisabeth II à l'Assemblée nationale. Le gouvernement, anticipant la présence d'agitateurs, avait fait appel à l'armée et à la police provinciale pour contrer un éventuel mouvement de foule. À son arrivée à Québec, et tout au long de son parcours, la souveraine avait été escortée par des centaines de contestataires, scandant haut et fort leur opposition à sa présence. À chaque étape, les manifestants avaient été réprimés à coups de matraque par les forces de l'ordre déployées par milliers.

Le lendemain, Janine avait écrit dans son journal :

Mon mari devait passer deux ou trois heures à Québec et revenir à temps pour notre souper d'anniversaire de mariage, organisé par sa mère. Mais au lieu de célébrer, Madeleine, papa et moi, on s'est fait un sang d'encre en écoutant le bulletin de nouvelles à la télévi-

sion. Quand Pierre est arrivé couvert de bleus et avec deux heures de retard, Madeleine et mon père ne se sont pas gênés pour lui faire savoir leur façon de penser.

— Pépère, j'veux mon histoire de guenilloux… insista Patrice d'une voix geignarde en agrippant la main de son grand-père pour le tirer vers sa chambre.

Un sourire décrispa les lèvres du vieil homme.

— Ben oui, on y va, mon Pat.

Sachant à peine lire, Ernest puisait dans ses souvenirs pour concocter des histoires de son cru à son petit-fils, dont il s'occupait assidûment dès son arrivée du travail, jusqu'à l'heure du coucher. Souvent, Janine les retrouvait dans le hangar en train de bricoler des cabanes à moineaux, ou à quatre pattes à faire rouler de petites autos sur des madriers et des ponts de fortune disséminés dans le couloir de la maison.

«Mon Dieu, ne venez pas le chercher trop vite», suppliait-elle parfois lorsqu'elle s'imaginait sa vie sans son père à ses côtés. Mais très vite, elle chassait cette pensée: seul le présent devait compter pour elle, et dans ce présent, Ernest Provencher se tenait debout, solide comme un chêne, plus vivant que jamais.

Avec Patrice, il rattrape le temps perdu… écrivait-elle à Stéphane. *Je regrette tellement que ma mère ne soit plus là pour voir à quel point il a changé. C'est un autre homme, il me surprend tous les jours. Oh, il grogne bien de temps en temps, mais ça ne l'empêche pas de me combler d'affection. En plus, il est tellement drôle! Par exemple, il ne manque jamais un épisode des* Belles histoires des pays d'en haut. *Moi non plus! L'observer pendant l'émission n'a pas de prix : il passe son temps à donner la réplique aux personnages comme s'ils l'entendaient (« Maudit Séraphin à marde! T'es content? Tu l'as encore fait brailler! Donalda, pauvre innocente, qu'est-ce que t'attends pour sacrer ton camp? »).*

Il écoute aussi religieusement Les Couche-tard... *(Tiens, ça me rappelle le nom des dépanneurs de ton époque...). C'est un programme animé par Roger Baulu et Jacques Normand où passent plein de vedettes et de politiciens. Mon père adore Baulu, mais Jacques Normand lui « tombe sur les rognons » et, crois-moi, ça s'entend (« Maudit fendant! Y s'pense smatte avec ses niaiseries. J'comprends, y est encore paqueté comme un œuf! »).*

Le hockey le met dans tous ses états : il n'apprécie pas tellement les nouveaux joueurs (« Toute une gang de flancs mous! »). Selon lui, il y avait juste Maurice Richard et Boum Boum Geoffrion qui avaient du cœur au ventre. Et encore là, il est gentil parce que le Canadien c'est SON équipe! Alors, je te laisse imaginer sa réaction lorsqu'un arbitre donne une punition qui ne fait pas son affaire...

Pierre et moi, on se dit que c'est sa façon à lui de lâcher son fou, alors on le laisse chialer, mais on est tout de même bien contents que le p'tit soit couché à cette heure-là, lui qui répète tout ce qu'on dit...

— Ouais, une demi-heure à voir Angélique et le notaire Le Potiron se pogner les mains, c'tait plate à mort, bougonna Ernest en se levant pour éteindre la télévision. Séraphin est bien mieux d'être là, la semaine prochaine…

Janine esquissa un sourire moqueur : « Je le souhaite aussi, cher papa, c'était pas mal ennuyant de vous voir cogner des clous… »

— Pis, papa, cette grande nouvelle ?

Le vieil homme se cala dans son fauteuil, ralluma sa pipe, et tira une longue bouffée.

— Ma fille, j'ai fini de payer ma dette !

Depuis une vingtaine d'années, Ernest avait accumulé de lourdes créances auprès du médecin et du pharmacien pour soigner la sclérose en plaques de Juliette.

— Bon, enfin ! Vous devez être soulagé, se réjouit Janine. Vous pensez à prendre votre retraite, j'espère ?

— Hé ! Hé ! J'ai signé mon papier à matin ! Dans un mois, adieu la *shop* !

— Ah, bravo ! Mon Dieu, que je suis contente pour vous !

Ernest regarda Janine d'un air satisfait, anticipant la réaction de sa fille à la proposition qu'il s'apprêtait à lui faire :

— J'vas pouvoir m'occuper du p'tit toute la journée. T'as fini de te morfondre à la maison pis de passer tes grandes soirées dans les chiffres. Tu vas pouvoir travailler trois ou quatre jours par semaine dans le *backstore* des magasins. Tu pourrais même prendre d'autres clients, si tu veux.

Janine écarquilla les yeux.

— Pour vrai ? Euh… mais il faudrait quand même que vous preniez du bon temps.

Le visage du sexagénaire s'épanouit d'un large sourire.

— Hé! Hé! Qu'est-ce que tu penses? J'm'ennuie de mon p'tit-fils quand j'suis à' *shop*. Y grandit trop vite: j'en r'viens pas qu'y lui reste juste deux ans avant de commencer l'école... J'ai envie de passer plus de temps avec lui: l'emmener à la pêche, au parc Belmont, à Joliette, lui apprendre plein d'affaires. J'ai pas su le faire avec mes propres enfants...

Il s'arrêta pour déglutir péniblement. Son regard contrit croisa celui de Janine.

— Tu comprends ça, ma fille?

Mercredi, 3 novembre 1965

Cher Stéphane,
Ce que je redoutais est arrivé: Signature vient de nous filer entre les doigts! Samedi dernier, Pierre s'est rendu à la galerie piquer sa petite jasette mensuelle avec monsieur Frigon et prendre des nouvelles de ses toiles laissées en consignation. Quand une heure plus tard je l'ai vu revenir pâle et défait, j'ai compris...

Antoine Frigon est mort subitement au début du mois dernier sans avoir refait son testament. Sa femme et ses enfants, qui n'avaient jamais entendu parler de Pierre, ont hérité de tous ses biens. Ils sont descendus de Sept-Îles pour l'enterrement et ont confié la vente de la galerie à un agent d'immeuble qui a rapidement trouvé un acheteur.

Monsieur Frigon était une sorte de bohème ayant quitté femme et enfants, dans les années 1930, pour tenter sa chance à Montréal. C'était un bon vivant qui, dit-on, prenait un coup pas mal fort. La galerie roulait bien, mais sa comptabilité était dans un état pitoyable. Il y a quelques années, il avait refusé net ma proposition d'y remettre de l'ordre. Se faire remettre les pieds sur terre l'avait offusqué: il se croyait tellement au-dessus de ses affaires! Un vrai roger-bontemps qui a entretenu le rêve de Pierre à coups de promesse d'ivrogne!

Samedi, Pierre a été mis devant le fait accompli. Ça l'a jeté par terre. Le lundi, il est retourné chercher ses toiles qu'il a rangées dans le hangar en m'affirmant qu'il ne toucherait plus jamais à un pinceau.

J'enrage! Pas seulement au sujet de Frigon, mais aussi à cause de la naïveté de mon mari: mon père lui avait fortement conseillé de faire signer une promesse de vente, il aurait dû l'écouter.

De mon côté, j'ai beau réfléchir, je ne vois pas comment j'aurais pu prévenir Pierre sans lui parler de mon incursion dans le futur.

C'est vraiment triste...

⌁

En janvier 1966, Janine proposa à son mari de se joindre à elle pour donner des cours de danse sociale à la salle paroissiale. Peu à peu, cette activité de couple chassa la morosité de Pierre et lui rendit le goût de prendre ses pinceaux. Une partie du pécule amassé pour l'achat de la galerie fut alors réservée à la location d'un local ensoleillé dans le Vieux-Montréal. Transformée en atelier, cette immense pièce servait également de salle de réunion pour les partisans du RIN et de garçonnière pour Pierre, qui demeurait toutefois sans attache sentimentale après sa rupture avec Jean Brousseau dont il était sans nouvelle depuis son arrestation.

La mort de Jo Larivière, en mars de la même année, plongea Ernest dans une profonde tristesse. Une suggestion de sa fille lui donna toutefois un regain d'énergie : dans la cour arrière, on vit des balançoires et une table de pique-nique s'ajouter au petit carré de sable, bricolé quelques années plus tôt. En automne, le vieux menuisier réaménagea en salle de jeu la pièce adjacente à la chambre de Patrice.

Maintenant en première année, Patrice travaillait bien et il était le premier de sa classe. Timide et solitaire, il ressemblait beaucoup à Pierre au même âge. Janine espérait que l'arrivée de Stéphane l'aiderait à sortir de sa coquille.

Tous les samedis, grand-père et petit-fils faisaient la tournée des chantiers du centre-ville. Hôtesse de la prochaine exposition universelle, la ville de Montréal accélérait la rénovation de son réseau de circulation urbaine et réalisait enfin des projets esquissés depuis de nombreuses années.

Le nez collé aux grillages, Patrice écoutait attentivement son grand-père lui décrire les différentes étapes de la construction de la Place Bonaventure, du nouvel édifice de Radio-Canada ou du Château Champlain. Le garçon eut même le privilège de visiter, par l'entremise d'un ami d'Ernest – un entrepreneur affecté à la construction de plusieurs pavillons d'Expo 67 –, l'immense chantier de l'île Notre-Dame, créée avec la terre déplacée pour construire le métro.

De son côté, Pierre n'était pas en reste dans l'éducation de Patrice, l'emmenant régulièrement à son atelier, au cinéma et dans les musées.

Le 15 octobre 1966, des milliers de Montréalais, gonflés d'orgueil, avaient pris d'assaut le réseau de transport souterrain qu'on leur promettait depuis une cinquantaine d'années.

— J'en reviens pas : 12 minutes pour se rendre au centre-ville ! Ça prenait Jean Drapeau pour nous déniaiser ! Son métro est une vraie merveille ! s'était exclamé Ernest.

Dans le wagon surchauffé, Patrice, Pierre et plusieurs passagers avaient approuvé de la tête. Debout au milieu de la foule, Janine n'avait pas bronché.

— Qu'est-ce que t'en penses, ma fille ?

— C'est vraiment bien, répondit-elle, la tête ailleurs.

Étrangère au climat d'euphorie général, Janine ferma les yeux : 15 septembre 2000, sa première balade en métro…

Au retour de 1918, après une course haletante pour échapper au gardien de sécurité de la basilique Notre-Dame, Stéphane l'avait entraînée dans la station de métro Place-d'Armes. En pleine heure de pointe, ils s'étaient faufilés vers un siège dans un wagon, en riant aux éclats.

— Sais-tu ce qu'il y a d'abominable à mon époque ? lui avait-il murmuré en plongeant les yeux dans les siens. Il n'y a plus de moralité nulle part. Vois-tu, rien ne m'empêche maintenant de…

En ce 15 septembre 2000, personne n'avait fait de cas du baiser échangé par ce couple vêtu à la mode des années 1920, ni ne s'était douté du bouleversement qui s'était ensuivi dans le cœur des deux protagonistes…

— Ça va, ti-fille?

Janine cligna des yeux. Ernest lui tapotait le dos, son regard bienveillant plongé sur elle.

Le lendemain, Patrice convainquit son père et son pépère de retourner se promener en métro.

— Envoye, maman, viens avec nous.

— Je ne peux pas, Patrice: j'ai de l'ouvrage en retard.

— Mais, maman, tu dis tout le temps que le dimanche, c'est fait pour se reposer.

La vaisselle de midi terminée, Janine rangea la dernière assiette dans l'armoire.

— Je te promets que dimanche prochain, j'y retournerai toute seule avec toi.

Le gamin afficha une mine renfrognée.

— Mais, maman…

Janine lança un regard désespéré à Ernest, qui s'approcha.

Heureuse en ménage, menant de front tâches domestiques, cours de danse et travail (ses services de tenue de livres étaient retenus par une vingtaine de commerçants du quartier), sa fille aurait dû se sentir comblée. Pourtant, le vieil homme n'était pas dupe: sous un couvert de femme forte, Janine dissimulait une grande tristesse : « l'homme du futur » lui manquait…

Peu après son retour, en 1959, elle s'était confiée à cœur ouvert : Ernest en avait appris autant sur le séjour de sa fille en 2000 que sur celui qui l'avait délivrée de la cave. Le désarroi de Janine lui rappelait le sien à l'époque où il avait lui-même sombré dans le désespoir. Craignant de la voir se murer dans ses souvenirs, il l'avait encouragée à aller de l'avant. La conversation avait porté ses fruits : Janine avait retrouvé un certain équilibre ; mais aujourd'hui, il soupçonnait qu'elle était sur le point de sombrer de nouveau. Sa promenade en métro avait fait remonter des souvenirs, elle avait besoin d'être seule pour se ressaisir…

Le vieil homme fit un clin d'œil à sa fille, puis glissa une main sur l'épaule de son petit-fils.

— Comme ça, ton père pis moi, c'est pas assez ? Envoye, embraye mon gars, on va manquer notre autobus.

« Merci, papa », murmura Janine sur le perron, en suivant des yeux sa petite famille se diriger vers la rue Masson.

Son fils, son mari, son père : sans eux, comment pourrait-elle se raccrocher à la vraie vie lorsque la nostalgie prenait le pas sur la réalité ?

Elle revint dans la maison en soupirant. Ne sachant que faire pour chasser son vague à l'âme, elle sortit dans la cour. La table de pique-nique, construite quelques mois plus tôt, fit remonter un autre souvenir : elle s'y revit assise en 2000, le jour où elle avait tourné le dos à Dieu, le poing tendu vers le ciel. C'était quelques heures avant d'inviter Stéphane à partager son lit : elle refusait de retourner à ses années poussiéreuses sans avoir goûté au vrai bonheur.

— Moi aussi, Janine... Je le ressens. Je le ressens et très fort, lui avait soufflé Stéphane à l'oreille lorsqu'elle lui avait avoué son amour. Mais tu sais bien que cette rencontre, ça n'a pas de bon sens, avait-il aussitôt ajouté, c'est une distorsion du temps qui n'aurait jamais dû se produire...

Ce raisonnement rationnel avait rapidement été évincé par l'étrange magnétisme qu'ils exerçaient l'un sur l'autre.

Janine ferma les yeux : « Six ans... »

Six ans sans lui, sans ses bras autour d'elle, sans son souffle dans son cou ; quatre ans à patienter pour le voir revenir dans sa vie, un jour de tempête.

En 2000, elle avait su que Stéphane avait habité rue Masson, au coin de la 9e Avenue, juste au-dessus du restaurant Spiro, où sa mère travaillait comme serveuse. Avec plus de dix rues séparant leur domicile respectif, il n'y avait aucune chance que les deux garçons fréquentent la même école...

« Je me demande bien comment ils vont se rencontrer... »

Janine soupira : outre son lieu de résidence et sa situation familiale pitoyable, elle savait peu de chose au sujet du petit Stéphane de 11 ans...

Se résigner à une attente passive jusqu'au 4 mars 1971 était au-dessus de ses forces. Chaque fois qu'elle se promenait dans le quartier, elle ne pouvait s'empêcher de dévisager les gamins de l'âge de Patrice.

De temps en temps, elle s'arrêtait boire un café chez Spiro, espérant apercevoir une nouvelle serveuse. Elle s'était même informée au sujet des locataires du troisième étage, mais personne ne connaissait de famille Gadbois.

Retrouver Stéphane, observer de loin un gamin de sept ans aux yeux bleus rieurs… Il lui en aurait fallu si peu pour soulager sa détresse. Du moins, c'est ce qu'elle croyait…

Le 17 avril 1967, Patrice reçut un seul présent pour son septième anniversaire : un passeport donnant un accès illimité aux pavillons d'Expo 67. Ce cadeau fabuleux lui permettrait d'emmagasiner des souvenirs impérissables de cet été où le monde entier s'était donné rendez-vous dans les îles de Montréal.

Plusieurs fois par semaine, accompagné d'un ou deux membres de sa famille, ce petit bout d'homme, d'une intelligence très vive, avait la chance de satisfaire sa curiosité, non sans avoir au préalable trépigné d'impatience dans les longues queues.

Les pavillons thématiques attirèrent principalement son attention, tout particulièrement *L'homme et la santé* où l'on présentait les progrès de la médecine. Janine et Ernest avaient remarqué l'ambulance garée à la sortie du pavillon. Dans la file d'attente, une rumeur circulait au sujet d'un film décrivant une naissance par césarienne dont les images saisissantes provoquaient souvent des évanouissements dans l'assistance.

— Ouais, t'es peut-être un peu trop jeune pour voir ce film-là…

Piqué, Patrice leva vivement les yeux vers son grand-père.

— Pantoute! J'ai déjà vu un accouchement à la télévision, pis ça m'a rien fait.

— Ben oui, mais une pouliche qui met bas, c'est pas comme une femme. Pis oublie pas qu'ici, ça va être en couleur. Va y avoir beaucoup de sang, y paraît… Toi, Janine, qu'est-ce que t'en penses?

Plein d'espoir, le garçon dévisagea sa mère: elle souriait.

Vaincu, le vieil homme baissa les bras: Janine ne lui avait-elle pas affirmé qu'un jour, Patrice deviendrait un médecin renommé? Déjà, son intérêt pour le monde médical ne faisait aucun doute.

Une heure plus tard, la présentation du film sur écran géant engendra son lot de défaillances habituelles. Debout, les jambes flageolantes dans une salle surchauffée, Ernest dut avouer que son petit-fils avait le cœur plus solide que le sien.

De semaine en semaine, de nouveaux tampons s'ajoutaient dans le passeport de Patrice qui s'enorgueillissait d'en avoir davantage que son grand-père dont les maux de dos l'avaient obligé à espacer ses visites.

Pierre avait pris la relève, trop heureux d'avoir son fils à lui tout seul afin d'élargir ses connaissances en matière d'art: pas une exposition de peinture, ni aucune sculpture disséminée sur les îles ne furent laissées pour compte.

Le garçon était choyé et Janine aussi, car gendre et beau-père arrivaient tout de même à s'entendre, malgré leurs différends politiques. Toutefois, la jeune femme savait que dans quelques années, cette belle harmonie familiale serait ébranlée par le départ de Pierre pour San Francisco… D'ailleurs, elle se demandait encore ce qui pourrait bien l'inciter à quitter sa famille et abandonner son poste de professeur pour déménager là-bas, alors qu'il parlait à peine anglais et qu'il ne connaissait personne dans cette ville.

Lorsqu'elle s'était interrogée à ce sujet, huit ans plus tôt, la réponse était venue d'elle-même : son mari partirait au loin pour vivre pleinement son homosexualité. Mais leur mise au point – peu après la naissance de Patrice – avait permis à Pierre de préserver son mariage tout en entretenant des amitiés particulières sans jugement ni contrainte de sa part. De plus, Pierre, orphelin de père depuis son jeune âge, avait pris la mesure de son rôle auprès de son fils. Ses liaisons clandestines et son engagement politique ne l'avaient jamais empêché de veiller à l'éducation de Patrice, dont il était très fier.

Et pourtant, un jour, une pression plus forte que l'amour filial l'entraînerait à des milliers de kilomètres de la maison pour toujours, puisqu'en 2000, Stéphane avait affirmé à Janine ne pas l'avoir connu…

Ce perpétuel questionnement minait le moral de Janine, au point où elle n'arrivait plus à profiter des bons moments que la vie lui offrait. Un matin, après une nuit particulièrement éprouvante, elle confia son désarroi à Stéphane :

Mardi, 25 juillet 1967

Il faut que ça arrête, ça n'a plus de bon sens. J'ai eu tort de te questionner au sujet de Pierre : savoir qu'il nous quittera un jour ne cesse de me tourner dans la tête. J'anticipe ce moment avec une telle anxiété que je n'arrive plus à dormir.

Ce matin, j'ai été obligée de décevoir Patrice en lui disant que j'étais trop fatiguée pour l'accompagner à l'Expo, comme je le lui avais promis. Heureusement, Pierre a pris la relève. J'ai eu le cœur gros en les voyant partir tous les deux : Patrice aime tellement son père, cette séparation pourrait beaucoup le perturber.

Laurent avait raison : connaître son avenir n'apporte que des désagré…

Des petits coups frappés à sa porte de chambre la firent tressaillir. Son père, revêtu de ses plus beaux atours, venait la saluer avant de prendre la route pour Joliette où il allait passer quelques jours dans sa parenté.

—Je m'excuse pour hier soir, fit-il, penaud. Je m'étais pourtant promis de jamais m'astiner avec ton mari rapport à la politique, mais j'étais tellement en maudit que j'voyais pus clair.

⁓✦⁓

La veille, en début de soirée, toute la famille s'était réunie devant le petit écran pour regarder l'émission spéciale soulignant la visite présidentielle du général

94

de Gaulle au Québec. Plus tôt ce jour-là, le chef d'État avait emprunté le Chemin du Roy, reliant Québec à Montréal. Son parcours avait été jalonné de rassemblements de citoyens enthousiastes scandant des slogans à saveur nationaliste. À Montréal, il avait été accueilli par le maire Jean Drapeau. À l'extérieur, rue Notre-Dame, une foule enfiévrée avait levé les yeux vers le balcon de l'hôtel de ville pour entendre son discours :

— … j'emporte de cette réunion inouïe de Montréal un souvenir inoubliable, avait conclu le fougueux président. La France entière sait, voit, entend, ce qui se passe ici et je puis vous dire qu'elle en vaudra mieux. Vive Montréal ! Vive le Québec ! Vive le Québec… libre !

Au même moment, dans le salon, le jeune Patrice avait assisté à une scène mémorable :

— Outch ! avait soufflé sa mère en ouvrant de grands yeux.

— OUI MONSIEUR ! s'était écrié son père, les bras levés au ciel.

— Tabarnak ! avait rugi son grand-père en bondissant de son fauteuil.

Surpris devant la vive réaction des adultes, le gamin avait demandé :

— Pourquoi il a dit ça, le monsieur ?

S'était ensuivie une vive joute oratoire entre Pierre et Ernest, chacun rivalisant pour faire valoir sa conviction sur l'avenir du Québec au sein du Canada. Le ton avait monté malgré les exhortations au calme de Janine alors que Patrice, les sourcils froncés, tentait de comprendre le point de vue de chacun.

Exaspérée, Janine s'était emparée de la main de son fils pour l'entraîner dans la cour.

— Viens, Patrice, maman va t'expliquer, lui avait-elle dit en fustigeant les deux adversaires du regard.

Un lourd silence avait accueilli la mère et le fils à leur retour dans la maison : Pierre avait claqué la porte et Ernest boucanait rageusement dans sa berceuse.

— Je ne veux plus entendre un mot ! lui avait-elle intimé lorsqu'elle l'avait vu retirer sa pipe de sa bouche.

L'air sombre, le vieil homme avait haussé les épaules en maugréant.

Remarquant les traits tirés de sa fille, Ernest lui tapota l'épaule :

— Coudon, toi, on dirait que t'as encore passé une nuit sur la corde à linge. J'espère que c'est pas à cause de ma prise de bec avec ton mari…

Ne sachant quoi inventer pour justifier sa mine chagrine, Janine préféra se taire.

— C'est d'la faute à de Gaulle, tout ça ! s'emporta Ernest, interprétant ce silence pour une confirmation. Maudit Français ! Y aurait dû fermer sa maudite yeule au lieu de s'mêler de nos oignons ! T'as-tu vu le maire Drapeau ? Le pauvre, y savait pus ou s'mettre : y l'invite poliment sur son balcon, pis l'autre en profite pour faire un scandale !

96

Stupéfaite, Janine ouvrit la bouche.

— Voyons, qu'est que t'as, ma fille ?

Et puis, un large sourire détendit les traits de la jeune femme.

— Un scandale… Vous avez parlé d'un scandale… murmura-t-elle, les yeux dans le vague.

— Ben oui ! Quoi d'autre ? Pis j'me demande ben pourquoi tu trouves ça drôle.

Janine secoua la tête :

— C'est pas ça, papa, c'est juste que Stéphane m'avait dit que ça allait arriver.

— Hein ? Qu'est-ce que Stéphane vient faire là-dedans ?

— En 1918, un peu avant notre retour en 2000, Laurent nous a emmenés sur la place Jacques-Cartier. L'hôtel de ville était différent de celui d'aujour-d'hui…

— … à cause du feu de 1922, enchaîna Ernest.

— Oui, c'est ce que Stéphane m'a expliqué. Ensuite, il a pointé le balcon en prédisant qu'un jour, un chef d'État allait y faire un scandale.

— Eh ben ! grogna Ernest, incapable de ravaler son amertume.

Il se tut quelques secondes, puis ajouta :

— Je t'avertis tout de suite : si ton Stéphane t'a dit que cette histoire de Québec libre est allée plus loin, j'veux pas l'savoir !

— Ça, je l'ai jamais su, papa, mentit-elle.

« Pauvre papa, vous allez ben faire une syncope quand vous allez apprendre que votre cher Ti-Poil mènera cette bataille… »

—Bon, j'vais y aller, annonça Ernest en l'embrassant sur la joue. Je devrais revenir jeudi après-midi… un peu moins haïssable, ajouta-t-il avec un clin d'œil.

Janine referma la porte de sa chambre pour retourner à son journal. Sa conversation avec son père l'avait détendue. En relisant ce qu'elle avait écrit plus tôt, elle réalisa que son état d'esprit avait changé : oui, Pierre allait partir dans un avenir rapproché, et même si elle ne savait rien des circonstances, elle pouvait se réjouir en songeant que leur amitié resterait intacte et que leur fils accepterait l'orientation sexuelle de son père, allant même jusqu'à afficher fièrement une photo de son amoureux dans sa mosaïque.

Elle termina sa phrase, laissée en suspens dans son journal, puis, sur un ton plus léger, elle rapporta l'escarmouche entre Pierre et Ernest :

Deux têtes de mule campées sur leurs positions ! Il fallait bien que ça éclate un jour. De Gaulle n'a fait qu'allumer la mèche.

Si tu les avais vus se babouner ce matin au déjeuner : une vraie farce ! Bah, je suis certaine qu'ils arriveront bientôt à mettre de l'eau dans leur vin, ne serait-ce que pour donner le bon exemple à Patrice.

Elle décida ensuite de se recoucher quelques heures, mais, rongée par la culpabilité, elle n'arriva pas à trouver le sommeil : « Dire que j'aurais pu passer la journée à La Ronde avec mon gars… »

Peu friand d'émotions fortes, Pierre avait plutôt proposé une visite des pavillons de l'île Notre-Dame; la tournée des manèges avait été remise.

« Pauvre ti-loup, il était tellement déçu... », soupira-t-elle.

Les yeux au plafond, elle ne cessait de s'autoflageller. Un long sanglot s'échappa de sa gorge et des larmes glissèrent sur ses joues. Elle enfouit sa tête sous les couvertures.

Elle ouvrit des yeux ensommeillés. Elle se redressa. Sur la table de chevet, les aiguilles du réveille-matin indiquaient 12 h 30 : elle avait dormi plus de deux heures. Elle se retourna sur le dos en se frottant les joues, poisseuses de larmes séchées. Elle se sentait reposée, tarie de son chagrin et riche d'une énergie nouvelle.

« Là, ça va faire! Je dois vivre dans le présent, et tout de suite à part ça! »

Elle rabattit les couvertures et s'assit dans son lit. Elle avait tout l'après-midi devant elle, elle n'allait pas le gâcher à s'apitoyer sur son sort.

Forte de cette résolution, elle se leva et s'empara de son agenda sur sa coiffeuse, bien décidée à libérer une journée pour son fils.

Vendredi, elle n'avait qu'un seul client: un pharmacien de la rue Masson. Elle lui téléphona. Il accepta de la recevoir le jour même. Elle s'habilla en vitesse et marcha d'un bon pas vers le commerce, situé à quelques minutes de chez elle. Elle revint à la maison, vers 16 h, avec le livre de comptes, afin de terminer son travail dans le courant de la semaine.

Pierre et Patrice reviendraient à la maison pour le souper : elle avait le temps de préparer le plat préféré de son fils.

Une heure plus tard, une appétissante lasagne gratinait dans le four. Dans la cuisine, la chaleur était si accablante que Janine dut ouvrir les portes avant et arrière ainsi que plusieurs fenêtres afin de créer un courant d'air frais dans la maison.

Dans la chambre de Patrice, elle poussa un soupir d'exaspération : « Le p'tit mosus, il n'a pas encore fait son lit ! », pesta-t-elle. Elle se rendit dans la salle de jeu pour ouvrir la fenêtre.

Dehors, une voiture se rangeait le long du trottoir. Une portière claqua. La voix de Patrice retentit :

— Va-t'en pas tout de suite, Garry, je veux te montrer ma trousse de docteur.

Janine poussa le rideau. Sur le trottoir, son mari réprimandait son fils :

— "Monsieur Jones", Patrice, ça fait deux fois que je te le dis. Garry n'est pas un garçon de ton âge.

— Bah, ce n'est pas si grave, l'excusa le chauffeur dans un français teinté d'un accent américain. Va la chercher, mon garçon, je suis curieux de voir ça.

L'homme descendit de son auto ; Janine leva un sourcil : d'où lui venait cette impression de l'avoir déjà vu quelque part ?

Âgé d'une trentaine d'années, c'était un homme très séduisant, aussi grand, mais beaucoup plus costaud que Pierre.

— Maman ! Maman ! s'écria Patrice en entrant en trombe dans la salle de jeu.

Janine laissa tomber le rideau.

— Qu'est-ce qui se passe, mon grand? T'es donc ben excité.

— Où est ma trousse de docteur? J'veux la montrer à Gar… à monsieur Jones.

— Regarde dans ton coffre, je suis certaine qu'elle est là.

Le petit fouilla fébrilement dans son coffre à jouets. La jeune femme s'agenouilla à ses côtés pour l'aider.

— C'est qui, ce monsieur-là?

— Il est docteur. On l'a rencontré à matin. Il vient de San Francisco, y est venu exprès pour visiter l'Expo.

Une onde de choc foudroya Janine qui s'affaissa sur ses talons: «Mon Dieu!»

— Ah! La v'là! s'exclama Patrice en saisissant la poignée d'une petite valise rouge en plastique.

Tremblante de tous ses membres, Janine se releva péniblement pour retourner à la fenêtre. Assis sur la première marche de l'escalier, le médecin penchait la tête vers Patrice pour lui permettre de passer son stéthoscope-jouet autour de son cou. Sur le trottoir, Pierre considérait son fils d'un œil attendri.

De son point d'observation, Janine ne pouvait considérer le nouveau venu que de profil. En 2000, elle n'avait d'abord posé qu'un bref regard sur l'amoureux de Pierre dans la mosaïque de son fils, mais plus tard dans la soirée, elle s'y était davantage attardée. Dans son souvenir, l'homme de la photo, un sexagénaire aux cheveux blancs, avait les yeux bleus et portait la barbe. Le nouvel ami de Patrice était imberbe, arborait une épaisse chevelure châtain clair et n'avait rien d'efféminé. Était-ce bien lui ?

Combattant une folle envie de le retenir pour en avoir le cœur net, elle ferma les yeux. Aussitôt, sa résolution de lâcher prise sur son futur lui revint à l'esprit. Elle respira profondément puis ouvrit les yeux : « OK, d'accord, il vaut mieux faire comme si de rien n'était… »

À cette pensée, ses lèvres s'arquèrent en un sourire narquois : « Mais… si je n'avais rien su, je serais déjà sur le balcon en train de le saluer, non ? »

Tout à coup, son regard fut attiré vers l'extérieur : sur le trottoir, Pierre l'invitait à se joindre à lui d'un signe de la main.

— Garry, voici ma femme, Janine.

L'homme se tourna vers elle et se leva. La jeune femme retint son souffle : « Plus de doute possible… »

Son regard azur empreint de sérénité et son sourire franc lui plurent immédiatement. Sur sa puissante poitrine, le stéthoscope de Patrice semblait minuscule.

— Enchanté… docteur, plaisanta-t-elle en désignant le jouet du menton.

Garry Jones s'inclina en pouffant de rire.

— À votre service, chère madame !

— Nous avons rencontré Garry dans la file d'attente du pavillon de la Santé, lui annonça Pierre.

— Encore ? s'étonna Janine. Voyons, Patrice, on y est allé en juin avec ton grand-père.

— Oui, mais papa n'était pas là, pis je voulais revoir le film de la césarienne.

Derrière le petit, Janine vit son mari grimacer.

— Allez, dis la vérité, Pat, et avoue à ta mère que tu voulais voir si j'allais tomber dans les pommes.

— Et… ? fit Janine, les yeux pétillants de curiosité.

— Je suis tombé dans les pommes, confessa-t-il d'un air piteux. C'est Garry qui m'a ramassé.

— Hon, fit la jeune femme en tentant d'étouffer son hilarité.

— Pépère aussi a failli perdre connaissance, l'autre jour, en voyant le film. Pis moi, je l'ai vu deux fois sans que ça me fasse rien, triompha Patrice en prenant place sur la première marche de l'escalier.

Il vida le contenu de sa trousse médicale sur le balcon et invita le médecin à se rasseoir. Puis, levant un regard implorant vers sa mère, il lui fit une demande qui allait sceller le destin de son père :

— Maman, est-ce que monsieur Jones pourrait rester à souper avec nous autres ?

L'orientation homosexuelle de Garry Jones, révélée au milieu de son adolescence, n'avait jamais entaché son estime personnelle. Né à San Francisco en 1934, Garry avait vécu six ans à Paris, où son père occupait un poste de conservateur au Louvre. Ses parents, deux libres penseurs à qui il s'était confié sans hésitation, l'avaient d'abord incité à fréquenter des filles afin de s'assurer que ce penchant n'était pas une attirance passagère, avant de réaliser, quelques semaines plus tard, que leur fils avait passé outre leur suggestion pour s'assumer pleinement en s'affichant avec le fils d'un peintre.

À leur retour au pays, au début des années 1950, ses parents l'avaient mis en garde contre les préjudices encourus par les homosexuels notoires : si, à Paris, leur cercle de connaissances avait fermé les yeux sur sa marginalité, il en serait autrement aux États-Unis, surtout s'il voulait exercer la médecine.

À l'Université de la Ville de New York, Garry s'était donc efforcé de dissimuler son homosexualité en adoptant une conduite irréprochable. Mais son leadership naturel, sa vaste culture et son physique avantageux lui apportaient une telle popularité auprès des filles qu'il dut s'inventer une fiancée française. Elle se prénommait Claude et il s'en languissait : subterfuge facile à assumer puisqu'il se mourait de retrouver son amant parisien du même nom avec qui il entretenait une correspondance assidue.

De retour à San Francisco, à la fin de ses études, Garry ouvrit un cabinet au rez-de-chaussée de la maison de ses parents, puis il écrivit à son amoureux pour l'inciter à émigrer aux États-Unis. Une réponse désarmante lui parvint 15 jours plus tard : quelques semaines auparavant, Claude, lassé de l'attendre, avait épousé une jeune fille qui avait jeté son dévolu sur lui !

Le cœur en miettes, le jeune médecin avait sombré dans une profonde tristesse : « Les amours à distance ? *No way! Too much trouble!* »

Depuis lors, il se voulait sans attache, multipliant les liaisons éphémères, loin des regards inquisiteurs, jusqu'à cette rencontre fortuite dans une file d'attente, à des milliers de kilomètres de chez lui…

⁓✶⁓

Pendant le souper, Patrice accapara Garry en lui posant mille et une questions sur son métier. Au dessert, Pierre tempéra l'enthousiasme de son fils en orientant la conversation vers l'esclandre du général de Gaulle, n'hésitant pas à s'afficher comme sépara-tiste. Garry, attiré par les hommes de conviction, fut charmé par cette passion qui raffermissait les traits de son hôte et illuminait ses beaux yeux verts.

Hélas, Pierre était marié et père de famille. Et même si, dans les dernières heures, l'Américain avait cru déceler une reconnaissance tacite dans son regard, il fit une croix sur un hypothétique rapprochement : s'immiscer dans les ménages hétérosexuels n'était pas son genre.

— J'ai passé toute mon adolescence à Paris, avait-il répondu à Janine, lorsqu'elle l'avait félicité pour la qualité de son français. J'y ai vécu entouré d'artistes, dans une sorte de monde à part. Mon père travaillait au Louvre et ma mère partageait un atelier avec d'autres peintres de Montmartre.

— Mon papa aussi peint des tableaux ! annonça fièrement Patrice en bondissant de sa chaise pour s'emparer de sa main.

Il entraîna l'Américain dans sa chambre pour lui faire admirer une aquarelle : le portrait de sa mère, réalisé en 1960, peu avant son accouchement.

Les yeux de Garry s'agrandirent d'admiration : non seulement la ressemblance était-elle remarquable, mais la transparence des couleurs conférait une douceur attendrissante à la scène.

— Quelle technique ! s'exclama-t-il lorsque Pierre et sa femme parurent sur le pas de la porte. C'est bien la première fois qu'un portrait me touche à ce point-là. Votre façon de délayer la couleur est impeccable, et croyez-moi, je m'y connais. Auriez-vous peint autre chose ?

— Euh… oui, bredouilla Pierre.

— Mon mari doit avoir plus de cent toiles, lui dit Janine. Il expose présentement dans trois galeries. Venez voir sa dernière œuvre.

En entrant dans le salon, Garry retint son souffle. Au-dessus du sofa, une toile peinte à l'huile évoquait un paysage campagnard au lever du jour : sur les rives d'un lac, une fillette et un garçon ramassaient des pierres. Les couleurs du soleil s'élevant des montagnes tout autour semblaient se fondre dans le lac étale. La lumière s'accrochait à chaque feuille de l'érable peint au premier plan. L'influence impressionniste ne faisait aucun doute…

Conscient d'être en présence d'une œuvre maîtresse, l'Américain sentit la fébrilité le gagner.

— *It's prodigious*… parvint-il à articuler d'une voix rauque. Vos toiles doivent trouver preneur dès qu'elles entrent dans une galerie.

— Oh, je dois en vendre cinq ou six par année, répondit le peintre en rougissant de plaisir.

Le médecin haussa les sourcils..

— *My gosh!* Si vos autres tableaux ressemblent à celui-ci, ils feraient un malheur à San Francisco. J'aimerais bien les voir…

— J'en ai une bonne trentaine à mon atelier, fit le peintre, tentant non sans mal de contenir son euphorie devant l'intérêt évident de ce connaisseur. Mais les meilleurs sont exposés dans trois villes des Laurentides. J'avais justement l'intention de m'y rendre demain… Je vous emmène, si vous voulez.

***

Les deux hommes se mirent en route, le lendemain après-midi. Leur tournée s'amorça bien à Saint-Jérôme où Pierre récolta une centaine de dollars pour une huile, réalisée deux ans plus tôt. Malheureusement, aucune autre toile n'avait trouvé d'acheteur, pas plus à Saint-Sauveur qu'à Sainte-Adèle. Garry s'en indigna : ce qu'il avait vu dépassait ses attentes. Un peintre de ce talent gagnerait beaucoup à élargir ses horizons pour sortir de l'ombre.

« Avec mes contacts à New York et à San Francisco, je pourrais lui donner un bon coup de pouce », songeait-il.

Sur le chemin du retour, leur conversation prit une tournure plus décontractée. Abandonnant le vouvoiement, ils bavardèrent de tout et de rien, se découvrant une foule d'intérêts en commun. Pierre faisait preuve d'une large érudition et son ouverture d'esprit séduisait de plus en plus le médecin.

En rentrant à Montréal, ils décidèrent d'aller souper dans un restaurant français, rue Saint-Paul, à deux pas de l'atelier de Pierre.

Attablé devant un apéritif, Garry observait son nouvel ami passer un coup de fil à sa femme. Sa femme, son fils… Une petite famille sans histoire qui semblait très unie… Pourtant, un je-ne-sais-quoi le poussait à croire que Pierre était attiré vers lui. Garry avait toujours eu du flair dans ce domaine et il se trompait rarement. Pourtant, ce jour-là, il se demandait si son instinct ne valsait pas avec de folles chimères…

Pendant le repas, ils discutèrent peinture et affaires. Pierre lui confia son rêve brisé quand il n'avait pu acheter Signature, cette galerie sur laquelle il avait fondé tant d'espoir. Décidément, la malchance s'acharnait sur cet homme au talent méconnu. Il méritait tellement mieux…

— Tu n'as jamais pensé à tenter ta chance ailleurs ? Aux États-Unis, par exemple ? Je connais beaucoup de monde, et *don't forget* : ma mère est peintre et mon père fait carrière dans le domaine. Je pourrais m'informer, *if you wish*…

Le regard de Pierre s'illumina.

— Eh bien… si tu crois que ma peinture pourrait plaire… pourquoi pas ?

— Alors, vends-moi le tableau que j'ai vu, hier, dans ton salon. Avant de l'installer chez moi, je m'en servirai pour te faire connaître dans le milieu.

L'artiste balbutia des remerciements confus pour cette opportunité providentielle. Une seconde bouteille de vin fut commandée et la discussion reprit de plus belle. Pierre voulait tout savoir de San Francisco, ses galeries, son architecture, sa vie nocturne. Une douce euphorie flottait dans l'air.

Une heure trente plus tard, ils refusèrent le digestif, pourtant offert par la maison, et quittèrent le restaurant, un peu ivres. Un autre café serait le bienvenu avant de reprendre le volant.

Pierre invita Garry à boire un expresso à son atelier. Il était tard et c'était la première fois qu'il ouvrait sa porte à un client potentiel. Seulement, ce qu'il ressentait pour l'Américain allait bien au-delà d'une relation sympathique autour d'un projet d'affaires et cet attrait n'avait rien à voir avec ce qu'il avait éprouvé pour ses amants des dernières années. Mais comment s'assurer qu'il n'était pas en train de s'attacher à un homme qui préférait la compagnie des femmes?

En se dirigeant avec lui vers l'atelier, Pierre sentit l'appréhension l'envahir : que se passerait-il lorsqu'ils seraient à l'abri des regards ? L'alcool lui avait-il monté à la tête au point qu'il en arrive à se forger de fausses attentes ? Certes, Garry était célibataire, mais rien dans son attitude ni dans leurs discussions ne laissait présager quoi que ce soit de ses penchants... Chose certaine, jamais Pierre ne se risquerait à briser la glace. Si leur tête-à-tête lui démontrait qu'il s'était leurré, il se contenterait de poursuivre la soirée avec lui, juste pour prolonger le plaisir d'être en sa présence, juste pour repousser le vide qu'allait provoquer son absence…

— Je loue ce local pour une bouchée de pain, dit-il pour faire la conversation. C'est bien pratique pour les réunions de militants. Mais c'est surtout mon havre de paix pour peindre. Pendant les congés scolaires, il m'arrive d'y passer plusieurs jours.

L'Américain jeta un regard oblique vers son compagnon. Pierre parlait rapidement et semblait tendu : la perspective de se retrouver seul avec lui le rendait donc nerveux à ce point-là ?

Au coin de la rue, il entendit Pierre maugréer en levant les yeux au-dessus d'une crêperie.

— Bon, ça, c'est bien moi ! J'ai encore oublié d'éteindre les lumières.

Pierre ouvrit la porte menant à l'étage et poussa l'interrupteur.

— Je vais en profiter pour te demander ton avis sur ma nouvelle production, fit-il en sortant un trousseau de clés de ses poches.

Garry le suivit dans l'escalier étroit.

En entrant, le médecin jeta un regard circulaire à la pièce aux murs blancs percés de larges fenêtres : quelques chaises pliantes appuyées au mur du fond ; un drapeau du Québec en papier glacé surplombant un sofa élimé. Contre le mur adjacent, une trentaine de toiles de différentes tailles étaient empilées derrière une table couverte de pinceaux, de bocaux et de tubes de peinture. Un tableau inachevé sur un chevalet installé près d'une fenêtre attira son attention. Il s'approcha. Dans une ruelle grouillant d'enfants, un gamin d'allure chétive était assis sur le sol, contre un mur de brique, à l'écart des autres. Ses yeux verts tournés vers le ciel exprimaient un désespoir sans nom.

L'Américain sentit son cœur se serrer en reconnaissant cet enfant que la différence avait condamné à la solitude : « *OK, he's gay and he doesn't know how to live with it…* »

Il avait vu juste : Pierre et lui étaient faits du même bois, un courant très fort passait entre eux. Cette révélation entraîna un troublant mélange d'exaltation et d'angoisse dans son sillage : « Lui à Montréal et moi à San Francisco… *is it possible ?* »

Pierre vint près de lui pour commenter son œuvre – il s'était installé dans la ruelle, derrière chez lui, avait croqué la scène au crayon pour ensuite la reproduire dans son atelier.

— Le *kid*, c'est toi, *isn'it ?*

— Euh… oui. J'ai peint ce tableau pour Janine. Elle et moi, on se connaît depuis plus de 20 ans… D'ailleurs, c'est elle, ici, ajouta-t-il en désignant, sur la toile, une fillette qui observait attentivement le garçon du haut d'un escalier.

— Elle semble veiller sur toi… Est-elle au courant ? Je veux dire… pour ton orientation sexuelle ?

Dérouté, Pierre détourna vivement la tête. Un silence oppressant s'abattit dans l'atelier. Les yeux rivés au sol, le mari de Janine tentait de retrouver une certaine contenance.

Garry se tourna vers le chevalet, le cœur gonflé de compassion : « *How can I help him ?* »

— *Don't worry*, *buddy*, tu n'as pas à avoir honte, s'entendit-il murmurer. Et… pour ta femme… compte sur moi pour ne rien lui dire.

Une réplique déconcertante fusa aussitôt :

— Janine le sait… Je l'ai épousée après l'avoir mise enceinte. J'avais couché avec elle… pour me prouver que je n'étais pas "comme ça"…

Garry ne put se retenir davantage :

— Eh bien, moi, je n'ai jamais eu besoin de coucher avec une femme pour le savoir…

Relevant la tête, Pierre se sentit happé par le regard de l'Américain : une complicité bienveillante l'enveloppa.

Garry éclata de rire.

— *Well*, je crois que nous n'avons pas encore fini de papoter comme des jeunes filles, déclara-t-il. On le boit, ce café ?

Pierre se déchaussa dans le vestibule. La chambre de son beau-père était vide, il s'en réjouit : il serait encore seul une partie de la journée avec sa femme et son fils ; Garry pourrait passer chercher la toile sans croiser Ernest.

En entrant dans la cuisine, il aperçut Janine, assise sur le balcon, à travers la moustiquaire. Il entrouvrit la porte.

— Hum, quatre heures du matin, qu'est-ce que tu fais debout ?

Janine se tordit le cou vers l'arrière.

— Eh, salut! Allez, viens t'asseoir, il fait bon dehors. On crève dans la maison, trop chaud pour dormir. Alors, cette journée?

— Une promenade en montagnes russes, ma chérie, amorça-t-il en dépliant une chaise de jardin.

Il termina son récit au lever du jour. Janine avait, entre-temps, fait du café.

— ... et vous avez passé le reste de la nuit à jaser... Oh là, c'est sérieux!

Les yeux tournés vers le ciel, Pierre poussa un long soupir.

— Il repart demain... Je... je ne sais même pas si je vais le revoir...

— Moi, à ta place, j'arrêterais de me faire du mauvais sang. N'oublie pas: il emporte ta meilleure toile. Tu auras de ses nouvelles bientôt.

— Ouais, si elle plaît...

— Tu en doutes?

— Je m'en fous, je veux seulement le revoir, lui.

Janine se mordit les lèvres. Elle brûlait d'envie de lui dire qu'elle le comprenait. Elle aurait voulu le rassurer, en lui avouant son secret; mais elle dut se contenter de lui tapoter le bras, en affichant un sourire contraint.

Pierre saisit sa main.

— C'est pas juste, tout ça. Je suis là à te raconter mes amours et toi, tu n'as personne... Tu mériterais tellement mieux...

Garry téléphona la semaine suivante : un ami de son père, propriétaire d'une galerie réputée, voulait voir ses toiles. Pierre s'envola pour San Francisco au début du mois d'août. Il resplendissait à son retour, huit jours plus tard. Janine sentit un pincement au cœur : la vie de son mari avait pris le dernier détour avant son départ définitif.

Chapitre 4

1970

Le 27 mars 1970, en pleine campagne électorale, la Nuit de la poésie, un *happening* rassemblant la crème des poètes, avait suscité un tel intérêt à Montréal qu'on avait dû refuser des centaines de personnes à la porte du théâtre du Gesù.

À cinq heures du matin, la foule se dispersait, rue Bleury. Janine remonta son col en frissonnant avant de s'emparer de la main de Pierre, ravie qu'il ait accepté de mettre ses pinceaux de côté pour l'accompagner à cette grande fête de la parole célébrant la liberté et l'amour du Québec.

— Tu as bien fait d'insister, Janine, j'ai passé une nuit merveilleuse. Gaston Miron, Pauline Julien, Raymond Lévesque et Raôul Duguay sur une même scène! Je ne pouvais pas rater ça. Et le ras-le-bol de Gérald Godin n'était pas mal non plus: "Les peddlers du fédéralisme enculatif; la ratatouille du pot-de-vin; les trous d'eau de radio-cadenas...", cita-t-il avec délectation. *My God*, quelle verve! J'aimerais bien l'entendre à l'Assemblée nationale, celui-là.

— Ah, oui ! Tu me fais penser que Jacques Duhamel a appelé, hier après-midi ; j'ai complètement oublié de te faire le message.

— Duhamel ? Il croit sans doute que je veux poursuivre ma collaboration avec Lévesque dans Laurier, mais je n'ai plus vraiment le temps de m'occuper activement de politique…

Comme Garry Jones l'avait prédit, les toiles de Pierre se vendaient bien : trois galeries de San Francisco exposaient ses œuvres et un vernissage d'envergure était prévu à New York, en mai. Entre ses cours d'arts plastiques à l'école et les heures passées dans son atelier, Pierre réservait le peu du temps qui lui restait à sa famille et à ses rares rencontres avec son amoureux américain.

— Hep ! Taxi ! lança Janine en levant le bras pour attirer l'attention du chauffeur.

Le couple s'engouffra dans la voiture.

— C'est ben de valeur que t'aies plus le temps de côtoyer René Lévesque, regretta Janine, j'en connais un qui aurait été prêt à te donner un bon coup de main : mon père !

Les yeux du peintre s'agrandirent.

— Ernest péquiste ? Oups ! J'en ai manqué des bouts : je passe vraiment trop de temps dans mon atelier…

— Ne te réjouis pas trop vite, papa n'est pas encore prêt à hisser le drapeau de l'indépendance, mais c'est un inconditionnel de l'homme.

— Eh ben! On sait jamais, ton père finira peut-être par lâcher les libéraux: il a toujours eu confiance en son Ti-Poil.

Ils entendirent le chauffeur maugréer avant de faire un détour: une portion du boulevard Dorchester était fermée, des panneaux signalaient des travaux de voirie.

— En parlant de ton père, tu ne trouves pas qu'il a l'air de tourner en rond à la maison?

— Oui, j'ai remarqué, dit Janine. C'est comme ça depuis son retour du Cameroun. Il y avait tant à faire là-bas, je crois qu'il aurait aimé rester plus longtemps.

— Faut le faire, quand même! Un voyage pareil à 75 ans…

— Papa s'ennuyait de son plus vieux… Il se doutait bien que Laurent ne reviendrait plus à Montréal. Il avait besoin de passer du temps avec lui. Mais c'est vrai qu'il tourne en rond depuis qu'il est rentré. On dirait qu'il lui faut un os à ronger. C'est dommage que les religieuses aient mis la clé dans la porte de l'hospice, j'aurais pu suggérer à papa d'offrir quelques heures pour faire des petits travaux. Je vais essayer de trouver autre chose…

— C'est bien toi, ça, coupa Pierre en prenant affec-tueusement sa femme par les épaules. Tu n'arrêtes pas de te faire du souci pour ta famille sans jamais penser à ta petite personne. Tiens! Tu devrais m'accompagner à New York pour le vernissage. Et si tu peux t'arran-ger avec tes clients, on pourrait même prolonger notre séjour. Qu'en penses-tu?

Visiter New York, se balader dans Central Park, dévaliser les magasins, s'éclater à Times Square, sur Broadway? Janine soupira d'aise.

— Hum, c'est bien tentant ta proposition, mais...

Elle jeta un coup d'œil au chauffeur, occupé à syntoniser un poste de radio.

— Que fais-tu de Garry? chuchota-t-elle. Il te voit si peu souvent. Tu ne penses pas que ma présence pourrait l'embarrasser?

— Tut tut tut, répliqua son mari sur le même ton. Garry t'adore et... entre nous, il te doit bien ça! De toute façon, avec sa clientèle et son poste à l'hôpital, il ne pourra pas s'attarder longtemps à New York. Et puis, au cas où tu t'inquiéterais aussi pour Patrice, enchaîna-t-il d'un même souffle, n'oublie pas que ton père serait trop heureux de l'avoir à lui tout seul pendant notre absence.

Le taxi les déposa devant leur domicile. Ils traversèrent le couloir de la maison endormie sur la pointe des pieds. Un mot de Patrice les attendait sur la table de la cuisine:

Pépère vous dit de dormir sur vos deux oreilles: il m'emmènera passer la journée à Joliette aussitôt que nous serons levés.

— Tu vois ce que je te disais? fit Pierre en agitant le bout de papier. Ton père saute sur toutes les occasions pour passer du temps avec son petit-fils. C'est décidé! Dans deux mois, on se paie une petite virée à New York!

Ernest ouvrit la porte du réfrigérateur, déplaça un pichet de limonade et s'empara d'une bière. Il faisait chaud pour un 19 septembre et il avait hâte d'en finir avec la peinture de la clôture. Son petit-fils aurait pu lui donner un bon coup main, mais il avait dû accompagner sa mère au centre-ville pour l'achat de son habit de neige.

« Un nouveau *suit* à chaque année, tu grandis trop vite, mon Patrice… C'est ben d'valeur que Janine ne veuille pus d'autre enfant… », se désola-t-il.

Il but une première gorgée en observant son gendre en train de peindre dans la cour : « Lui, y a des choses plus intéressantes à peindre qu'une clôture… soupira-t-il. Il dessine et il peint. Il peint et il dessine… C'est ben simple, quand y est pas dans son atelier, il s'écrase quelque part avec sa maudite tablette à dessin… »

Mais, bon, Pierre faisait bien vivre sa famille et depuis trois ans, ses tableaux se vendaient si bien, aux États-Unis, qu'il avait pu prendre un congé sans solde de six mois de son poste de professeur afin de produire assez de matériel pour sa prochaine exposition à San Francisco.

Ernest but une longue gorgée de sa bière en gagnant le couloir. La sonnerie du téléphone retentit au moment où il entrait dans le vestibule. Il revint sur ses pas.

— Allô ?… Ouais, un instant !

« Maudit fatigant ! grogna-t-il. Ça doit ben faire trois fois qu'y appelle depuis hier… »

Il laissa pendre le récepteur du téléphone mural, fixé à côté de la salle de bain, et se dirigea vers la porte arrière.

— Pierre, c'est l'Américain au téléphone, tu veux que je lui dise de rappeler?

Son gendre bondit de sa chaise.

— Non, non! J'attendais son appel.

Toujours cet empressement… Le vieil homme jeta un œil suspicieux au téléphone, puis retourna à son travail de peinture.

Toute la famille avait succombé au charme de Garry Jones, sauf Ernest: il ne pouvait pas sentir ce type. Cette animosité allait au-delà du pincement de jalousie ressenti à chaque fois que Patrice faisait son éloge ou de son agacement lorsque sa fille mettait les petits plats dans les grands pour le recevoir. Ernest se méfiait de ce médecin qui se prenait pour le gérant de Pierre, l'attirant à San Francisco sous divers prétextes, accaparant tout son temps lorsqu'il était de passage à Montréal. Le vieil homme rageait intérieurement de voir son gendre boire ses paroles. Il aurait même douté de la moralité de cette amitié, si Janine s'était plainte de quoi que ce soit. Au contraire, non seulement le ménage de sa fille se portait bien, mais la semaine que le couple avait passée à New York avait pris des allures de voyage de noces…

« Envoye, pépère, mêle-toi de tes oignons et ferme ta yeule », se sermonna-t-il en se remettant au travail.

Ravaler sa frustration, éviter les conflits, se taire pour préserver la paix dans sa maison. Se taire encore et toujours, de peur de finir ses jours seul…

Une demi-heure plus tard, le vieillard s'assit sur une marche et s'épongea le front avec son mouchoir : le soleil plombait trop fort pour continuer. Il se promit de terminer le travail après le souper. Patrice serait ravi de l'aider, il adorait peinturer.

Ernest referma son pot de peinture, nettoya son pinceau et revint dans la maison. Dans le corridor, il sourcilla en apercevant le fil du récepteur coincé dans la porte des toilettes.

« Qu'est-ce qui lui prend de s'encabaner avec le téléphone ? », se demanda-t-il.

Derrière la porte, un murmure plaintif se fit entendre. Surpris, Ernest s'approcha : la voix de son gendre hoquetait entre deux sanglots. Retenant sa respiration, le vieil homme colla son oreille à la porte.

— Toi aussi, tu me manques, geignait Pierre. Mais… tu… le savais depuis le début qu'on vivrait séparés… Je t'en prie, Garry… tu sais bien que je n'aime que toi… mais essaie de comprendre…

Le cœur d'Ernest s'arrêta. Une main plaquée sur sa bouche ouverte, il s'écarta de la porte. Ses jambes ne le portaient plus, il tituba vers la cuisine et s'effondra sur une chaise.

Pierre et Garry… ensemble, comme homme et femme… Pierre avait trompé tout le monde ; il avait joué dans le dos de sa fille… Ernest serra les poings, l'odieux de la trahison lui brûlait les veines : ce salaud n'était pas digne de vivre sous son toit !

— Attends, mon chien sale… maugréa-t-il entre ses dents.

Retrouvant son aplomb, il bondit de sa chaise, ouvrit une porte sous l'évier, puis gagna la chambre des maîtres à grandes enjambées, un sac poubelle à la main. Il ouvrit la penderie et rafla plusieurs cintres qu'il dépouilla avec rage. Chemises et pantalons se retrouvèrent aussitôt dans le fond du sac. Il s'attaqua ensuite aux tiroirs de la commode ; leur contenu rejoignit pêle-mêle le reste des vêtements.

— Voyons, le beau-père, qu'est-ce qui vous prend ?

Ernest se retourna vers la porte. Son gendre, les yeux rougis et les joues empourprées, le contemplait d'un air stupéfait.

Le sang du vieillard ne fit qu'un tour.

— Y m'prend que j'te crisse dehors ! rugit-il en détournant les yeux pour résister à l'envie de se jeter sur lui.

Il noua le sac et le lança vers la porte. Pierre fit un pas de côté pour l'éviter, une terrible appréhension s'ajoutant tout à coup à sa confusion.

— Ernest... qu'est-ce que je vous ai fait ? Je... ne comprends pas, bredouilla-t-il.

Son beau-père sortit de la chambre, le bousculant au passage, et fonça vers la cuisine.

— Oblige-moé pas à répéter ce que j'ai entendu, postillonna-t-il en désignant le téléphone d'un doigt tremblant. T'as pus rien à faire icitte ! Prends tes guenilles et va faire tes cochonneries ailleurs !

Une onde de choc traversa Pierre qui tenta désespérément de reprendre contenance sous un air indigné.

— Vous n'aviez pas d'aff... C'était une conversation privée...

Le vieux fit volte-face vers lui, les yeux exorbités, les narines frémissantes.

— Calvaire ! J'te faisais confiance, j'ai ouvert ma porte, j't'ai même donné ma fille ! Pis toi, mon…

Sa voix dérailla, il renifla.

— … pis tout ce que t'as réussi à faire, c'est d'la partir pour la famille, pis d'la tromper avec un enfant d'chienne de ton genre !

D'un geste brusque, il ôta ses lunettes pour essuyer ses larmes.

Tétanisé, le cœur battant à une vitesse folle, Pierre ouvrit la bouche, mais son esprit vacillait.

— Je… je suis désolé, bredouilla-t-il péniblement.

Ernest tira son mouchoir de sa poche et se moucha bruyamment. Il ouvrit ensuite un tiroir du comptoir puis revint vers le téléphone avec un bout de papier. Son index fit tourner la roue du cadran par petits coups saccadés.

— Allô ? Envoyez un taxi au 5467, d'Orléans. Non, pas d'appartement… Oui, c'est ça… Le gars va vous attendre sur le trottoir, compléta-t-il en jetant un regard chargé de mépris à celui qui avait trahi sa fille.

Anéanti, sans mots pour plaider sa cause, Pierre saisit le sac à ordures par le nœud et le traîna jusqu'au vestibule d'un pas d'automate. La main sur la poignée de la porte, il se retourna d'un bloc.

— S'il vous plaît, Ernest, ne dites rien au p'tit, il ne comprendrait pas…

Il sortit sans attendre la réponse.

Une heure plus tard, Ernest, cloué dans sa berceuse, se remettait à peine de ses émotions. Il en était à sa troisième bière, la tête lui tournait. Le vent de la colère s'était retourné contre lui : il n'avait rien vu ! Pire, il n'avait rien voulu voir : combien de fois son fils Gaston avait-il fait allusion aux allures efféminées de Pierre devant lui ? Il est vrai qu'habituellement, les bavardages de son plus jeune ne valaient pas grand-chose, mais il devait tout de même avoir une bonne raison de détester Pierre à ce point-là : « Il voyait clair, lui ! »

Ernest s'en voulait : quel père lamentable il faisait ! Pourquoi n'avait-il pas vérifié les propos de Gaston ? Pourquoi n'avait-il pas protégé sa fille ?

Mais Pierre avait été si gentil avec Janine depuis son arrivée dans le quartier : il avait partagé ses jeux, l'avait sortie tous les samedis pour lui permettre de s'évader de la maladie de sa mère. Il était si désespéré lorsqu'il l'avait crue morte dans l'incendie de l'hospice.

Au retour de Janine, Pierre avait été d'un grand secours pour les aider à se remettre sur pied. Ernest lui en avait été reconnaissant : Dieu sait comment il aurait pu s'en tirer, seul, sans Juliette…

Janine avait épousé Pierre pour donner un père à son enfant. L'aimait-elle d'amour ? Ernest avait senti une certaine tension dans le couple au début de leur mariage : Stéphane, l'homme du futur, avait pris une telle place dans le cœur de sa fille… Mais la naissance de Patrice avait arrangé les choses : Janine et Pierre avaient retrouvé leur complicité d'antan. La maison était redevenue un endroit où il faisait bon vivre, même s'il reprochait à son gendre de négliger sa famille pour militer en faveur du maudit séparatisme.

À cette pensée, le vieil homme se figea sur sa chaise : « Jean Brousseau ! Y avait juste à siffler pour que Pierre lâche tout pour aller le rejoindre, il mangeait dans sa main... Oh mon Dieu ! »

Les fréquentes absences de Pierre s'expliquaient, maintenant.

Ernest lâcha un juron : les souvenirs qui affluaient dans sa tête ne cessaient d'alimenter son ressentiment : « Toi, mon écœurant, tu ne remettras plus jamais les pieds dans ma maison ! Pis attends-toé pas de revoir Patrice de sitôt... »

Il se tut, soudain effrayé par cette idée de vengeance. Il secoua la tête comme si ce geste avait pu l'en libérer. Ernest avait beau en vouloir à mort à Pierre, que faisait-il du chagrin que son coup d'éclat allait causer à Janine et Patrice ?

« Mon Dieu, qu'est-ce que je vais leur dire ? »

Se rappelant le désordre laissé dans la chambre de Pierre et Janine, il quitta sa berceuse en vitesse en jetant un coup d'œil à l'horloge murale : 17 h 30. Les magasins étaient fermés depuis 30 minutes : Janine et Patrice ne devraient pas tarder.

Le cœur battant, il ramassa les cintres sur le plancher, referma la porte de la penderie et les tiroirs vides de la commode. Par la fenêtre de la chambre, il aperçut le chevalet de Pierre planté dans la cour. Au moment où il allait sortir pour le ranger, il entendit la voix de son petit-fils dans le couloir.

— Pépère ! Viens voir ce que maman m'a acheté !

— Tout doux, mon garçon, laisse-nous au moins le temps d'arriver, fit Janine en déposant deux gros sacs à poignées dans le vestibule.

Ernest retint sa respiration, une bouffée d'angoisse l'assaillit en apercevant sa fille s'avancer vers lui, le sourire aux lèvres. Dès lors, il sut que le courage allait lui manquer...

—Ah? Il n'y a rien sur le feu? s'étonna-t-elle en entrant dans la cuisine. Pierre m'avait pourtant promis qu'il allait faire cuire les patates... Où est-il?

— Euh... À l'atelier, probablement, souffla le vieux en détournant les yeux.

— Comment ça? Il m'avait dit qu'il y retournerait seulement demain matin.

Elle s'approcha de la porte arrière.

— Ben, voyons donc... Son matériel de peinture est encore dans la cour... Quelle mouche l'a piqué de partir comme ça? Il vous a dit quelque chose?

Elle se retourna vers son père.

—Papa, vous êtes tout pâle! Qu'est-ce qui se passe?

Ernest s'assit dans sa berceuse en soupirant douloureusement. Il aurait dû se calmer pour réfléchir à la façon d'annoncer la terrible nouvelle à sa fille. Maintenant, affolé et confus, il ne trouvait pas les mots pour lui apprendre que son mariage venait de s'envoler en fumée...

Providentiellement, Patrice vint à son secours.

— Regarde, pépère, si c'est beau...

Le vieil homme leva les yeux vers le garçon de 10 ans qui exhibait une boîte contenant un modèle réduit à coller : le corps humain.

— Wow ! Quel beau cadeau ! lança-t-il d'une voix un peu trop forte. J'vas-ti pouvoir t'aider à le monter ?

— Ça, c'est sûr, pépère. On va pouvoir commencer tout d'suite ?

— Pas maintenant, intervint Janine. Il faut souper avant ! Tiens, rends-toi utile, va dans la cour ramasser le matériel de ton père.

Elle le suivit jusqu'à la porte.

— Ferme bien les tubes de peinture et fais attention de ne pas tacher la toile avec tes doigts. Tu la mettras sur le lit, dans ma chambre.

Elle revint vers son père, l'œil interrogateur et les mains sur ses hanches.

— Alors, papa, allez-vous enfin me dire…

Ernest se leva pour se diriger vers la dépense.

— J'vais m'occuper de faire souper le p'tit. Toi, embarque dans l'char et va voir ton mari : il a des choses à t'apprendre…

À l'atelier, recroquevillé dans son lit, Pierre se maudissait : Janine avait fermé les yeux sur sa relation avec Garry, elle ne lui avait jamais reproché ses séjours à San Francisco, elle lui avait simplement demandé d'être discret. Il aurait dû dire à Garry qu'il le rappellerait d'une cabine téléphonique au lieu de s'enfermer dans les toilettes lorsque la conversation avait pris cette tournure. Mais voilà, il avait laissé ses émotions prendre le dessus et maintenant il en subissait les conséquences.

Il comprenait son beau-père de l'avoir chassé de sa maison comme un moins que rien : « Il fallait bien que ça arrive un jour : je n'ai jamais été digne de sa fille, de ce mariage, de Patrice... »

On frappa discrètement à la porte. Pierre se redressa. On frappa encore.

— Pierre, c'est moi...

« Janine, enfin... »

Il l'attendait, il savait qu'elle viendrait. Il avait besoin de sa force, ensemble, ils trouveraient une solution. Elle ouvrit la porte et entra.

— Mon père m'a dit que je te trouverais ic...

Elle s'arrêta net en remarquant la pâleur du visage de son mari et ses joues barbouillées de larmes.

Elle s'avança et déposa son sac à main sur le lit.

— Voyons, qu'est-ce que vous avez tous les deux ? Papa ne veut rien me dire et toi...

Pierre soupira : Ernest avait renvoyé la balle dans son camp. C'était mieux ainsi...

— Ton père... m'a mis à la porte, Janine. Il a surpris une conversation entre Garry et moi. Tout est de ma faute...

Estomaquée, Janine l'écouta en silence faire le récit de l'événement. Avec le temps, elle avait imaginé de multiples scénarios autour de l'éclatement de son mariage, mais pas une minute, elle n'aurait pensé que son père y jouerait un rôle clé.

— Je vais m'installer ici, conclut Pierre, étonné du calme de sa femme.

Janine fronça les sourcils. Les pensées se bousculaient dans sa tête : elle pouvait tout comprendre, tout pardonner, pourvu que son fils soit épargné.

— Tu n'y penses pas ? Comment on va expliquer ça à Patrice ?

— J'ai beaucoup de travail pour la prochaine exposition, je pourrais lui dire que c'est plus pratique de vivre ici pendant quelque temps.

— Pierre, ton vernissage est en janvier, soupira Janine. Ton fils n'est pas fou, il finira bien par se douter de quelque chose. Et ta mère ? Qu'est-ce que tu vas lui raconter ?

Pierre secoua la tête.

— Je ne sais pas quoi te dire, Janine... Tu as toutes les raisons de m'en vouloir. J'ai été imprudent. Au téléphone, quand la discussion avec Garry s'est échauffée...

— Qu'est-ce qui s'est passé avec Garry ? coupa-t-elle. Vous vous êtes disputés ?

— Il se plaint de ne pas me voir assez souvent. Depuis que j'ai pris congé de l'école, il n'arrête pas de me talonner pour que j'aille peindre à San Francisco. Aujourd'hui, il m'a dit qu'il avait prévu une grande pièce dans sa nouvelle maison pour l'aménagement d'un atelier... J'ai eu beau lui expliquer que je ne pouvais pas m'absenter trop longtemps à cause de Patrice, il n'a rien voulu entendre... Je... je suis en train de le perdre, Janine...

Sa voix s'étrangla dans un sanglot. Assis sur son lit, il semblait complètement dépassé et démuni.

Janine réfléchissait. Le départ de son mari pour San Francisco résultait donc de cette crise familiale… C'était logique que la décision de partir ne vienne pas de lui : Pierre tenait trop à son fils et il s'en voudrait à mort d'abandonner sa meilleure amie après l'avoir privée d'une carrière en lui faisant un enfant.

— Va rejoindre Garry…

Pierre tressaillit.

— Tu n'y penses pas ? Voyons, Janine, je vais en avoir pour quatre mois, je vais m'ennuyer de vous autres sans bon sens !

— Penses-y, c'est la meilleure solution. On expliquera à Patrice que tu as des engagements là-bas. Ce sera plus crédible que si tu restais dans les parages sans jamais mettre les pieds à la maison. Mon père dira comme nous, j'y veillerai. Allez, accepte l'invitation de Garry et pars tranquille, ça aidera à faire retomber la poussière.

⟡

Pierre quitta Montréal le 28 septembre 1970 après avoir expédié ses toiles et sous-loué son atelier à l'un de ses amis. Patrice se consola en sachant que sa mère et lui iraient passer Noël à San Francisco. Son père reviendrait fin janvier, après le vernissage.

Ernest rageait de voir sa fille passer aussi facilement l'éponge. Pierre s'en tirait trop bien à son goût ! Quelque chose lui échappait : il ne savait pas d'où venait la sérénité que Janine affichait depuis son retour de l'atelier, huit jours plus tôt. Il tomba des nues lorsqu'elle le prit à part, le soir du départ de son mari, pour lui apprendre qu'elle avait épousé Pierre tout en connaissant son orientation sexuelle.

— Tu pourras pas m'demander d'habiter dans la même maison que lui, c'est au-dessus de mes forces, Janine, l'avait-il avertie.

— Dans le temps comme dans le temps, papa. Inutile de vous énerver avec ça, le rassura-t-elle. On a jusqu'en janvier pour trouver un moyen de contenter tout le monde.

« Pierre ne reviendra jamais... Vous vous en faites pour rien, papa », poursuivit-elle mentalement.

Garry n'y serait pour rien ; il était possessif, mais il avait du respect pour elle et beaucoup trop de bonté pour priver Patrice de la présence de son père. Pourtant, sans avoir la moindre idée de ce qui allait retenir son mari à San Francisco, Janine savait que Pierre ne pourrait échapper à son destin...

Elle prit congé de son père pour s'enfermer dans sa chambre. Enfouie sous les couvertures, elle put enfin donner libre cours à son chagrin : l'arrivée imminente du jeune Stéphane pourrait-elle combler le vide laissé par l'absence de son meilleur ami ?

❦

— Pépère, quand le professeur nous a demandé ce que voulaient dire les lettres FLQ, j'ai été le seul de la classe à avoir la bonne réponse.

— Ah, bon ?... Pourtant, on parle juste de ça à la télé, grogna Ernest.

C'était le jeudi, 15 octobre. Depuis le milieu de la journée, l'armée canadienne déployait ses effectifs dans la province. Plus de 1 000 soldats avaient envahi les rues de Montréal. Dix jours plus tôt, James Cross, un attaché commercial britannique, avait été kidnappé par des membres du FLQ ; le 10 octobre, le ministre du Travail, Pierre Laporte, avait été enlevé à son tour. Les ravisseurs réclamaient la libération de 23 prisonniers politiques et la lecture publique de leur manifeste. Le gouvernement de Robert Bourassa avait cédé à la deuxième demande, mais faisait traîner les négociations dans l'espoir de coincer les activistes.

— Le FLQ ! Tu parles d'un sujet à discuter à la p'tite école ! Pis j'comprends que Patrice en sache plus que tous les autres, ton mari a dû lui en parler en long et en large, souffla Ernest à sa fille, aussitôt que son petit-fils eut quitté la cuisine.

— Papa, vous êtes tellement de mauvaise foi ! s'impatienta Janine. Vous savez pourtant très bien que Pierre n'en a jamais été membre.

— Peut-être, mais viens pas me faire croire qu'il en connaissait pas un ou deux d'la gang. Tiens, prends juste son maudit Jean qui s'est fait embarquer après avoir fait sauter des boîtes à malle...

— Ça fait sept ans de ça, répliqua Janine. Pierre a coupé les ponts avec Jean dès qu'il l'a su. Voyons, papa, arrêtez de chercher des poux à mon mari et allez donc rejoindre Patrice dans le salon, *L'Heure des quilles* va commencer...

— Ouais, mais Pierre tenait quand même des assemblées du RIN à son atelier et participait à des manifestations où ça brassait pas mal… marmonna-t-il en quittant sa berceuse.

Songeuse, Janine sortit son linge de la sécheuse. Le matin même, elle avait reçu une lettre de son mari, accompagnée d'un chèque de 200 dollars. Il s'informait de son fils et la remerciait de lui donner la chance de poursuivre son travail là-bas. Pas un mot au sujet des deux enlèvements politiques pourtant fortement médiatisés. Pierre coulait des jours heureux avec l'amour de sa vie dans un autre monde où son talent était enfin reconnu. Ses priorités avaient changé, il lui avait même avoué s'être embourgeoisé.

«Je me demande bien ce qu'il penserait de tout ça?», se demanda-t-elle plus tard en écoutant le télé-journal de Radio-Canada où l'on rapportait que 3 000 personnes, réunies au centre Paul-Sauvé, avaient scandé haut et fort leur appui au FLQ.

Pendant ce temps-là, à Ottawa, Pierre Elliott Trudeau se préparait à promulguer la Loi sur les mesures de guerre…

16 octobre 1970

Cher Stéphane,
On a passé une journée terrible! Toi qui connais déjà tout ça, tu devineras de quoi il s'agit si je te parle du FLQ, et des deux enlèvements politiques.
Ce matin, pendant le déjeuner, on a entendu de grands coups de poing frappés à la porte. Il y avait trois

policiers sur le balcon : ils voulaient voir mon mari. Ils n'ont pas cru mon père quand il leur a dit que Pierre était parti aux États depuis deux semaines. Ils l'ont tassé pour rentrer de force. Ensuite, ils ont commencé à fouiller, à tout chambarder dans la maison. Papa était hors de lui, il voulait voir leur mandat de perquisition, mais les policiers lui ont ri au nez en prétendant qu'ils n'en avaient pas besoin. Ils étaient arrogants, nous tutoyaient comme si nous étions des criminels. Mon père hurlait tellement qu'ils l'ont menacé de l'embarquer. Patrice pleurait et moi, je tremblais comme une feuille.

Dans ma chambre, un agent a lu puis empoché la lettre de Pierre que j'avais reçue, mais même s'il tenait la preuve que mon mari avait quitté le pays, il a continué à fouiller dans mes tiroirs. J'ai craint le pire quand il a ouvert la porte de ma penderie, car la boîte à chapeau contenant mon journal était sur la tablette du haut. Heureusement, une autre boîte a capté son attention. Elle contenait des vieux papiers du RIN que Pierre avait rapportés de l'atelier : des comptes rendus de réunion, des listes de militants. Ç'a eu l'air de contenter le policier puisque lui et les deux autres sont partis tout de suite après.

Quand je suis sortie sur le balcon, j'ai vu quelques voisins dehors, d'autres à leur fenêtre : des curieux ameutés par le tapage de la police et les cris de mon père. Comme si j'avais besoin de ça en plus…

J'ai été voir Patrice. Il était si à l'envers que j'ai préféré le garder à la maison pour la journée. Mon père semblait tenir le coup, mais je sais qu'il n'en menait pas large, lui non plus.

Plus tard, à la radio, on a appris que des centaines de personnes, soupçonnées d'être de mèche avec des membres du FLQ, avaient été arrêtées.

Pourtant, Pierre a toujours dénoncé les actes de cette organisation. En plus, il ne s'occupe plus de politique depuis des années. Pourquoi lui court-on après ?

L'exécution du ministre Pierre Laporte avait atterré la population du Québec. Pierre téléphona le lendemain. Craignant que la ligne soit sur écoute, Janine le rappela d'une cabine téléphonique. Bouleversé en apprenant la descente de police, Pierre lui reprocha de ne pas l'avoir prévenu. Il lui dit qu'il reviendrait par le prochain avion pour régler cette affaire. Une vive discussion s'ensuivit. Janine était catégorique : rentrer serait une folie, il n'avait aucune idée du climat qui régnait à Montréal. Il valait mieux se faire oublier et prolonger son séjour aux États-Unis.

La main de Janine se crispa sur le récepteur après avoir raccroché.

« Il risque de perdre son droit de passer la frontière, s'il revient. En plus, mon père ne veut plus de lui à la maison. Ça va être difficile pour Patrice, il va s'ennuyer, mais je trouverai bien le moyen de l'emmener voir son père de temps en temps. »

Les dés étaient jetés, Pierre vivrait définitivement à San Francisco…

Janine se souvint de son indignation en 2000 : « J'en reviens pas ! Nous nous sommes mariés, nous avons eu un enfant et après il m'a plantée là!», avait-elle lancé quand Stéphane le lui avait appris.

«J'étais si révoltée: je croyais que son départ anéantirait mes chances de retourner aux études. Tout ça n'a vraiment plus d'importance, aujourd'hui…»

Elle revint chez elle, songeuse. Pierre se construirait une belle carrière à San Francisco, il comblerait ses rêves en achetant sa première galerie, puis plusieurs autres s'ajouteraient. Leur amitié demeurerait intacte puisqu'un jour, elle plierait bagage pour aller le retrouver là-bas. Loin de Montréal, il lui serait sans doute plus facile d'attendre le moment de ses retrouvailles avec Stéphane.

Le temps suivait normalement son cours jusqu'à maintenant. «Je vais m'occuper de mon petit monde et tout ira bien.»

Janine ignorait encore les épreuves que lui réservaient les prochaines semaines. La visite des policiers n'était pas passée inaperçue, rue d'Orléans. Déjà, la rumeur de complicité de Pierre avec des membres du FLQ se propageait dans le quartier. D'ici quatre jours, elle aurait perdu trois contrats de comptabilité; dans une semaine, son fils, victime de harcèlement, serait retiré de l'école.

Inébranlable, Janine choisirait de cacher à son mari la véritable raison pour laquelle leur fils changerait d'école. Pierre ne l'apprendrait que 31 ans plus tard, dans des circonstances qu'elle-même n'aurait jamais crues possibles…

Chapitre 5

1971

— Pourriez-vous me vendre un timbre ?

— Je vous le donne, madame Bilodeau, offrit l'épi-
cier avec empressement. Je suis tellement content que
vous continuiez à vous occuper de mes comptes même
si vous avez trouvé une autre job.

— C'est moi qui vous remercie, monsieur, pour la
confiance que vous me faites, après tout ce qui s'est
passé.

Le propriétaire du Coin bleu, petite épicerie située
rue Dandurand, coin Bourbonnière, la raccompagna
jusqu'à la porte de son commerce.

— Voir si vot' mari était de mèche avec le FLQ !
Y en a qui ont pas grand-chose à faire dans' vie pour
bavasser des affaires de même. J'en reviens pas de tout
le trouble que ça vous a causé, à vous et à vot' garçon.
J'espère qu'on le laissera tranquille à sa nouvelle école.

— C'est sa deuxième journée, aujourd'hui. Mon
père et moi, on le voyage en auto.

— Ouais, l'école Jean-de-Brébeuf, c'est une bonne
trotte de chez vous, remarqua l'homme.

— Une bonne quinzaine de rues. On peut s'arranger encore quelques jours, mais d'ici à ce que je commence à travailler chez Angus, je dois lui trouver une place pour dîner. J'ai placé une petite annonce dans le *Journal de Rosemont*. On verra bien.

Janine prit congé de son client, l'un des trois seuls qui lui étaient restés fidèles. L'argent se faisait rare, la générosité de son père et les mandats de Pierre ne suffisaient plus ; le poste de secrétaire qu'on lui offrait chez Angus tombait à point.

Le vent glacial de janvier souleva un nuage de neige folle, Janine frissonna et accéléra le pas jusqu'à la boîte aux lettres, coin Dandurand et d'Orléans. Côté nord, s'élevait l'ancien château Duminisle, maintenant propriété d'un riche homme d'affaires américain. En face, l'hospice Saint-François-Solano. Janine s'arrêta et leva les yeux vers les chiffres gravés sur le fronton de l'aile du bâtiment : 1960, l'année de reconstruction après l'incendie.

«Si le monde savait…»

Plus personne ne parlait de cet événement dans le quartier et, à la maison, le sujet était rarement abordé.

«Dire que papa et moi nous voulions attendre encore quelques années avant de parler du feu au p'tit…», soupira-t-elle en postant la lettre destinée à son frère Gaston.

Une boule d'amertume lui remonta dans la gorge à l'évocation du souper du jour de l'An. Elle remonta brusquement le col de son manteau.

Maudit Gaston ! Je me serais bien passée de ta visite, cette année, avait-elle écrit. *Si j'avais su que tu profiterais de l'absence de Sandy et de tes enfants pour te soûler et tout raconter à Patrice, je t'aurais laissé dehors !*

Son frère était arrivé avec deux heures de retard, après avoir roulé toute la journée dans la tempête. Il se tenait sur le balcon, tout seul, l'air penaud, l'haleine empestant l'alcool, un gros sac rempli de cadeaux à la main. Le souper, qui s'annonçait déjà pénible, avait pris une tournure inattendue lorsqu'il avait lancé son pavé dans la mare.

— Savais-tu ça, mon p'tit gars, qu'il y avait un souterrain en d'sous de cette maison ?

Tu ne sais pas tenir ta langue ! Quand t'as un coup dans le nez, c'est pire, il faut toujours que tu trouves quelque chose pour épater la galerie. Si au moins, t'en étais resté là. Ben non ! Il a fallu que t'en rajoutes, le lendemain, quand Patrice est venu t'aider à pelleter. Oui, je suis au courant, il m'a tout raconté. Mon « aventure souterraine », franchement, Gaston, à quoi t'as pensé ? Compte-toi chanceux que je n'aie rien dit à papa !

« Patrice ne s'était jamais intéressé à la cave avant ce soir-là. Maintenant, il n'a que ça en tête. J'ose à peine imaginer la catastrophe si Gaston avait réellement su la vérité. »

Quelle version son fils avait-il crue? La sienne ou celle de son frère? La sienne, sans aucun doute: le récit de sa fugue à Joliette tenait mieux la route que les propos farfelus d'un oncle imbibé d'alcool.

«Je regrette de t'avoir menti, Patrice, mais je ne pouvais faire autrement. J'espère que ton retour en classe te changera les idées.»

En empruntant la rue d'Orléans, Janine jeta un regard douloureux au jardin de l'hospice, laissé en friche depuis le départ des sœurs franciscaines. Le potager avait à peine survécu à sa bienfaitrice, sœur Marie-des-Saints-Anges, la tante de Janine, morte quatre ans plus tôt.

«Fini le beau jardin, bientôt des gens avec de gros sous en feront un stationnement. Dieu merci, ma tante ne verra jamais ça.»

Janine poursuivit son chemin, songeuse. Rendue à la maison, elle croisa son père sur le balcon.

— Je vais chercher le p'tit à l'école, l'informa-t-il, les clés de la voiture à la main.

— Papa, Patrice nous a dit qu'il reviendrait tous les soirs à pied, lui rappela-t-elle. Marcher, c'est bon pour lui: ça l'oblige à bouger avant de retourner s'écraser devant la télé.

— Il fait froid, aujourd'hui, plaida Ernest. Ce midi, je lui ai promis d'aller le chercher après l'école. Il était ben content. Allez, ti-fille, ajouta-t-il en lui tapotant la main, laisse-moi gâter mon petit-fils, pis toi, dépêche-toi de rentrer dans la maison. Tu vas être contente: le *Journal de Rosemont* est sorti, t'as déjà reçu trois appels pour l'annonce. J'ai laissé un papier sur la table.

— Ah, bravo ! Merci, papa. Je vais m'en occuper tout de suite.

Janine se débarrassa de ses bottes et accrocha son manteau à la hâte. Dans la cuisine, elle récupéra une feuille de calepin où, d'une main grossière, Ernest avait écrit trois prénoms féminins suivis de numéros de téléphone.

— Bon, on y va ! s'encouragea-t-elle à haute voix.

Elle consulta l'horloge murale : 16 h, elle avait le temps d'appeler tout le monde avant le souper.

La première personne en lice se prénommait Solange, mère de trois enfants. Elle recevait déjà deux fillettes à dîner, toutes deux inscrites à l'école primaire Sainte-Philomène.

— Mon garçon va à Jean-de-Brébeuf, lui expliqua la dame. C'est pratique, vu que c'est juste à côté de l'école des filles. Le midi, ils se rejoignent tous les trois au coin de la 6ᵉ et Masson et font le chemin ensemble.

Exactement la personne que Janine recherchait.

— Formidable ! Mon fils fait sa cinquième année, à Brébeuf. Vous habitez proche ?

— À cinq minutes : je reste au coin de la 9ᵉ et Masson, juste en haut du restaurant.

Debout, à côté du téléphone mural, Janine sentit ses genoux fléchir : « Mon Dieu ! »

— Vous… parlez du restaurant Spiro ? parvint-elle à dire, la main crispée sur le récepteur.

— C'est ça. J'y travaille, le soir, comme *waitress*. C'est l'fun, j'ai juste un escalier à descendre pour me rendre à la job. Vous dites que vot' garçon est en cinquième année ? enchaîna-t-elle aussitôt. C'est quoi son nom ? Mon gars le connaît peut-être.

Secouée de tremblements, Janine nageait en pleine confusion.

— Il s'appelle Patrice… Patrice Bilodeau, répondit-elle d'une voix mal assurée. Il… arrive d'une autre école, il vient juste de commencer…

— Ah, le p'tit nouveau avec les lunettes ? Je sais qui c'est : Stéphane m'en a parlé. Ça va être commode : nos deux gars sont dans la même classe.

— Ah, c'est bien, souffla-t-elle d'une voix étranglée par l'émotion.

— Écoutez, l'interrompit l'autre à brûle-pourpoint, je suis déjà en retard pour mon *shift*. Que diriez-vous de venir prendre un café demain vers deux heures ? Vous pourriez en profiter pour voir où j'habite.

Janine enroula nerveusement le fil du téléphone sur son index. Tout allait trop vite, elle n'arrivait pas à réfléchir.

— Euh… oui, d'accord.

Solange Gadbois mit fin à l'appel après lui avoir donné son adresse. Janine l'avait écoutée sans noter. Adossée au mur du couloir, elle tentait de se calmer, mais son cœur avait du mal à retrouver un rythme normal.

Comment Patrice et Stéphane allaient-ils se rencontrer ? Cette question, elle se l'était posée une centaine de fois depuis son retour en 1959. Le mystère s'était éclairci, en décembre, quand la direction de l'école Saint-François-Solano lui avait suggéré d'inscrire son fils à Jean-de-Brébeuf, une école située à trois rues du domicile de Stéphane…

Janine avait poussé un soupir de soulagement, l'inlassable interrogation avait cessé et quelques mois seulement la séparaient du moment où Stéphane se présenterait à sa porte. Elle n'avait plus à s'en faire.

L'entrée en scène de Solange Gadbois mêlait les cartes : pourquoi le Stéphane du futur n'en avait jamais fait mention ?

« C'est vrai que je ne lui ai pas demandé comment il avait fait la connaissance de Patrice... », admit-elle tout se reprochant son manque de curiosité.

Elle se souvenait également du portrait peu reluisant que Stéphane avait tracé de ses parents :

— Quand j'étais petit, c'était l'enfer chez nous, mon père prenait un coup solide et ma mère passait son temps à me crier après...

Devait-elle pousser volontairement son fils dans cet univers malsain ?

Janine défroissa la feuille en boulette dans sa main moite : il lui restait deux personnes à contacter. Elle composa le second numéro. Pas de réponse. Elle passa au suivant. Au bout du fil, une autre femme offrait le même service. Malheureusement, elle habitait trop loin de l'école.

« Je vais attendre demain matin pour me décider : je pourrais recevoir d'autres appels ce soir. »

— Pis ? T'as réussi à trouver quelqu'un ? s'enquit Ernest pendant le souper.

— Oui et non, soupira-t-elle. Il me reste une personne à appeler.

— As-tu parlé à la première qui a laissé son nom ? Elle reste en haut de chez Spiro, ça pourrait être une bonne place, suggéra-t-il.

Patrice, songeur depuis le début du repas, leva vivement la tête.

— Heille ! C'est la mère de Stéphane, j'ai disséqué une grenouille avec lui, aujourd'hui. C'est un gars l'fun, en plus… il a un microscope !

— Ben oui, le microscope, renchérit son grand-père. Ton fils n'a pas arrêté de m'en parler dans le char.

— Maman, c'est là que je veux aller dîner ! Dis oui, dis oui, la supplia Patrice en saisissant sa main pour la couvrir de baisers.

Décidément, les interventions de Patrice avaient le don d'aiguiller sa destinée. N'avait-elle pas été confrontée à pareille situation, trois ans plus tôt, lorsqu'il lui avait demandé d'inviter Garry Jones à souper ?

Grande et maigre, Solange Gadbois paraissait fabriquée tout en nerfs. Elle accueillit Janine, une cigarette fichée au coin de la bouche, et lui fit faire le tour du propriétaire, un grand logement doté de trois chambres à coucher.

— Mon mari est journalier dans la construction. Il est entre deux contrats, informa-t-elle son invitée dès son arrivée. J'aurais bien aimé vous le présenter, mais y file pas, aujourd'hui. Je préfère le laisser dormir.

« Dormir ou cuver son vin ? », pensa Janine.

— Vous voulez voir la chambre de mon gars ?

Sans attendre la réponse, Solange poussa la porte d'une petite pièce, au bout du corridor.

Le monde de Stéphane…

Janine respira profondément et enfonça les mains dans les poches de sa veste pour dissimuler ses tremblements.

Les murs de la chambre étaient tapissés d'affiches de joueurs du Canadien : Jean Béliveau, Yvan Cournoyer, Jacques Lemaire… La photo officielle du club occupait la place d'honneur, à la tête du lit, aux couvertures tirées négligemment sur l'oreiller.

En face, sa table de travail, encombrée de cartables et de manuels scolaires, était surmontée d'une tablette où s'alignaient un voilier et plusieurs autres modèles réduits. Tout au bout, le fameux microscope qui faisait l'envie de Patrice.

Solange remarqua l'intérêt de Janine pour celui-ci.

— C'est mon frère Gaétan qui lui a acheté pour Noël : une vraie folie ! Stéphane est ben chanceux d'avoir un parrain riche à craquer.

Le ton en disait gros sur l'amertume qui la rongeait. Mariée à un alcoolique perpétuellement au chômage, la mère de Stéphane devait porter sa famille sur ses épaules : la vie ne lui avait pas fait de cadeau.

Le son du percolateur ramena les deux femmes dans la cuisine. Après avoir versé le café, Solange lui remit la liste des dîners des deux prochaines semaines, composée de repas variés et équilibrés.

— J'ai un arrangement avec mon boss : je m'occupe des commandes du restaurant, en échange, je peux profiter des rabais dans le gros. Ici, on ne roule pas sur l'or, mais au moins les enfants mangent bien.

La mère de Stéphane était une femme organisée et consciencieuse : « Bon point », songea Janine, quelque peu rassurée.

— Patrice est un p'tit gars tranquille et un peu gêné. Il n'est pas habitué de manger avec une grosse gang. Ça se peut qu'il ne parle pas beaucoup, les premiers jours.

— Bah, ne vous en faites pas trop : mon Stéphane va le dégeler, ça sera pas long.

« Patrice passera trois quarts d'heure par jour chez Stéphane, ce n'est pas la mer à boire, se raisonna Janine, sur le chemin du retour. Ça va lui faire du bien de voir du monde. »

Elle se promit tout de même la plus grande vigilance : elle n'hésiterait pas à trouver un autre endroit si son fils manifestait le moindre inconfort.

⚬⟩⟩⟩⟩⟨⟨⟨⟨⚬

La semaine suivante, Janine reprit le chemin des usines Angus, 14 ans après avoir abandonné son emploi de commis de bureau pour veiller sur sa mère. Roger Taylor, directeur du personnel et ami de son père, lui avait offert un poste au service de la comptabilité. Elle ferait équipe avec Marie Grenon, une ancienne collègue avec qui elle avait fraternisé à l'époque. Tout le reste du personnel féminin avait changé.

Personne ne fit allusion à la Crise d'octobre. Les rumeurs entourant une hypothétique complicité entre

146

Pierre et les membres du FLQ n'avaient pas franchi les murs du complexe industriel. Pour tout le monde, Janine vivait séparée de son mari, sans plus. Sa vie privée ne regardait personne.

Les semaines passèrent. Patrice s'adaptait bien à sa nouvelle école, surtout grâce à Stéphane qui lui avait présenté quelques amis. À midi, les garçons mangeaient rapidement en compagnie des deux fillettes de Sainte-Philomène, puis s'enfermaient dans la chambre de Stéphane pour jouer. Après la classe, Patrice s'attardait parfois chez son nouvel ami pour lui expliquer un devoir de mathématiques, mais il refusait catégoriquement de se joindre à lui pour une partie de hockey bottine dans la ruelle. Malgré tous ses efforts, Stéphane n'arrivait pas à lui communiquer sa passion pour son sport favori.

Chez les Gadbois, l'atmosphère familiale était tendue et les disputes conjugales nombreuses. Quand son petit-fils en avait fait mention, un soir au souper, Ernest, inquiet, avait suggéré à Janine de lui trouver une autre place.

— C'est pas si pire que ça, pépère, avait coupé Patrice. J'veux pas aller manger ailleurs, j'aime mieux rester avec Stéphane, c'est mon ami! Il me prête son microscope et je peux jouer avec ses modèles réduits. On est toujours ensemble dans la cour d'école : j'ai plus peur de me faire achaler comme à Saint-François-Solano.

— Ouais… C'est tout un argument, ça, mon gars, rigola Ernest. J'vas t'apprendre à boxer, comme ça t'auras pus besoin d'un *bouncer*.

— Farce à part, Patrice, intervint Janine, si un jour, tu ne te sentais plus à l'aise chez les Gadbois, je veux que tu nous le dises.

— Promis, maman.

À 10 ans, le fils de Janine se comportait déjà comme un grand. Conscient du poids des responsabilités qui incombaient à sa mère, il était raisonnable et gardait jalousement le secret autour des gros ennuis qui avaient obligé son père à prolonger son séjour à San Francisco.

Pierre lui manquait, Patrice ne l'avait pas vu depuis des mois. La prudence avait incité Janine à reporter à Pâques le séjour prévu pour les vacances de Noël. Heureusement, le petit pouvait appeler son père aussi souvent qu'il le voulait aux frais de Garry.

Patrice se doutait que son père et son grand-père étaient en froid depuis le mois de septembre. On ne lui avait rien dit, mais un samedi, en rentrant à la maison après une journée de magasinage avec sa mère, son père n'était plus là. Il était revenu, une semaine plus tard, boucler ses valises avant de s'envoler pour San Francisco avec tous ses tableaux. Ernest ne les avait pas accompagnés à l'aéroport et, chose étrange, il n'avait jamais parlé de Pierre depuis son départ, sauf la fois où la police était venue fouiller la maison, en octobre :

— Tu vois où ça l'a mené, ses fréquentations avec ces maudits fauteurs de trouble ? avait-il hurlé à Janine. C'est toi qui payes pendant qu'il se la coule douce avec son maudit Garry.

— Papa ! Ce n'est pas le moment…

Le lendemain, quand Patrice avait questionné sa mère, elle lui avait simplement répondu que les choses finiraient par s'arranger, avant de changer de sujet.

Encore des affaires de grandes personnes, encore des secrets…

— La dépression côtière qui s'est formée près des Carolines a remonté vers l'État de New York et se dirige présentement au sud du Québec. De fortes quantités de neige sont attendues, combinées à des vents violents et de la poudrerie. Nous vous invitons fortement à limiter vos déplacements.

Dans son auto, Janine éteignit la radio. Elle jubilait: dans les prochaines heures, une énorme tempête de neige allait balayer le Québec! Demain, 4 mars 1971, elle avait rendez-vous avec Stéphane, son Stéphane…

«C'est un enfant, il n'a pas encore 11 ans, mais il aura assez de cœur au ventre pour traverser dix rues dans la poudrerie pour venir passer la journée avec Patrice.»

Elle avait hâte de le revoir, mais elle avait peur aussi. Elle, si passionnée, comment pourrait-elle s'interdire de le serrer dans ses bras?

Elle freina brusquement: «Ouf! La lumière est rouge. Je suis trop distraite. Je ferais mieux de me concentrer sur la route.»

Elle s'obligea à observer les passants qui traversaient la rue d'un pas pressé, mais presque aussitôt, ses pensées reprirent le dessus : « Patrice ne devra jamais se douter de quoi que ce soit… Mais comment en faire juste assez et pas trop ? Et papa qui n'est pas au courant… »

En 1959, Janine lui avait confié son amour pour Stéphane. Seulement, de crainte qu'il ne s'échappe un jour devant Patrice, elle avait préféré taire le rôle qu'elle aurait à jouer dans l'enfance de celui qu'il surnommait « l'homme du futur ».

Un coup de klaxon ! Le feu vert était allumé. Derrière Janine, un conducteur s'impatientait. Elle appuya sur l'accélérateur.

Rue Masson, l'enseigne du marché d'alimentation Steinberg illuminait la pénombre. « J'y pense : demain, les épiceries seront fermées. Hi ! Hi ! J'ai une longueur d'avance sur tout le monde, autant en profiter ! » Elle actionna son clignotant.

Le cœur en fête, elle remplit son panier de victuailles et de toutes ces petites grignotines que les enfants affectionnaient.

— Pépère, maman arrive avec un gros sac d'épicerie.

— Ah, bon ! On n'avait besoin de rien, pourtant, bougonna Ernest.

Il se blâma aussitôt de son impatience : « Bon, bon, elle a une demi-heure de retard, pis ça ? Vieux haïssable ! T'es pire qu'un bébé quand t'as l'estomac creux. »

Il ouvrit la porte du four pour vérifier la cuisson de ses macaronis et revint à la table avec trois assiettes.

«J'suis tellement content que Taylor lui ait trouvé une bonne place, au moins, elle n'a plus à s'en faire avec l'argent... Ça doit être autre chose qui la chicote, d'abord, elle est pas mal dans' lune depuis une semaine... Elle s'est peut-être fait crier des noms : c'est vrai qu'on nous regarde encore de travers dans l'boutte. Juste à penser à Pierre qui fait la belle vie à San Francisco, c'est pas mêlant, j'ai envie de l'étriper!»

Planté près de la table, une assiette à la main, il soupira bruyamment.

— Mon Dieu! Papa, on dirait que vous avez le monde entier sur vos épaules, rigola Janine en entrant dans la cuisine.

Après le souper, Patrice se retira dans sa chambre pour faire ses devoirs. Dans sa berceuse, Ernest bourrait sa pipe en écoutant le bulletin météo, à la radio.

— Torrieu! On va en manger toute une.

Janine écarta le rideau de la porte arrière : déjà, les premiers flocons tourbillonnaient dans le ciel. La bouilloire siffla, elle revint vers le poêle pour éteindre le feu, puis versa l'eau bouillante dans la théière. Le besoin d'épancher le trop-plein de son cœur la secouait de tremblements : «Il faut que j'en parle à papa...»

Ernest devait savoir. Il pourrait l'épauler et l'aider à garder les pieds sur terre.

— Vous avez raison, papa, amorça-t-elle en s'approchant de la berceuse. Il va tomber un pied et demi de neige. La poudrerie sera si forte que les écoles et les commerces devront fermer et les autobus ne rouleront plus.

— Ouais, ça s'peut! maugréa le vieux en allumant sa pipe.

Il secoua son allumette pour l'éteindre. Soudain, il fronça les sourcils et dévisagea sa fille.

— Coudon, comment tu peux savoir ça, pour les autobus et tout le reste?

Janine lui fit un clin d'œil.

— Venez vous asseoir avec moi, je vais vous expliquer.

Arrivant mal à contenir son excitation, elle lui apprit que cette grosse bordée de neige marquerait le début de son histoire avec l'homme qu'elle avait laissé dans le futur.

— Je vais le revoir demain, j'ai tellement hâte!

— Voyons, ça s'peut pas. Il vit même pas à la même époque que nous... Il va passer par le souterrain?

— Ben non. N'oubliez pas que Stéphane avait 40 ans quand je l'ai rencontré en 2000. On est en 1971. Il fêtera son 11e anniversaire dans quelques mois. Il habite à dix rues d'ici... Papa... C'est Stéphane Gadbois, l'ami de Patrice.

Ernest haussa les sourcils et retira sa pipe de sa bouche.

— Hein? Tu veux dire que ton homme du futur, c'est le p'tit gars chez qui Patrice va dîner? Tu parles d'une histoire...

Il laissa passer quelques secondes, puis secoua la tête.

—Pauvre ti-fille, qu'est-ce que tu vas faire? Tu peux pas être en amour avec un p'tit gars!

Janine se raidit, cette remarque lui avait fait l'effet d'une douche froide.

—Papa, pour qui vous me prenez? Je sais faire la différence entre un homme d'âge mûr et un enfant de 10 ans!

Ernest glissa tendrement sa main sur celle de sa fille et la considéra longuement.

—J'veux ben te croire, Janine, mais laisse-moi juste te donner un p'tit conseil: calme-toi et essaie d'éteindre les étoiles dans tes yeux…

—Y a une grosse tempête, dehors. À la radio, ils viennent de dire qu'il n'y aura pas d'école. Demain, tu pourras rester couché.

Il était 4 h du matin, Stéphane avait croisé sa mère en sortant des toilettes.

—OK, maman, marmonna-t-il en se frottant les yeux.

Solange Gadbois retourna dans sa chambre. La nuit avait été difficile: une heure plus tôt, deux clients de la taverne en face avaient ramené son mari dans un piteux état. Jean avait eu une altercation avec deux fiers-à-bras qui l'avaient tabassé. Encore une fois, l'abus du houblon l'avait fait sortir de ses gonds. Il lui avait pourtant promis de se tenir tranquille lorsqu'ils avaient emménagé en haut du restaurant.

Stéphane se glissa sous ses couvertures, l'air maussade. Ce congé ne lui disait rien de bon : «Maudit, j'vais être encore pogné pour les entendre s'engueuler toute la journée…»

Réveillé en sursaut par le branle-bas autour de l'arrivée de son père, il avait dû ensuite subir les cris de sa mère. Le silence était revenu, mais ce n'était qu'une accalmie avant le prochain round.

«J'vais aller jouer dehors toute la journée, d'abord!», se promit-il en reposant sa tête sur l'oreiller.

Les yeux au plafond, il tendit l'oreille : la vitre de sa fenêtre vibrait au son d'un vent hurlant : «Ç'a l'air d'être toute une tempête…»

Cette pensée lui fouetta le sang, il repoussa ses couvertures et bondit de son lit. Sitôt son store remonté, il éprouva l'étrange sensation d'être prisonnier d'un igloo : la neige obstruait complètement la vue de l'extérieur. Ne tenant plus en place, il quitta sa chambre : dans le salon, il verrait mieux la rue Masson.

— Ayoye!

Dehors, le ciel et la terre se confondaient dans une poudrerie qui zébrait la lueur des lampadaires et projetait une clarté surnaturelle sur les murs du salon.

— Une grrrrosse tempête en titi! chuchota-t-il, au comble de l'excitation.

Mais cet élan d'enthousiasme fut aussitôt balayé par une triste réalité : «C'est plate, Patrice ne pourra pas venir, sa mère ne voudra jamais : il reste trop loin…»

Stéphane pouvait compter sur beaucoup de garçons de son âge pour disputer une partie de hockey
ou aller glisser sur la montagne Molson. Or, depuis
janvier, il préférait la compagnie de Patrice Bilodeau,
l'élève le plus studieux et le moins actif de sa classe :
exactement son contraire.

Patrice était fort en mathématiques, mais ne connaissait strictement rien au hockey et avait la fâcheuse
tendance de rester seul dans son coin. Stéphane ne
comprenait rien aux fractions, mais savait par cœur
tous les noms des joueurs du Canadien et pouvait
tenir tête à n'importe quel grand de sixième année.
Dans la cour d'école, les deux garçons formaient un
redoutable tandem de joueurs de billes, le seul « sport »
qu'ils partageaient. À midi, s'il pleuvait, ils s'enfermaient dans la chambre de Stéphane pour dévorer les
aventures de Bob Morane dont ils étaient tous deux
friands.

« Pauvre Pat ! Hier, il aurait pu prendre mon
microscope quand je lui ai dit que ma mère acceptait
que je lui prête jusqu'à lundi, mais son sac d'école
était trop pesant et son grand-père ne pouvait pas
venir le chercher. C'est ben d'valeur… », se désolat-
t-il en s'approchant de la fenêtre du salon.

Il colla son nez à la fenêtre. De l'autre côté de la
rue, on distinguait à peine, enrobée d'un halo diffus,
l'enseigne de la taverne. Entre deux rafales, la neige
tombait dru comme la pluie d'un orage.

« Misère ! S'il continue à faire mauvais d'même, ma
mère va m'empêcher de sortir… » Il réfléchit quelques
secondes puis son regard s'éclaira : « À moins que

je me lève avant tout le monde et que j'aille porter le microscope chez Patrice... J'ai son adresse dans le dictionnaire qu'il m'a prêté. J'ai juste à laisser un papier sur la table pour dire où je suis. Maman va être en maudit, mais tant pis ! »

Les mères ne voulaient jamais rien et s'inquiétaient tout le temps ! Valait mieux se passer de leur permission.

De retour dans sa chambre, Stéphane glissa son microscope dans son sac à dos. Ensuite, il régla son réveille-matin puis l'enfouit sous son oreiller. À 7 h 15, il s'habillerait en vitesse et sortirait en douce.

« Je marcherai dans le vent et la neige, comme un Esquimau du pôle Nord ! », s'enhardit-il. Une glorieuse expédition qu'il n'était pas près d'oublier...

Jeudi, 4 mars 1971

Cher Stéphane,
Je ne pense pas que tu pourras venir aujourd'hui. Hier, au souper, quand j'ai aperçu les premiers flocons, j'étais loin de m'attendre à de telles conditions. Ce matin, à la radio, on recommande aux parents de garder leurs enfants à la maison et pour cause : la poudrerie est si forte qu'on ne voit pas à dix pieds devant soi et on ne prévoit pas d'accalmie avant ce soir.

Janine cessa d'écrire pour regarder à la fenêtre de sa chambre : dans la cour, le pommier de Laurent croulait sous le poids de la neige.

«Demain, il fera moins mauvais, se raisonna-t-elle. Un jour pour me calmer les nerfs, ça ne sera pas de trop.»

D'abord ébranlée par les propos de son père au sujet de ses sentiments envers le jeune Stéphane, Janine avait ensuite admis qu'il avait eu raison de l'avoir aidée à remettre les pendules à l'heure. Il lui fallait analyser froidement la situation et faire la part des choses: à 21 ans, elle s'était follement éprise d'un homme ayant presque le double de son âge; 11 ans plus tard, une grâce du destin lui permettait de faire incursion dans son enfance. Dans cette réalité, la jeune Janine Provencher n'avait pas sa place, elle devait céder le pas à madame Bilodeau, la mère de Patrice, son meilleur ami...

Elle referma son journal et ouvrit la porte de sa chambre. Dans la cuisine, Ernest et Patrice déjeunaient.

— Ah, Janine! lui lança son père. Dis donc à ton gars que huit heures et quart, c'est trop de bonne heure pour appeler chez l'monde.

— Dis oui, maman, enchaîna aussitôt Patrice. D'habitude, à cette heure-ci, je suis déjà à l'école avec Stéphane. Il doit être sûrement debout, lui aussi.

«Stéphane? Qu'est-ce que Patrice doit tant avoir à lui dire?», se demanda Janine en s'assoyant à la table.

Brusquement, elle se raidit: «Ah, mon Dieu, je le sais: le microscope! Stéphane devait lui prêter, ce soir.» Une bouffée de chaleur lui monta aux joues: «Patrice va bientôt lui téléphoner et... Stéphane pourrait aussi bien lui proposer de l'apporter jusqu'ici… »

Dehors, le vent sifflait, geignait. Par la fenêtre de la cuisine, on voyait de furieuses bourrasques secouer le pommier et soulever la neige du sol.

— Un temps à ne pas laisser un chien dehors, murmura-t-elle… « … et un enfant, encore moins, poursuivit-elle dans sa tête. Reste chez toi, bien au chaud, Stéphane, ce n'est pas le temps de prendre une marche. »

Elle tressaillit : Patrice tirait sur sa manche.

— Maman, y est pas trop de bonne heure, laisse-moi téléphoner à Stéphane, j'aimerais ça l'inviter à passer la journée ici.

Le périple que son ami aurait à parcourir dans le froid et la poudrerie ne semblait pas le préoccuper. Patrice possédait déjà la principale caractéristique du chercheur en devenir, l'entêtement, et Janine ne se sentait pas la force de négocier très longtemps.

— Tu pourras lui téléphoner à dix heures, pas avant, ordonna-t-elle. Mais ça m'étonnerait que sa mère…

La sonnette fit sursauter tout le monde.

— Voyons, qui ça peut ben être à c't'heure-ci ? s'étonna Ernest.

Électrisée, Janine se leva d'un bond, un grand frisson l'avait traversée : « C'est lui ! Je suis certaine que c'est lui ! Oh, mon Dieu ! »

— Dérangez-vous pas, j'y vais, lança-t-elle en se précipitant dans le couloir.

Sa main tremblait sur la poignée de la porte du vestibule : « T'as l'air d'une vraie folle ! Arrête de t'énerver, s'ordonna-t-elle. C'est peut-être juste les p'tites filles d'à côté. »

Sur le balcon, Stéphane, boudiné dans un habit de neige élimé, une tuque des Canadiens enfoncée jusqu'aux oreilles, sautillait sur place pour se réchauffer. Il avait les pieds gelés et son capuchon de nylon n'avait pas été d'un grand secours pour garder ses oreilles au chaud. Par contre, les mitaines de son père, enfilées sur ses gants de laine, avaient fait l'affaire.

« On dirait que tout le monde dort encore. C'est vrai que je suis de bonne heure... »

Mal à l'aise, tout à coup, il hésitait à sonner une seconde fois, mais une rafale glaciale lui rendit son courage.

La sonnerie résonna de nouveau dans la maison. Janine entra dans le vestibule.

— J'arrive, j'arrive, chantonna-t-elle.

Dehors, le garçon retint sa respiration : on lui ouvrait ! « J'ai peut-être réveillé tout le monde, j'espère que la mère de Patrice ne sera pas fâchée... »

À demi aveuglé par sa tuque qui lui descendait sur les yeux, il aperçut une dame derrière la porte entrebâillée.

— Tu parles d'une idée de sortir, un jour pareil. Entre vite !

Il ne se fit pas prier. Sitôt dans le vestibule, il récita son petit laïus en levant la tête pour essayer de distinguer la mère de son ami.

— Bon… jour, madame Bilo… deau, amorça-t-il d'une voix tremblotante de froid. Je suis… Sté… phane, c'est chez moi que Pat vient dîner… le midi…

Une main s'approcha de son visage, des doigts remontèrent sa tuque, un visage lui apparut : celui d'une femme au regard tendre derrière de petites lunettes rondes.

— Bonjour, toi. Je suis heureuse de te rencontrer. Mais que fais-tu, en pleine tempête, si loin de chez toi ?

— Je suis venu porter mon microscope à Patrice, expliqua-t-il. Je lui avais promis qu'il l'aurait aujourd'hui.

— Eh bien, tu sais tenir parole, toi. Allez, dépêche-toi d'enlever ton manteau, mon garçon va être content de te voir.

Stéphane se détendit : la mère de Patrice n'était pas en colère, elle ne l'obligerait pas à retourner sur ses pas.

Janine l'observa se tortiller dans son manteau trop étroit pour enlever son sac à dos.

— Retourne-toi, je vais t'aider.

Elle retira le sac et déneigea le collet de son manteau. Stéphane frissonna. Elle le fit pivoter vers elle.

— Allez, viens te réchauffer. Je vais te faire un bon chocolat chaud. As-tu déjeuné ?

— Non, je ne voulais pas réveiller personne… Mais j'ai laissé un papier à ma mère, ajouta-t-il vivement.

Stéphane ôta ses mitaines et sa tuque. Ses doigts tremblants firent glisser sa fermeture éclair.

— Seigneur ! C'est vrai que t'es parti vite, pouffa Janine découvrant la veste de son pyjama.

— C'est parce que je ne trouvais pas mon chandail de laine. Je suis habillé en dessous.

Dans la cuisine, Patrice avait dressé l'oreille.

— C'est Stéphane !

Il laissa tomber sa cuillère dans son bol de céréales et s'élança dans le corridor.

— Eh, Pat ! l'interpella son ami en l'apercevant. J'ai vu un skidoo sur Masson !

Excité, Stéphane fit valser ses bottes dans le vestibule et s'empara de son sac à dos pour le remettre à son ami.

— On n'a pas d'école, aujourd'hui. J'suis venu te porter le microscope.

— Wow ! T'es vraiment cool ! s'écria Patrice.

Derrière lui, son grand-père, qui lui avait emboîté le pas, resta figé sur place.

— Ça parle au yable ! murmura-t-il.

Il croisa le regard de Janine qui lui adressa un clin d'œil complice.

— Viens voir ma salle de jeu ! lança Patrice en tirant son ami par le bras.

— Une minute, mon garçon, s'interposa sa mère. Regarde ton ami, il est complètement gelé. En plus, il n'a pas déjeuné, et toi, tu n'as pas fini tes céréales. Envoyez dans la cuisine, tous les deux !

Janine observait Stéphane manger avec appétit le bol de gruau qu'elle lui avait préparé. Entre deux bouchées, il racontait ses péripéties dans la neige en lorgnant de temps en temps de son côté pour s'assurer qu'il avait son attention.

—J'ai marché dans la rue. C'était pas mal dur d'avancer contre le vent, j'avais les yeux qui pleuraient, pis le frette qui me gelait les oreilles. Y avait pas un chat sur Masson, juste le monsieur en skidoo. Il s'est arrêté pour me demander si je voulais embarquer. J'aurais aimé ça, mais j'étais déjà rendu au coin d'Orléans. C'est là qu'on a vu l'autobus pogné dans un banc de neige. Trois passagers poussaient comme des bœufs pour le dégager. Le chauffeur avait l'air d'avoir son voyage : la *steam* lui sortait par les oreilles ; on l'entendait sacrer pendant qu'il faisait spiner ses roues. C'était tellement drôle d'y voir la face…

De petites fossettes avaient creusé les joues de Stéphane, ses yeux bleus riaient, ses traits juvéniles révélaient le visage que Janine avait tant craint d'oublier. Il était gai et plein de vie ; son truculent récit provoqua l'hilarité autour de la table : sa présence ensoleillait la maisonnée.

Janine soupira d'aise, les 29 années d'attente avant leurs retrouvailles définitives lui semblaient tout à coup moins lourdes à porter : « Je n'avais pas rêvé. Tu es là et c'est tout ce qui compte… »

Après le déjeuner, les garçons s'enfermèrent dans la salle de jeu. On ne les revit qu'au dîner. Entre-temps, Janine avait téléphoné à Solange Gadbois afin de l'aviser de l'arrivée de son fils qu'elle offrit de garder à coucher. La mère de Stéphane avait accepté d'un ton expéditif : elle semblait en avoir plein les bras.

À midi, au plus fort de la tempête, les vents atteignirent 74 kilomètres à l'heure. Tout l'après-midi, la radio enchaîna bulletins de nouvelles, prévisions météorologiques et communiqués de presse. De fortes bourrasques avaient arraché des toitures, déraciné des arbres et endommagé des poteaux électriques : les pannes de courant se multipliaient. D'autres autobus s'étaient enlisés dans la neige ; des centaines de voitures avaient été abandonnées le long des routes, nuisant au déneigement. Plus tard, on recruta des motoneigistes pour patrouiller dans les rues afin de secourir les citoyens victimes de blessures mineures et même, parfois, de crises cardiaques. Montréal était devenue une ville fantôme. Ses rues appartenaient aux chevaliers de la motoneige et aux téméraires se déplaçant en raquettes ou en skis de fond.

— Quelqu'un veut quelque chose à boire ? Papa, je me fais du thé, en voulez-vous ?

Trois paires d'yeux se levèrent du jeu de dames pour se tourner vers Janine.

— OK, oui pour le thé, fit Ernest.

— Nous autres, on mangerait ben des crottes de fromage, suggéra Patrice, la bouche en cœur.

— Les gâteries, c'est pour ce soir. On va bientôt souper. Alors, qu'est-ce vous allez boire ?

Les deux garçons décidèrent de ne rien prendre et retournèrent à leur partie.

— Non, non, Stéphane ! s'exclama Ernest, ne prends pas ce jeton-là, c'est un piège. R'garde tout ce que tu pourrais perdre si tu jouais ce coup-là, ajouta-t-il en raflant trois pièces rouges sur le damier.

— Ça, c'est pas juste, pépère ! Tu lui donnes tous mes truc ! s'insurgea vigoureusement Patrice.

— Bah, c'est sa première fois, faut ben y laisser une p'tite chance, se justifia le vieil homme en ébouriffant les cheveux de Stéphane. Je le laisserai jouer tout seul après celle-là.

— Bof ! Ça me tente pus de jouer à ça, annonça son petit-fils en se levant de table. Tu viens, Stéphane ?

L'interpellé leva la tête, l'air contrarié.

— Pourquoi ? C'est l'fun ce jeu-là.

— Ben, joue avec pépère, d'abord ! se renfrogna Patrice.

« Entêté et mauvais perdant ! Qu'est-ce que je vais faire avec cet enfant-là ? », songea Janine en s'attablant avec la théière et deux jolies tasses fleuries.

— Patrice, c'est pas correct de laisser le monde en plan comme ça. Allez, finis au moins la partie.

— S'il te plaît, maman, prends ma place. Moi, j'ai envie de faire des expériences avec le microscope.

Il conclut sa phrase en tournant les talons vers le couloir. Irritée, Janine bondit de sa chaise.

— Voyons ! Stéphane est ton invité, tu dois t'en occuper ! Pense à tout le chemin qu'il a fait dans la tempête pour venir te voir.

— Bah, c'est pas grave, madame Bilodeau, l'excusa Stéphane. Ma mère m'a permis de lui prêter le microscope, mais seulement jusqu'à lundi. Quatre jours, c'est pas ben long pour en profiter.

— Allez, ti-fille, laisse-le faire ses expériences et viens jouer avec nous autres, renchérit Ernest.

La partie reprit. Le vieil homme chuchota quelques conseils à l'oreille de Stéphane qui déplaça une pièce. Janine joua son coup sans prendre le temps de réfléchir.

— Ah ! Ah ! On t'a eue, ma fille ! triompha son père. Vas-y mon Stéphane, tu peux prendre tous ces jetons-là… Oui, c'est ça !

— Heille ! Heille ! Comment ça ? protesta Janine. Il peut pas m'en voler cinq d'un coup !

— Ben oui, il peut : en bougeant ton jeton, tu lui as ouvert la porte. C'est un très mauvais coup. Coudon, qui c'est qui t'a montré à jouer ?

— Personne, papa. C'est ma première partie à moi aussi. J'ai appris ce que je sais en vous regardant jouer avec monsieur Larivière.

— Ah ! C'est sûr que tu joues aussi mal que Jo, ironisa-t-il en levant les yeux au plafond pour saluer son vieil ami. J'vais t'arranger ça, ma fille : on va r'commencer la partie, pis j'vais te montrer à jouer comme du monde.

— Yé ! On sera à égalité ! se réjouit Stéphane. C'est parfait, je…

— Chut ! interrompit Ernest, en se levant en vitesse pour hausser le son de la radio.

— … c'est la seconde fois de son histoire que le Canadien annule un match à cause des intempéries. La Ligue nationale reprogrammera bientôt la partie au calendrier, alors conservez précieusement vos billets.

— Torrieu ! Pas de *game* à soir.

— On manque pas grand-chose, monsieur Provencher, c'était contre les Canucks de Vancouver.

— T'as ben raison, Stéphane ! Encore une maudite équipe de l'expansion, soupira le vieux. Hé que j'm'ennuie de la Ligue nationale du bon vieux temps : six équipes, c'était ben assez !

— Y avait tellement de bons joueurs dans ce temps-là, commenta Stéphane. Vous êtes chanceux, moi, j'ai jamais vu jouer Maurice Richard.

— Ah, mon gars, le Rocket, c'était le meilleur! Le seul capable de compter cinq buts dans une même soirée. Tout un exploit!

— C'était pendant les éliminatoires de 1944, contre les Maple Leafs de Toronto, enchaîna Stéphane. Maurice Richard a eu les trois étoiles du match, ce soir-là.

Soufflé, Ernest ouvrit de grands yeux:

— Wow! Tu m'impressionnes, mon garçon! C'est ton père qui t'a raconté ça?

Une ombre furtive traversa le regard du garçon.

— Mon père ne connaît pas grand-chose là-dedans. C'est mon oncle Gaétan qui m'a tout appris; il m'aide à monter ma collection de cartes de hockey: j'ai un cartable plein à la maison. Je pourrais l'apporter si vous voulez le voir.

— Je serais ben curieux de voir ça.

Une joue appuyée dans sa main, Janine assistait à la discussion en sirotant son thé. «Papa est content, il vient enfin de trouver son homme pour parler de hockey.» Combien de fois avait-elle entendu Ernest vanter les mérites de Maurice Richard à un Patrice complètement désintéressé? «Bon, autant dire que ma première partie de dames s'est terminée avant de commencer...» D'une gorgée, elle vida sa tasse et se leva de table.

— Allez, ouste, tous les deux! Allez jaser au salon. Je prépare le souper.

— Non, non, laisse-moi ça, c'est ma job, fit le père de Janine en lui enlevant le linge de vaisselle des mains. Assois-toi et finis ton café.

Après chaque repas, Ernest était de corvée de vaisselle. C'était son choix. S'imposer cette tâche répétitive et réprimer ses commentaires désobligeants envers son gendre, c'était tout ce qu'il avait à offrir pour faire oublier son triste rôle dans l'éclatement de sa famille. Janine ne lui avait pourtant rien reproché, c'était lui qui vivait mal avec ce poids et il le savait très bien.

— Tantôt, on pourrait jouer une partie de Monopoly avec les garçons, proposa Janine.

— OK, mais c'est moi qui m'occupe de la banque. Penses-tu qu'on pourra arracher Pat à ses expériences ?

— Il n'aura pas le choix, y a toujours bien des limites. Quand je pense qu'il a laissé tomber Stéphane au beau milieu d'une partie de dames pour aller s'enfermer avec le maudit microscope… Et vous qui preniez sa défense !

— Je sais, je sais, je suis une vraie guimauve avec lui, il me mène par le bout du nez, avoua Ernest, penaud.

— Papa, Pierre n'est plus là, j'ai besoin de vous pour m'appuyer. Si vous ne voulez pas que votre petit-fils devienne un égoïste, essayez d'être de mon bord de temps en temps.

— T'as raison, je vais faire un effort, promit-il, réalisant du coup que son comportement était passé d'un extrême à l'autre depuis qu'il s'était juré de réparer ses fautes d'antan.

Il prit une assiette sur l'égouttoir et s'approcha de la porte arrière.

— T'as vu ? Il neige presque pus. Après la vaisselle, je vais aller pelleter un peu.

— Avec vos maux de dos ? Pas question !

Elle finit son café d'un trait et alla rejoindre son père.

— Mon Dieu ! On ne voit même plus la table de pique-nique. Je vais sortir pour dégager les portes, c'est plus prudent.

— J'peux y aller, moi ! lança une voix derrière eux.

Janine et Ernest se retournèrent : Stéphane était entré dans la cuisine, une petite éprouvette à la main.

— Laissez-moi faire, je suis un vrai champion de la pelle, plaida-t-il fièrement, j'ai une grosse clientèle dans mon bout. C'est même moi qui déneige l'entrée du restaurant en bas de chez nous.

— Un champion de la pelle ? Ouais… fit le vieil homme en se grattant la tête. Janine, penses-tu qu'on a les moyens ?

Entrant dans le jeu, sa fille fit mine de réfléchir.

— Hum, j'suis pas certaine…

— Ben, non, c'est gratis pour vous autres ! coupa Stéphane.

Il plaça l'éprouvette dans les mains du grand-père, en lui précisant que Patrice avait besoin d'eau pour son expérience, puis il se précipita vers le vestibule.

— On dirait ben que j'ai hérité de la job d'assistant du grand chercheur, rigola Ernest.

Stéphane revint rapidement, le manteau ouvert et la tuque sur le bout de la tête. Il s'assit sur une chaise pour enfiler ses couvre-chaussures. Lorsqu'il se releva, Janine remarqua que le pantalon de son habit de neige arrivait à peine à rejoindre le bord de ses bottes.

«Ça n'a pas de bon sens…», soupira-t-elle, le cœur serré.

Stéphane enfonça sa tuque jusqu'aux yeux et retint son souffle pour remonter la fermeture éclair de son manteau.

— Vous allez voir, en une p'tite demi-heure, je vais vous déneiger tout ça, affirma-t-il en déverrouillant la serrure.

Une trentaine de centimètres de neige s'étant accumulée contre la porte, quelques coups de balai furent nécessaires pour la pousser sur la galerie. Stéphane sortit, trouva la pelle ensevelie sur le sol, la dégagea en quelques coups de botte et se mit à l'œuvre avec enthousiasme.

Postés devant la porte, Janine et son père l'observaient.

— Il est vaillant, ton Stéphane. Je l'aime bien. Ça doit te faire drôle de le voir tout jeune comme ça. Tu tiens le coup?

Janine laissa échapper un soupir douloureux.

— Regardez-le, papa, il est haut comme trois pommes. J'aime l'homme qu'il va devenir, mais de le voir si petit, habillé comme un pauvre, ça me revire à l'envers. Il aurait la vie plus facile si son père se trouvait du travail au lieu de boire comme un trou…

— Maudite boisson ! On devrait fermer toutes les tavernes, maugréa le vieux.

Songeur, il se tut quelques instants.

— Heille, j'y pense ! lança-t-il soudain. Hier, j'ai vu le vieux *suit* de Patrice dans la cave.

— C'est vrai, ça ! J'attendais la fin de l'hiver pour le donner à la Saint-Vincent-de-Paul. Stéphane est plus petit que Patrice : je suis certaine qu'il va lui faire. Merci, papa !

Le lendemain matin, vêtu du vieux costume de neige de Patrice, Stéphane marchait au milieu de la rue Masson, partiellement dégagée par le chasse-neige qui le précédait de quelques coins de rue. L'artère commerciale était en pleine effervescence : vrombissements des chenillettes raclant les trottoirs ; hurlements des pneus des voitures enlisées dans la neige, toc-toc des pelles dégageant les entrées des commerces obstruées par d'énormes bancs de neige. En prévision du passage de la souffleuse, des cols bleus en raquettes sondaient les congères avec de longs bâtons à la recherche de véhicules ensevelis. Les passants se saluaient en affichant des regards complices, d'autres poussaient des autos abandonnées sur la chaussée.

Stéphane aurait bien voulu rester plus longtemps chez Patrice, mais il avait une grosse journée devant lui : ses clients devaient l'attendre avec impatience ; il ne pouvait pas se permettre de s'attarder s'il voulait les garder. Le sourire aux lèvres, il évaluait le petit pécule qu'il allait amasser et qui lui permettrait de payer les patins à roulettes dont il rêvait.

Il s'arrêta une minute pour ajuster son sac à dos bourré de pantalons et de t-shirts que la mère de Patrice lui avait donnés avec le costume de neige. Ça l'avait fait bien rire lorsqu'elle lui avait demandé si sa mère serait insultée : il ne se rappelait pas depuis combien de temps on l'avait habillé ailleurs qu'à l'Armée du Salut. Ses sœurs, vêtues à la même enseigne, passaient leur temps à râler, mais lui, il s'en foutait. Très tôt, il avait appris à tempérer ses attentes et à ne compter que sur lui-même : son père, un homme mou et sans envergure, partageait son temps entre la taverne et son lit. Sa mère faisait de son mieux, mais elle ne souriait jamais et avait la main lourde. Ah, si seulement elle avait pu le regarder de la même façon que madame Bilodeau…

Son bref séjour rue d'Orléans l'avait troublé : pour la première fois de sa vie, il s'était pris à rêver d'une mère aux yeux tendres et d'un père qui lui apprendrait à jouer aux dames. Patrice était bien chanceux… même si son père avait pris la poudre d'escampette à San Francisco pour fuir la police.

Stéphane l'avait appris, un mois plus tôt. Il était tard, on le croyait couché ; il se dirigeait vers les toilettes. En passant devant la chambre de ses parents, il avait entendu son père prononcer le nom de la mère de Patrice. Curieux, il s'était approché de la porte entrebâillée.

— Son mari est membre du FLQ, c'est pour ça qu'il a dû s'expatrier aux États. Il a juste eu le temps de se pousser avant la grosse descente des Mesures de guerre.

— Toé pis tes placotages de taverne, voir si je vais croire ça, rétorqua Solange.

— C'est pas des placotages! La nouvelle a fait le tour du quartier. Le gars avec qui j'ai pris une bière travaille à la pharmacie où ta madame Bilodeau s'occupait des livres de comptes. Il m'a dit que son boss l'a renvoyée parce qu'il ne la trustait pus. Demande-toé pas pourquoi elle a dû se trouver une job ailleurs.

— Pauvre elle… Je comprends pourquoi elle a dû changer son gars d'école, il devait se faire écœurer en titi.

— Qu'est-ce que tu décides? Moi, en tout cas, j'ai pas envie que mon gars fréquente le fils d'un felquiste.

— Écoute-moi ben, toé! Patrice est un p'tit gars ben tranquille et j'ai rien à dire contre c'te femme-là: c'est pas parce qu'elle a marié un trou d'cul qu'elle mérite ce qui lui arrive. J'veux pus entendre un mot là-dessus, surtout devant les enfants.

Stéphane retourna dans sa chambre sur la pointe des pieds: «Pauvre Pat, je comprends pourquoi il me parle jamais de son père…»

Patrice avait honte de son père, un irresponsable ayant lâchement abandonné sa famille au moment où elle avait le plus besoin de lui. Cette croyance reposant sur des ouï-dire habiterait Stéphane pendant les

29 années suivantes, car, par respect pour son copain, jamais il n'aborderait le sujet avec lui. Tout le monde avait droit à ses petits secrets, même les enfants…

Au fil des mois, la petite maison blanche devint le port d'attache du jeune Stéphane. Il y puisait la tendresse et l'attention qui lui faisaient cruellement défaut chez lui. Les week-ends, il emportait son microscope avec lui à seule fin de profiter de la passion de Patrice pour jouer aux dames, bricoler ou s'asseoir devant *La soirée du hockey* avec son grand-père (qu'il appelait affectueusement « pépère »).

Janine n'était pas dupe du stratagème de Stéphane. Elle le trouvait drôle, débrouillard et touchant lorsqu'il lui confiait ses bons coups et ses chagrins. La présence de l'enfant l'aidait à supporter l'absence de son alter ego à qui elle se livrait dans son journal. Les tracas, les angoisses, c'était fini tout ça : tout ce que Stéphane lui avait prédit en 2000 s'était réalisé et jusqu'à présent, rien n'avait dérogé au cours du temps.

Cette sérénité s'appuyait sur les affirmations d'un homme en qui elle avait mis toute sa confiance. Elle ne tarderait pas à comprendre que la réalité était tout autre…

La cuisine était plongée dans la pénombre : le matin, on avait tiré les rideaux dans l'espoir d'atténuer les effets de la pénible canicule de juillet.

Après avoir parcouru sa liste d'épicerie et vérifié le contenu de son porte-monnaie, Janine remonta ses cheveux en chignon et sortit sur le balcon.

— Bon, les gars, pas de popsicles pour le moment, je n'ai plus de p'tit change, il va falloir que vous attendiez que je revienne de chez Steinberg.

Stéphane haussa les épaules et Patrice n'émit aucune protestation.

— Quand je reviendrai, je vous donnerai chacun 25 cents pour que vous alliez vous payer la traite.

— Merci, madame Bilodeau.

— Merci, m'man.

Assis sur la même marche de l'escalier, les deux garçons avaient répondu à l'unisson.

— Essayez de rester dehors, ou si vous entrez dans la maison, ne faites pas de bruit.

Aux prises avec une bonne grippe, Ernest avait toussé une partie de la nuit. À présent, il dormait paisiblement dans sa chambre.

— Pars tranquille, maman, on va faire attention.

— Très attention, renchérit Stéphane.

Elle monta dans son auto et démarra. Les garçons la saluèrent de grands gestes de la main. Elle fronça les sourcils : « On dirait qu'ils ont hâte de me voir partir. Je me demande bien ce qu'ils peuvent manigancer... »

Le comportement des garçons la rendait perplexe depuis les deux dernières semaines : ils passaient de grandes journées à la bibliothèque, s'échangeaient des regards complices et se taisaient subitement lorsqu'elle entrait dans la salle de jeu.

Janine stationna son véhicule rue Masson et entra dans le supermarché, habitée par un étrange pressentiment.

Une demi-heure plus tard, alors qu'elle se dirigeait vers la caisse, elle vit le copain de son fils entrer en trombe dans l'épicerie.

— Stéphane ? Mais qu'est-ce que...

Le garçon éclata en sanglots. Elle s'affola :

— Il est arrivé un accident ? Patrice...

— Non, non, madame Bilodeau, c'est votre père... Il est tombé dans la cave. Je pense qu'il s'est cassé une jambe.

Janine abandonna son panier et se précipita vers sa voiture, le garçon sur les talons. « Voyons donc, pensa-t-elle, papa dormait quand je suis partie. Qu'est-ce qui s'est passé ? » Elle jeta un coup d'œil vers Stéphane qui, prostré contre la portière, évitait son regard.

Rue d'Orléans, elle aperçut l'ambulance dans son rétroviseur. Elle se gara rapidement et entra dans la maison. Assise sur le plancher, à côté de la trappe, Liliane Veilleux leva les yeux vers elle.

— Ah ! J'avais peur que tu arrives après l'ambulance...

— Il va bien ? coupa Janine, inquiète.

— Il n'a rien eu à la tête, mais je crois bien qu'il s'est cassé une jambe et...

La femme baissa le ton avant de poursuivre :

— Quand je suis entrée dans la maison, je l'ai entendu engueuler Patrice comme du poisson pourri. D'après ce que j'ai pu comprendre, il l'a pogné en train de fouiner dans la cave avec son chum.

— Quoi !

Dans la cave, Patrice avait encore du mal à contenir ses tremblements : tout était sa faute, il n'avait pas le droit de descendre à la cave, encore moins dans le puits. Son grand-père l'avait pris sur le fait. Il avait déboulé l'escalier. Sa jambe était toute croche, il n'avait pas l'air d'avoir mal, mais il était en furie :

— Qu'est-ce que tu venais faire icitte, mon p'tit vlimeux ?

— Mon oncle Gaston avait dit...

— Aaaah, lui, là ! Pis ? Qu'est-ce que t'as trouvé de si intéressant ?

Il avait découvert le trou au milieu de la cave : le puits vers les passages secrets dont lui avait parlé son oncle. Il avait bravement descendu une quinzaine d'échelons à la lueur de la lampe de Stéphane, mais il avait eu la peur de sa vie quand son ami avait détourné le rayon de lumière vers le bas de l'escalier.

— Stéphaaaannne ! avait-il crié. Il fait noir ! Éclaire-moi ! Qu'est-ce que tu fais ?

La voix de sa mère le tira de ses pensées :

— Papa ? Ça va, papa ?

Janine descendit les marches. Ernest tenta de se redresser en grimaçant.

— Imagine-toi donc que j'ai surpris nos deux fin-fins icitte en bas ! Ils ont poussé la planche que j'avais mise sur le trou et ton gars est descendu.

Son bref récit fit redoubler sa rage, il s'agita nerveusement.

— Tabarnak ! J'en ai plein l'cul de c'te maudite cave-là ! Y a pus personne qui va descendre ! J'te garantis que je vais trouver un moyen !

Les ambulanciers étaient entrés dans la cuisine, l'un d'eux s'apprêtait à descendre l'escalier.

— Attendez ! Je remonte avec mon fils, lança Janine en jetant un regard noir à Patrice.

Arrivée dans la cuisine, elle le confia à sa voisine afin de pouvoir accompagner son père à l'hôpital.

— Maman, laisse-moi t'expliquer, fit Patrice d'une voix geignarde.

— Ce n'est pas le moment, mon garçon. On verra ça quand je reviendrai.

La confusion l'empêchait de réfléchir, elle avait grand besoin de prendre un peu de recul.

Assis bien droit sur une chaise pliante du balcon, Stéphane n'osait pas entrer dans la maison. Il espérait avoir la chance de s'excuser avant de partir : madame Bilodeau devait être très fâchée contre lui ; elle devait penser que l'idée de chiper la clé du cadenas était la sienne… Peut-être lui interdirait-elle de revenir chez elle ? Il craignait aussi qu'elle en parle à sa mère : si Solange savait, il prendrait toute une raclée.

Un ambulancier surgit de la maison ; sur le balcon, il fit signe à un collègue, puis retourna sur ses pas. L'interpellé sortit du véhicule d'urgence avec un câble et un harnais de sécurité. Il croisa Janine dans le vestibule. Elle sortit. Son cœur se glaça en apercevant Stéphane. Ce dernier se leva d'un bond et ouvrit une bouche tremblante… Janine détourna aussitôt les yeux.

— Stéphane, pourrais-tu plier les chaises ? Il faut faire de la place pour laisser passer la civière.

Elle ressentait le besoin criant du garçon de se faire pardonner, mais elle se sentait incapable de lui prêter l'oreille sans laisser transparaître son amertume envers son alter ego. Elle retourna dans la maison sans un regard pour lui.

Bientôt, des tuiles recouvriraient la trappe, la cave serait condamnée. Le Stéphane du futur lui avait menti en prétendant ignorer depuis combien de temps le linoléum avait été remplacé. Pire, il avait volontairement passé sous silence son escapade dans la cave et la découverte du puits. Que lui avait-il caché d'autre ?

Chapitre 6

L'hymne national américain. Stéphane ouvrit un œil. Le salon? Il se redressa. Il s'était endormi sur le sofa peu après le départ de Janine et Laurent. À la télé, un drapeau flottait au-dessus d'un podium: les Jeux olympiques de Sydney battaient leur plein.

«Dans quelques heures, elle reviendra», songea-t-il. L'anticipation de leurs retrouvailles le transporta de joie, mais aussitôt, il s'indigna de ce bonheur égoïste: il ne l'avait attendue qu'une journée alors qu'elle...

C'était une femme mature qui lui reviendrait, une femme marquée par 41 années d'une vie dont il ignorait presque tout. Qu'était-elle devenue après l'été 1978?

Il l'avait revue en 1988, au salon funéraire, à la mort de son père. Elle devait avoir une cinquantaine d'années et il l'avait trouvée toujours aussi attirante. Toutefois, la voir au bras d'un autre homme avait mis son cœur en miettes comme si l'idylle de sa jeunesse n'avait jamais pris fin...

Il n'avait plus eu de nouvelles avant sa rencontre avec Patrice, rue Masson, trois mois plus tôt. Tout ce qu'il savait du futur de Janine tenait dans quelques bouts de phrase prononcée par son fils, et cette photo, prise devant la tour Eiffel, que Patrice avait incluse dans sa murale. L'homme qui accompagnait Janine n'était pas celui du salon funéraire. Qu'était-il pour elle? Immobile sur le sofa, Stéphane envisageait les pires scénarios.

«Allez, Stef, arrête de capoter, vendredi, elle est revenue de San Francisco, et ce soir elle sera dans tes bras.»

Il évoqua l'image de Janine dans ses souvenirs de petit garçon: un regard intense vite détourné, une intonation caressante dans la voix, une main s'attardant sur son épaule. Des impressions aussi fugaces que troublantes qui apaisèrent ses appréhensions et nourrirent son espoir de la retrouver intacte.

Le sourire aux lèvres, il s'étira de tout son long, puis jeta un coup d'œil à sa montre: «Midi et vingt!» Il se leva d'un coup: «Vite, un café, une douche et au boulot!»

Le jet d'eau sur son dos l'aida à se détendre un peu. Mentalement, il dressa la liste des ingrédients à acheter pour faire ses fameux cannellonis aux épinards. «Ensuite, un saut chez le pâtissier, puis à la SAQ et chez le fleuriste.» Il laissa échapper un petit ricanement: «Heureusement que les magasins sont ouverts le dimanche, hein, Janine?»

En sortant de la maison, il remarqua les affiches de la voirie: des travaux d'excavation devaient avoir lieu le lendemain. À son retour, il allait devoir se garer ailleurs.

La tête pleine de projets, il roula en direction d'une petite épicerie spécialisée en pâtes fraîches. La semaine précédente, il avait appris que le cégep de Rosemont engageait des professeurs : il allait postuler. Et dès qu'il aurait terminé son mémoire, il contacterait les maisons de la culture pour proposer une conférence sur l'histoire des transports en commun. Il avait fini de tourner en rond, l'âme en peine. L'amour lui fouettait le sang et son incursion en 1918 lui avait redonné le goût d'enseigner.

À la SAQ, il acheta une bonne bouteille de vin rouge et ne put résister à la tentation de se payer aussi une bouteille de champagne, même s'il devrait s'en retourner les poches. Quelques minutes plus tard, il sortit de chez un fleuriste avec un magnifique bouquet de roses rouges.

Au retour, se rappelant les panneaux, il gara son auto rue Dandurand, devant l'ancien château Duminisle.

Posté devant l'imposante résidence, Stéphane se remémora avec nostalgie l'environnement dépouillé qui entourait l'ancienne demeure de Marie-Claire en 1918. Contrairement au paysage urbain, le château n'avait guère changé, à part... Il fronça les sourcils et s'approcha : au bas de la vitre de la porte principale, une vignette illustrant une carte bancaire avait été apposée et le blason bleu et or, symbole des gîtes du passant, avait été vissé dans la pierre.

Qu'était devenu le passage secret de la cave à vin ? Et Marie-Claire ? « En 1918, elle devait avoir 17 ou

18 ans. Elle doit être centenaire aujourd'hui, si elle est encore en vie… »

En empruntant la rue d'Orléans, Stéphane se revit, trois jours plus tôt, filer derrière Janine dans sa course éperdue vers l'hospice où la disparition du potager sous l'asphalte lui avait confirmé l'incroyable. Le rappel de la détresse de la jeune fille s'ajouta à son propre tiraillement intérieur. Comment s'était passé son retour en 1959 ? Avec Pierre, avait-elle pu jouer le jeu et agir comme si de rien n'était ? Et surtout… comment avait-elle pu vivre toutes ces années en ravalant son chagrin ?

« Et aujourd'hui, mon amour, comment te sens-tu à quelques heures de nos retrouvailles ? »

En entrant chez lui, Stéphane vérifia si le voyant lumineux du répondeur clignotait : non. « Elle ne m'appellera pas, elle viendra directement, tel que convenu. »

Il était près de 15 h. Une heure trente pour dresser la table et préparer le souper lui suffirait : il avait même le temps de faire un peu de ménage. Il lava le plancher de la cuisine et celui du couloir, puis nettoya la salle de bain et changea les draps du lit de Patrice en chantant à tue-tête par-dessus la musique de Beau Dommage.

À 17 h 45, la table était mise, le champagne reposait dans un seau à glace et les cannellonis étaient au four. Satisfait, Stéphane reprit une douche et se rasa de près.

Après avoir revêtu son jean et sa plus belle chemise, il déboucha une bière et sortit attendre sa belle sur le balcon. Assis sur une marche, son cœur se gonfla dans sa poitrine en imaginant Janine s'avancer vers lui en affichant son plus beau sourire : « Tu verras, on va se faire une belle vie », lui murmura-t-il en pensée.

Mais le temps passait et elle n'arrivait pas. Étonné, Stéphane jeta de nouveau un coup d'œil à sa montre : 18 h 20. « Bah ! Elle doit être prise dans le trafic, c'est ça, Montréal… »

Il retourna chercher une deuxième bière et en profita pour vérifier la cuisson de son souper qui parfumait la maison.

Vingt minutes plus tard, il alla éteindre le four : Janine n'avait toujours pas donné signe de vie.

« Elle s'est peut-être méprise sur l'heure du rendez-vous… Après 41 ans, ce serait bien normal. J'arrive à peine à me souvenir des miens à quelques jours d'intervalle », se dit-il pour tromper son appréhension.

À 19 h 30, soucieux, il entra dans la maison et chercha des yeux la carte de l'hôtel où Janine et Pierre Bilodeau étaient descendus.

— Demain, je vais chercher la mère de Patrice à l'aéroport, lui avait annoncé Pierre, lors de sa visite impromptue, deux jours plus tôt. Nous séjournerons une semaine à Montréal. Venez prendre un verre, ça lui ferait tellement plaisir de vous revoir.

Stéphane retrouva la carte de l'hôtel près du téléphone. Il composa le numéro, mais en entendant la voix de la réceptionniste, il raccrocha : « Non, ce n'est pas comme ça que je veux la retrouver… » Même au comble de l'inquiétude, il refusait de briser la magie de leurs retrouvailles.

Il sortit les cannellonis du four. Il n'avait pas faim, mais il avait envie d'une autre bière. La tête dans le réfrigérateur, il eut une illumination : le journal ! «Janine y a sans doute laissé une explication.»

Il referma la porte du frigo, gagna la chambre qui donnait devant, ouvrit la penderie et retira la boîte à chapeau de la tablette du haut. Sous le couvercle, il aperçut un chapeau de feutre vert, mais en dessous, rien !

Tempérant tant bien que mal sa déception, il se dit que Janine l'avait sans doute placé ailleurs. Il se tourna vers le pupitre en bois et ouvrit tous les tiroirs un à un, sans rien trouver : «Voyons, elle avait promis de m'écrire, elle ne peut pas l'avoir oublié...»

Ne sachant plus à quoi se raccrocher, Stéphane retourna dans la cuisine. Puis, songeant aux deux articles publiés à la suite du bavardage de l'oncle Gaston, il poussa son assiette, installa son portable sur la nappe et inséra la disquette des archives de *La Presse*. Il retrouva les articles datés du mois de septembre 1959 : aucun mot n'avait été changé. De ce côté-là, tout allait bien, mais cette bonne nouvelle ne parvint pas à apaiser son anxiété. Il éteignit son ordinateur et essaya de réfléchir.

«Le journal de Janine existe, j'en suis convaincu. Elle aussi trouvait que c'était une bonne idée. Elle n'a pas dû tarder longtemps avant de commencer à m'écrire...»

Il devait se ressaisir et reprendre ses recherches : c'était peut-être une pile de cahiers d'écolier ou un cartable bourré de feuilles jaunies ou encore un genre de journal personnel, à serrure.

Il revint dans la petite chambre et renversa le contenu de chacun des tiroirs du pupitre sur le plancher. Rien. Une pointe de colère s'ajouta à sa déception. Laissant tout en plan, il s'attaqua à la penderie. Les souliers de Janine volèrent dans la chambre. Tout à coup, une bouffée d'espoir l'envahit lorsqu'il aperçut une autre boîte à chapeau dans le fond du réduit, mais voyant qu'elle ne contenait que des tuques et des mitaines, il la lança contre le mur en sacrant. Ses épaules s'affaissèrent et ses doigts tremblants essuyèrent des larmes de rage. Il se releva en se massant les genoux et jeta un regard autour de lui : un typhon avait ravagé la pièce, des papiers et des photos étaient éparpillés sur tout le plancher. Un soulier avait atterri sur le lit.

« Le lit ! »

Il jeta les oreillers par terre, arracha les draps puis souleva le matelas. Au travers du sommier, il ne vit rien d'autre qu'un amas de poussière. Il lâcha un soupir douloureux. Abandonnant la chambre dans son triste état, il revint dans la cuisine et rangea le champagne et les cannellonis dans le frigo. L'angoisse lui tordait l'estomac.

Dévasté, impuissant, il se traîna dans le salon et s'écrasa sur le sofa.

Les jeux de Sydney étaient toujours diffusés sur Radio-Canada. Les yeux sur l'écran, Stéphane tentait vainement de s'intéresser aux compétitions d'haltérophilie. Après quelques minutes, il saisit la télécommande et zappa rapidement: un bulletin de nouvelles, une vieille série américaine, une table ronde sur les effets de serre, un «Monsieur Bricole», un chef cuisinier, une astrologue, rien ne l'accrochait. Déprimé, il s'arrêta enfin sur un vieil épisode de *Patrouille du cosmos* et se cala dans le sofa. Pendant une trentaine de minutes, il fixa l'écran dans un état second, la tête pleine et vide à la fois. Après l'émission, on présenta un film: *Retour vers le futur*, le premier de la trilogie. «Non merci! Les histoires de voyage dans le temps, j'en ai ma claque!», grogna-t-il en éteignant le téléviseur.

Éjecté de sa torpeur, il se leva, écœuré, puis, en repensant au film de Robert Zemeckis, il songea à la réaction du frère de Janine en apercevant l'énorme télé couleur, la veille. Soudain, il se figea: sa brève conversation avec Laurent lui revint en mémoire.

— Naturellement, tu réalises que la Janine que tu as connue autrefois est celle qui est sur le point de quitter ton époque…

Une onde de choc le traversa. Depuis 22 ans, il s'efforçait d'occulter au plus profond de lui la cuisante douleur que Janine Bilodeau lui avait infligée en repoussant son amour après s'être abandonnée dans ses bras. Lorsqu'elle avait émergé du passé, il s'était efforcé de faire la part des choses, rangeant d'un côté Janine Provencher, cette jeune fille perdue dans le temps qu'il voulait aider à retourner à son époque et, de l'autre, Janine Bilodeau, la mère de Patrice, dont il était tombé amoureux à l'adolescence et qui vivait maintenant une retraite heureuse auprès de son ex-mari, à San Francisco. Toutefois, en s'acharnant à dissocier la jeune fille de la femme de 40 ans qu'il avait tant aimée, il avait perdu de vue une réalité incontournable : le passé, le présent, le futur, tout était relié, et ce qui devait arriver allait arriver...

— Tu as été un des amis de son fils, elle t'a sans doute traité différemment des autres...

— Elle m'aimait... beaucoup, avait-il bredouillé, mal à l'aise.

— C'est tout ? Tu n'as jamais senti quelque chose de plus fort ?

La question que Laurent lui avait posée libéra soudain tous ses souvenirs enfouis... À commencer par la vive réaction de Janine, lorsqu'il lui avait offert son bouquet de marguerites...

Chapitre 7

Elvis est mort !

La nouvelle avait pris tout le monde par surprise. Aussitôt, les radios de la terre entière diffusèrent la voix ardente du King.

Stéphane apprit la nouvelle pendant son quart de travail à la piscine Molson.

— Ça s'peut pas, voyons donc !

Atterré, il regarda de travers le transistor que lui tendait Francine Bélair. Le journaliste donnait peu de détails, mais confirmait que le Roi du rock avait été retrouvé mort dans sa salle de bain.

Il retourna à son siège de sauveteur, l'esprit ailleurs.

Âgé de 17 ans, Stéphane Gadbois, avait la cote auprès des filles : grand, musclé, les cheveux bouclés (un peu trop longs au goût de son patron), l'œil pétillant, le teint basané, il avait tout pour séduire. Depuis trois ans, plusieurs filles étaient passées brièvement dans sa vie, mais avec Francine, c'était plus sérieux.

Juché à plus de deux mètres du sol, l'esprit tourné vers la petite maison blanche de la rue d'Orléans,

Stéphane se demandait comment la mère de Patrice avait réagi : elle aimait tant Elvis ! Même s'il ne l'avait pas revue depuis que Patrice et lui avaient entrepris leur secondaire 5 dans deux écoles différentes, Stéphane pensait souvent à Janine.

Soudain, un coup de sifflet strident le ramena sur terre. Il n'eut pas besoin de chercher longtemps pour savoir d'où il provenait : Serge Morin, le responsable, pointait deux gamins qui se tiraillaient dans la piscine. Les deux protagonistes furent immédiatement escortés jusqu'au vestiaire.

Stéphane pinça les lèvres : il n'avait rien vu. C'était la première fois que cela lui arrivait.

— Eh ! Stef, t'étais où, là ? vociféra son supérieur au bord du bassin.

— Désolé, répondit Stéphane, tout penaud. Je vais faire plus attention…

Passant aussitôt de la parole au geste, il reprit sa surveillance avec une vigilance soutenue.

Il faisait particulièrement chaud, ce jour-là, et la piscine publique, située sur un vaste terrain bordant la rue Masson, avait été prise d'assaut par le nombre maximum de baigneurs règlementaire. Devant l'entrée, une queue d'enfants moins chanceux s'allongeait depuis le début de l'après-midi. Dans quelques minutes, ils pourraient entrer : le long coup de sifflet de 15 h était attendu avec impatience.

Stéphane regarda sa montre pour la troisième fois depuis sa réprimande. Plus que cinq minutes maintenant avant la fin de sa journée de travail. Heureusement, car il avait de plus en plus de mal à maintenir

son attention sur la foule de jeunes baigneurs chahu-
tant et s'agitant en tous sens. Il ne pouvait se permettre un autre avertissement. Cet emploi d'été était
une occasion en or non seulement de se faire un peu
d'argent de poche, mais aussi de pouvoir se faire
embaucher à la piscine municipale du boulevard
Rosemont durant les mois d'hiver. En travaillant
toute l'année, il pourrait amasser les centaines de
dollars nécessaires à l'achat du scooter de ses rêves!

Tout à coup, il aperçut deux fillettes se poursuivant
autour de la piscine. Vivement, il porta son sifflet à la
bouche, mais au lieu du petit coup de semonce
d'usage, il siffla le long coup annonciateur de la fin de
la baignade. Il amputait de deux précieuses minutes la
période en cours, mais tant pis. Il en avait assez.

Incapable de patienter davantage, il partit sans
embrasser Francine, sachant très bien qu'elle le lui
ferait payer. Il enfourcha sa bicyclette et fonça vers la
rue d'Orléans. La mère de Patrice avait toujours été
là pour lui et aujourd'hui, une force irrésistible le
ramenait vers elle. Il ne savait pas encore ce qu'il allait
lui dire, mais il tenait absolument à la réconforter.

À mi-chemin, il remarqua l'enseigne du fleuriste
Raymond. Ses lèvres esquissèrent un sourire: des
fleurs! Quelle bonne idée!

⁓⧟⁓

Assis sur une marche de son perron, Ernest
Provencher fumait tranquillement sa pipe. Encore

solide malgré ses 83 ans, il coulait des jours paisibles auprès de sa fille et son petit-fils.

Le vieil homme tira une longue bouffée de sa pipe. Le matin même, son médecin lui avait recommandé d'arrêter de fumer – et cela devant Janine, qui avait promis de surveiller son père de très près. Au retour, Ernest avait discuté ferme avec sa fille : pas question de mettre sa pipe au rancart. Comme elle lui tenait tête, il lui avait promis de n'en fumer que deux par jour.

Cet après-midi-là, il en était déjà à la deuxième de la journée. Fin renard, il était sorti de la maison afin d'échapper au regard de sa fille et de pouvoir profiter d'une troisième pipée dans la soirée. En vérité, il aurait tout aussi bien pu fumer impunément, bien calé dans sa berceuse, car Janine avait l'esprit ailleurs depuis l'annonce de la mort de son chanteur préféré.

Absorbé dans ses pensées, l'octogénaire n'avait pas vu la bicyclette de Stéphane déboucher au coin de sa rue. Lorsque le garçon freina brusquement devant lui, Ernest sursauta.

— Mon p'tit snoreau ! Tu m'as fait faire le saut ! T'arrives d'où, comme ça ?

Stéphane descendit de son vélo et l'appuya contre la clôture.

— S'cusez, m'sieur Provencher, dit-il en reprenant son souffle. Votre fille ? Elle est là ?

Du revers de la main, le jeune homme essuya son front en sueur. Sa chemise largement ouverte laissait voir une poitrine au duvet ruisselant.

Le vieux se leva pour lui serrer la main.

— Coudon, ça fait une mèche qu'on t'a pas vu. Qu'est-ce qui t'arrive, ma parole, tu t'es déguisé en pot de fleurs? dit-il en désignant le bouquet de marguerites planté dans le sac à dos du jeune homme.

Stéphane se débarrassa de son sac et le posa par terre.

— C'est pour elle… Vous savez, à cause d'Elvis… Vous avez appris la nouvelle?

— Ouais, on parle rien que de ça à la radio.

Le jeune homme ouvrit son sac et retira son bouquet.

— Elle doit avoir beaucoup de peine. Je voulais… Ben, je voulais juste lui faire plaisir.

Un large sourire apparut sur les lèvres d'Ernest.

— Ça, c'est gentil, mon garçon!

— Patrice est là?

— Non, il travaille jusqu'à cinq heures.

Stéphane s'étonna du soulagement qu'il ressentait. Il n'avait pourtant jamais caché à son copain l'affection qu'il éprouvait pour sa mère.

— Pour Elvis, elle prend ça comment?

— Pas très bien. Ton bouquet va lui remonter le moral. Vas-y vite, elle est dans la cour.

Sitôt dans le corridor, Stéphane aperçut Janine. Quelle était belle, les épaules dénudées, dans cette robe orangée! Le vent doux, gonflant les draps sur la corde à linge, jouait dans ses cheveux dénoués.

Une bonne odeur de lessive embaumait la cuisine. Un petit poste de radio, posé sur le comptoir, diffusait une ballade d'Elvis. Stéphane observa la mère de Patrice placer un drap immaculé sur la corde à linge déjà bien garnie. Il ne l'avait pas vue depuis des mois. Était-ce pour cette raison qu'il avait l'impression de se trouver en présence d'une autre femme ?

Dehors, une légère brise séchait des larmes sur les joues de Janine. Elle enleva ses lunettes rondes pour s'essuyer les yeux.

Malgré quelques livres en moins, elle n'avait rien perdu de ses rondeurs appétissantes. À 39 ans, sa silhouette attirait beaucoup plus la gent masculine que dans sa prime jeunesse, mais aucun soupirant ne trouvait grâce à ses yeux. Qui pourrait lui faire oublier l'incroyable aventure amoureuse vécue 18 ans plus tôt ?

Sa brassée de linge avait trouvé place sur les deux cordes. Sa besogne était terminée. Toutefois, elle n'avait pas la force de retourner dans la cuisine peuplée des souvenirs que la mort de son idole avait fait ressurgir. Depuis la terrible nouvelle, toutes ses pensées la ramenaient en 2000, au moment de cette promenade en auto, rue Papineau, où il avait été question du King.

— Elvis était cependant très croyant, avait-il déclaré.

— Était ? Pourquoi en parlez-vous au passé ? Ne me dites pas qu'il est mort ! s'était-elle exclamée, alarmée.

Pour toute réponse, Stéphane s'était lancé dans une envolée oratoire compliquée avant de changer de sujet.

Pourquoi lui avait-il menti ? Par souci de préserver l'avenir ou pour lui épargner un chagrin anticipé ?

Stéphane avait 17 ans maintenant. Que devenait-il ? Même si Patrice continuait à le voir de temps en temps, Stéphane n'était pas revenu à la maison depuis l'automne 1976. Un jour, au volant de son auto, Janine l'avait aperçu, rue Masson, une très jolie fille à son bras. Cette rencontre crève-cœur lui avait fait réaliser qu'il valait mieux le voir le moins souvent possible.

Le vent du sud faisait onduler doucement ses draps sur la corde. En soupirant, Janine remit ses lunettes, ramassa son panier et appuya sur la clenche de la porte.

— Madame Bilodeau…

Son cœur s'arrêta de battre : Stéphane était là, au beau milieu de sa cuisine, un énorme bouquet de marguerites à la main. Elle le dévisagea, bouche bée, et laissa tomber son panier à linge. Stéphane n'avait plus rien d'un gamin. Devant elle, un jeune homme bien fait, à la beauté insolente, avait remplacé l'enfant qu'elle avait connu autrefois. Il s'avança vers elle, un doux sourire sur les lèvres.

— Elvis… Quand je l'ai su… je me suis dit que vous en auriez besoin, murmura-t-il, intimidé, en lui tendant les fleurs.

— Stéphane… tu y as pensé… souffla Janine, la gorge nouée.

Se sentant perdre pied, elle tenta désespérément de reprendre contenance. Brusquement, elle lui tourna le dos et alla ouvrir précipitamment l'une des portes d'armoire.

— Attends un peu que je trouve le beau vase de ma mère !

Elle leva la tête vers la plus haute tablette.

— Ah, le voilà… dit-elle en étirant un bras vers un magnifique vase de cristal.

Mais la tablette était hors d'atteinte. Sur la pointe des pieds, le bras toujours levé, Janine cherchait des yeux son petit escabeau. Elle l'aperçut, tout près du poêle, mais avant qu'elle ait eu le temps de faire le moindre geste, elle entendit la voix de Stéphane dans son dos.

— Attendez! Moi, je suis assez grand, lança-t-il en déposant son bouquet sur le comptoir.

Il s'approcha et, levant le bras à son tour, il s'empara du vase. Janine sentit ses jambes ramollir. La poitrine de Stéphane contre son dos dénudé vint à bout de sa résistance. Un sanglot s'échappa de sa gorge. La tête inclinée au-dessus du comptoir, elle enleva ses lunettes. Ses épaules tressautaient. Une main sur la bouche, elle pleurait en silence.

Décontenancé, Stéphane ouvrit de grands yeux. Tant de larmes pour Elvis Presley? Il déposa le vase.

— Voyons, il ne faut pas vous mettre dans cet état-là. C'est vrai que personne ne s'attendait à ça, mais…

Après un moment d'hésitation, il glissa ses mains sur les épaules nues de Janine pour l'inciter à se tourner vers lui. Elle détourna le regard.

— Allons, venez ici, que je console ce gros chagrin, murmura-t-il comme s'il s'adressait à une petite fille.

Il l'entoura de ses bras et l'étreignit contre lui, la berçant tendrement au son de *Can't Help Falling in Love*.

Le cœur palpitant, oubliant toute pudeur, elle glissa ses mains sur les épaules du jeune homme et se pressa davantage contre lui. Elle ne pleurait plus, les yeux clos, elle savourait cet instant de grâce dérobé au destin.

Bouleversé par le martèlement de ce cœur tout contre le sien, émoustillé par cette poitrine généreuse écrasée sur sa peau, Stéphane sentit son pénis prendre des proportions alarmantes. Il s'affola. La raison lui dictait de s'écarter d'elle, mais il ne pouvait se résoudre à rompre l'envoûtement de leurs deux cœurs battant à l'unisson.

Janine fit le premier geste : rouge de confusion, elle se détacha de lui sans lui jeter un regard. Stéphane baissa la tête, honteux : avait-elle senti son érection ?

— Ça va aller, maintenant, souffla-t-elle en lui tournant le dos. C'est idiot de brailler comme ça pour un chanteur. On dirait que j'ai encore 15 ans.

Elle revint au comptoir déballer ses fleurs. Ses mains tremblantes déchirèrent le papier.

— C'est tellement délicat de ta part d'être passé me voir.

Stéphane ne savait plus quoi dire. Le malaise perdurait. Enfin, voulant à tout prix détendre l'atmosphère, il lança :

— Je dois y aller, sinon ma blonde va me frotter les oreilles.

Il esquissa un signe de la main qui devait ressembler à une sorte d'au revoir un peu niais, puis, sans attendre la réponse, il s'engagea dans le couloir, se retenant de prendre ses jambes à son cou.

Du perron, il vit Ernest en train de jaser avec un voisin, de l'autre côté de la rue. Tant mieux, il n'avait nulle envie de s'attarder davantage. Il enfourcha son vélo et descendit la rue d'Orléans à toute allure comme s'il était poursuivi par un train.

Dans sa cuisine, Janine essayait de retrouver ses esprits. « Mon Dieu ! Qu'est-ce qui m'a prise ? » Dans son désarroi, elle n'entendit ni la porte d'entrée claquer ni les pas de son père se rapprocher.

— Coudon, ça s'arrange pas, ton affaire, constata-t-il devant son air affligé.

Embarrassée, Janine amorça un geste pour s'enfuir dans sa chambre, mais Ernest l'intercepta.

— Qu'est-ce qui s'est passé ? Où est le jeune ?

Les yeux fixant le plancher, elle se dégagea brutalement et se précipita dans sa chambre.

Le vieil homme haussa les sourcils. Puis, remarquant le bouquet laissé sur le comptoir, il se rendit à l'évier pour remplir le vase. Il n'était pas dupe du drame qui rongeait sa fille. « Il fallait bien que ça arrive un jour, songea-t-il en plongeant les marguerites dans l'eau. Et j'ai ben l'impression que c'est loin d'être fini… » Il retourna sur le perron chercher le sac à dos oublié par Stéphane.

Sitôt chez lui, Stéphane se réjouit de trouver le logement désert. La sonnerie du téléphone retentit. Sa copine, sans doute. Il laissa sonner. La dernière personne qu'il avait envie de voir, c'était bien Francine, avec son petit rire de souris qui commençait à lui taper sur les nerfs.

Il s'enferma dans sa chambre. Derrière la porte, la fille de son calendrier le dévisageait de ses yeux de braise : les jambes écartées, un doigt dans la bouche, une vraie chatte en chaleur. Il détourna les yeux, écœuré. Il n'avait que faire de toutes ces pin-up de papier : ce n'étaient pas de vraies femmes comme celle qu'il venait de serrer dans ses bras.

En songeant à Janine, il soupira bruyamment. Comment aurait-elle réagi s'il l'avait embrassée ? Bien sûr, jamais il n'aurait osé ! Pas madame Bilodeau, pas la mère de Patrice…

Il souleva son matelas pour extirper un petit sac de plastique. Le sourire aux lèvres, il constata qu'il lui restait assez de marijuana pour deux joints. Il tira sa table de chevet et y répandit l'herbe. De sa poche, il sortit son papier à rouler.

La sonnerie du téléphone retentit encore. Il haussa les épaules : « Ah, qu'elle aille au diable ! »

Quelques minutes plus tard, il s'installa sur son lit, son tourne-disque tout à côté. Aujourd'hui, une seule vedette à l'affiche : le King lui-même. Son Elvis à elle… Passer la soirée avec lui, c'était comme la passer avec elle, emprisonnés dans une bulle où tout serait permis. C'était dément, mais ce soir, il voulait y croire !

Les premières paroles de la chanson *Can't Help Falling in Love* lui parvinrent exactement au moment où la drogue lui enflammait les sens :

Wise men say only fools rush in
but I can't help falling in love with you

Émerveillé, il ferma les yeux : Elvis chantait juste pour lui, ces paroles étaient un signe…

La chanson terminée, Stéphane se roula vers son tourne-disque pour la faire rejouer. Les yeux clos, il sentit les seins de Janine contre sa poitrine et leurs deux cœurs battre à l'unisson, mais dans sa rêverie paradisiaque, ce n'était plus pour Elvis que le cœur de Janine s'emballait, mais pour lui, seulement pour lui...

— Si seulement c'était vrai, murmura-t-il.

Tout à coup, il se redressa sur un coude : cette simple phrase, lancée tout bonnement, avait frappé son entendement. Toute cette émotion libérée d'un coup comme si elle venait tout juste d'apprendre la mort d'Elvis ! Elle le savait déjà, pourtant...

« Alors pourquoi son cœur cognait-il si fort ? Pourquoi me serrait-elle comme ça ? Serait-ce parce qu'elle aussi... » Il s'assit dans son lit et se passa la main dans les cheveux. « Ouf ! J'dois être g'lé en sacrament pour me faire des accroires pareils ! », lança-t-il à la pin-up du calendrier, avant d'éclater de rire !

Le lendemain matin, Stéphane se rendit compte qu'il avait oublié son sac à dos sur le balcon de Janine. « Merde ! C'est toujours comme ça quand je m'énerve. » Il devait le récupérer, car il contenait son cadenas, sa serviette et surtout le maillot de bain officiel des sauveteurs, le seul qu'il possédait. Il était déjà 10 h 15 et la piscine ouvrait à 11 h.

Sans prendre le temps de déjeuner, il dévala l'escalier, décrocha son vélo de la rampe et ouvrit la porte d'un coup de pied. Le soleil plombait dans le ciel : une autre journée de canicule s'annonçait. Il imaginait déjà la longue file à la porte de la piscine.

En filant rue Masson, il se remémora ses divagations de la veille. «Pauvre fou! Comme si une femme de son âge pouvait tripper sur un ti-cul de 17 ans!»

Mais pour lui, c'était une tout autre histoire, car plus il approchait de la rue d'Orléans, plus le rythme de ses pulsations cardiaques s'accélérait, et cela n'avait rien à voir avec sa vitesse en vélo.

Devant la porte de la petite maison blanche, il hésita. Quel genre d'accueil lui réserverait-elle? Le malaise de la veille serait-il dissipé?

Après avoir respiré profondément, il appuya sur la sonnette. Au bout d'un moment qui lui parut une éternité, il entendit le déclic du loquet. La porte s'ouvrit sur un jeune homme élancé, aux cheveux hirsutes.

— Hé *man*... marmonna Patrice.

Stéphane ne s'attendait pas à se retrouver face à face avec son ami d'enfance. Ce dernier lui fit signe d'entrer avant de se traîner les pieds jusqu'à la cuisine.

— Ta mère est là? demanda Stéphane, lui emboîtant le pas.

— Ben non, elle travaille, tu le sais bien. Hier, elle avait pris congé pour emmener pépère chez le docteur. T'es venu chercher ton sac à dos?

Ravi, Stéphane aperçut son bouquet de marguerites placé au centre de la table de la cuisine.

Patrice décrocha le sac pendu au dossier d'une chaise et le tendit à son ami.

— Comme ça, c'est toi, les fleurs, dit-il en désignant le vase de cristal.

— Ben, c'est à cause d'Elvis… répondit prudemment Stéphane, ne sachant quelle attitude adopter.

Le fils de Janine leva les yeux au ciel.

— Ouais! Pis on n'a pas fini d'en entendre parler. Y a pus rien de bon à la radio. Même CHOM nous casse les oreilles avec ses maudites tounes.

Il conclut sa phrase en se laissant tomber sur une chaise.

— J'ai pogné une de ces gastro, mon *boy*. T'arrives entre deux vomissements.

— Pis je repars tout de suite, enchaîna Stéphane en ouvrant son sac.

Sa serviette et son maillot de bain, qu'il avait fourrés au fond de son sac, avaient été lavés et pliés proprement.

— Ma mère a fait une brassée ce matin, avant de partir. Elle en a profité pour laver tes affaires.

— Tu la remercieras de ma part, lança Stéphane en gagnant le corridor.

À mi-chemin, il entendit son ami l'appeler. Patrice voulait savoir s'il sortait toujours avec Francine Bélair.

— Imagine-toi donc que samedi passé, j'ai rencontré Catherine, sa meilleure amie, annonça-t-il. Que dirais-tu si on sortait tous les quatre en fin de semaine?

— Pourquoi pas? Appelle-moi vendredi soir.

Le vent fouettant ses cheveux, Stéphane filait vers la piscine Molson. La déception se lisait sur son visage. Si seulement il avait pu voir Janine, ne serait-ce qu'une minute, le temps de constater son attitude envers lui. Si elle l'avait traité avec froideur, il aurait su tout de suite… «T'aurais su quoi, pauvre idiot!

Qu'elle s'était aperçue que tu bandais comme un éta-lon ? *Big deal !* »

La sortie de couples avec Patrice et Catherine fut la première d'une longue série. Grâce à leurs copines, les deux amis d'enfance renouèrent leurs liens d'antan. En revanche, Stéphane vit très peu Janine pendant les mois suivants : dès qu'il se présentait, elle trouvait un prétexte pour s'esquiver de la maison. Être à la fois si proche et si loin de Stéphane lui chavirait le cœur. Sans parler de la jalousie qu'elle éprouvait envers Francine, avenante et jolie comme tout, toujours pendue à son cou !

Mais le destin n'avait pas dit son dernier mot. Janine le sut le jour où Catherine, la petite amie de son fils, lui fit une demande très spéciale : ce soir-là, au sous-sol de l'église Saint-François-Solano, on allait célébrer la Saint-Valentin par un grand party rétro.

— Patrice m'a dit que vous aviez déjà donné des cours de danse. Ce serait le fun que vous nous donniez un petit cours de rock and roll, cet après-midi.

Flattée, Janine accepta volontiers, et Catherine repartit chez elle, emballée, laissant derrière elle un Patrice renfrogné : il détestait danser. Sa mère tenta de l'encourager :

— Allez, souris, Patrice ! Je suis certaine qu'en y mettant un peu du tien, tu seras aussi bon que ton père.

Peu convaincu de cet atavisme, Patrice haussa les épaules, l'air maussade.

— Ouais, ben, j'appelle Stef et Francine en renfort, OK?

Janine se sentit perdre pied. L'idée de se retrouver en présence de Stéphane et sa blonde ne l'enchantait guère, mais elle s'était engagée auprès de Catherine et il était trop tard pour se défiler.

— Pis, maman? s'impatienta Patrice la tête dans l'encadrement de la porte.

— Oui, oui. Invite tout le monde que tu voudras, répondit-elle avec un enthousiasme feint.

Elle souhaitait ardemment que son fils morde à l'hameçon: avec une trâlée de jeunes se pressant autour d'elle, elle pourrait peut-être éviter un face-à-face trop pénible...

— Non, juste Stef et Francine. Je ne tiens pas à faire un fou de moi devant toute ma gang, bougonna Patrice en refermant la porte.

Janine soupira. À quoi bon lutter contre le destin? C'était elle qui avait enseigné le rock and roll à Stéphane, il le lui avait dit en 2000, au retour du spectacle de Phil Jessen.

Stéphane accepta l'invitation de Patrice avec enthousiasme: enfin, Janine serait à la maison! Passer plus de temps en sa compagnie pourrait-il enfin lui permettre de voir clair en lui? Depuis le 16 août, il ne cessait d'entretenir des fantasmes inavouables, ce qui le plongeait dans une grande confusion. «Misère, qu'est-ce j'ai à tant capoter sur elle, elle a le même âge que ma mère...»

Mais Janine n'était pas sa mère. Il en avait déjà une, et même si elle était souvent de mauvais poil, c'était très bien comme ça. Madame Bilodeau… Janine, c'était autre chose, et il l'avait compris dès le premier regard échangé en 1971. Un regard d'une tendresse infinie qu'il n'avait jamais oublié.

Chemin faisant, Stéphane s'arrêta à la pharmacie où Francine travaillait : elle n'avait pas réussi à se faire remplacer. Le soulagement ressenti lui fit s'interroger sur ses sentiments envers elle après un an de fréquentations…

— Enfin, te v'là ! se réjouit Patrice en l'accueillant sur le pas de la porte.

Catherine surgit derrière lui.

— Francine est pas avec toi ?

— Elle a pas pu se libérer. J'suis pas surpris, son boss est loin d'être cool.

— Pas chanceux, mon *boy*, tu vas être pogné pour danser avec ma mère, ricana Patrice.

Stéphane haussa les épaules d'un air faussement indifférent avant de s'adosser au mur du vestibule pour faire sauter ses bottes.

— Ton grand-père est là ?

— Ouais ! Il est déjà installé dans son fauteuil à attendre le show, grogna le fils de Janine.

Dans la cuisine, la table avait été rangée contre le mur, les chaises avaient disparu et la berceuse du grand-père, déplacée dans un coin.

Ernest tira une bouffée de sa pipe : « Pauvre ti-fille, elle est tellement à l'envers », songea-t-il en observant Janine en train de placer un disque sur la platine.

— T'es sûre que tu veux que je reste ?

— Certaine, papa, répondit-elle en s'approchant de lui. Vous avez entendu ? Francine n'a pas pu venir, ça me rend deux fois plus nerveuse, ajouta-t-elle en baissant le ton.

— Tu l'vois ben que ç'a rien donné de bon de te pousser quand Stéphane v'nait faire son tour ? Si tu m'avais écouté, t'aurais fini par t'endurcir et aujour...

Il se tut brusquement : les jeunes entraient dans la pièce.

Stéphane se dirigea d'abord vers Ernest pour lui serrer la main. À l'aube de ses 18 ans, le jeune homme avait atteint sa taille adulte. Depuis l'été précédent, ses cheveux avaient poussé et encadraient maintenant son visage. Il portait un jean neuf et un t-shirt blanc ajusté qui moulait son torse et ses épaules carrées.

Après avoir échangé quelques mots avec le grand-père, Stéphane s'inclina vers la mère de son ami pour lui effleurer la joue d'un baiser. Fraîchement rasé, il sentait bon l'aftershave. Janine réprima un délicieux frisson.

Reprenant aussitôt contenance, elle endossa rapidement son rôle de professeur et fit placer ses élèves sur une seule ligne devant elle. D'abord, elle leur demanda de frapper dans leurs mains pour apprendre le tempo.

— Les temps sont très faciles à retenir : un, deux, trois ; un, deux, trois ; un deux.

Docilement, les jeunes claquèrent des mains en comptant à haute voix plusieurs fois.

— C'est bien, vous avez le rythme du rock and roll. Maintenant on continue à taper des mains et on ajoute les pieds : trois petits pas à gauche, trois petits pas à droite ; un pas en arrière… Patrice, c'est l'autre pied… Là, c'est ça.

Stéphane glissa un regard moqueur vers son ami, geste capté par Janine mais qui échappa à Patrice, complètement absorbé dans la chorégraphie et la litanie musicale qu'il débitait à mi-voix.

— Un, deux, trois ; un, deux, trois ; un, deux.

Un sourire malicieux apparut sur les lèvres de Stéphane qui s'inclina vers son ami.

— Tu l'as, mon Pat, c'est comme les maths.

Les yeux sur ses souliers, Patrice suspendit sa psalmodie pour maugréer :

— Ah, fous-moi la paix !

Du coin de l'œil, Janine observait son fils. Le rouge lui avait monté aux joues : il n'avait pas invité son meilleur ami pour faire rire de lui. Elle ne savait pas qu'il pouvait être susceptible à ce point.

Retenant un fou rire, elle détourna la tête. Mais se sentant observée, elle s'inventa un air courroucé et revint vers Stéphane. Vaincue par son air de gamin faussement piteux, elle retroussa les lèvres.

— Pis, m'man, la mets-tu ta musique ?

— D'accord, donne-moi une petite minute.

Shake, Rattle and Roll par Bill Haley surgit des haut-parleurs. Le petit groupe s'anima, l'exercice reprit. Cette troisième étape se poursuivit pendant quelques minutes. Puis Janine prit Catherine pour partenaire :

— C'est vous autres, les gars, qui devez mener la danse. Regardez-moi bien, dit-elle en encerclant la taille de la jeune fille.

Souriante, Catherine se prêta au jeu. Elle se débrouillait déjà très bien. Elle virevolta avec grâce lorsque Janine la fit tourner sur elle-même.

— Bon, à ton tour, Patrice, dit Janine en invitant son fils à se placer avec sa copine.

Le jeune homme remonta ses lunettes sur son nez, essuya ses mains moites sur son jean avant d'enlacer sa partenaire. Il exécuta quelques pas, les yeux rivés sur ses pieds.

Sa mère l'observait distraitement. Dans son dos, elle sentait le regard de Stéphane. Bien sûr, il s'attendait à ce qu'elle le prenne pour partenaire : le faire danser avec Catherine aurait été absurde. Elle cherchait une façon de garder ses distances.

— C'est dommage que ta blonde n'ait pas pu venir, amorça-t-elle en se tournant vers lui.

— Bah, c'est pas si grave, Francine apprend vite. Moi aussi, d'ailleurs, ajouta-t-il en tendant une main vers elle.

— Attends, je vais aller mettre un autre morceau.

Elle se dirigea vers le tourne-disque et choisit un nouveau 45 tours. Le bras de lecture tremblait entre ses doigts. Elle le posa maladroitement sur le sillon du disque et le légendaire *Rock Around the Clock* jaillit dans la cuisine.

Retenant son souffle, elle laissa Stéphane lui encercler la taille. La chimie s'installa immédiatement : ils trouvèrent leur rythme dès les premiers pas.

Dans sa berceuse, Ernest lança un sifflet admiratif.

— Ouais… Tu l'as l'affaire, mon Stéphane. T'es ben sûr que c'est la première fois que tu danses ça ?

Stéphane lui fit un signe de tête affirmatif. Il rayonnait.

L'orgueil de Patrice en prit un coup en constatant que son copain, plutôt moyen à l'école, le surclassait largement par ses talents de danseur. Non seulement se sentait-il pataud et ridicule, mais sa mère ne finissait pas d'en rajouter…

— Patrice, relaxe un peu, t'es raide comme une barre.

— C'est trop vite, c'te toune-là. J'arrive pas à me concentrer.

— C'est parce que t'arrêtes pas de regarder tes pieds, Patrice, rétorqua Catherine avec humeur. On dirait que j'suis pas là.

Janine retourna au tourne-disque et remit la chanson.

— Bon, on va la refaire. Patrice, oublie tes pieds et laisse-toi porter par le rythme de la musique.

La main de Stéphane enveloppa de nouveau la taille de Janine et leurs corps, déjà complices, se lancèrent dans une chorégraphie endiablée.

Ernest les regardait : leurs sourires en disaient gros sur le plaisir qu'ils partageaient. Par contre, son petit-fils semblait vivre un véritable calvaire : « Pauvre tit-homme… Y a vraiment les deux pieds dans la même bottine… »

— Ayoye! Maudit, Pat, fais donc attention! s'emporta soudain Catherine. Ça fait trois fois que tu m'écrases le pied!

— Bon, là, j'ai mon voyage! beugla Patrice en s'écartant brusquement. Ça marche pas! J'suis pourri! Pis faire des stepettes, j'haïs ça!

Abandonnant sa copine au milieu de la cuisine, il se précipita dans sa chambre et claqua violemment la porte.

— Voyons, qu'est-ce qui lui prend? demanda Janine.

— Froissement d'ego! répondit Catherine entre ses dents.

Janine remarqua l'aigreur de son ton.

— Bon, Catherine, c'est pas parce que mon fils fait du boudin que tu vas rater ta leçon. Place-toi avec Stéphane, tu vas voir, il a le rythme dans le sang.

Elle remit le bras de lecture sur le sillon du disque et la leçon se poursuivit jusqu'au moment où, n'y tenant plus, Catherine décida de retrouver Patrice dans sa chambre.

Ernest secoua sa pipe dans le cendrier; il commençait à avoir des fourmis dans les jambes.

— Ben, moi, j'suis dû pour ma p'tite marche autour du bloc, annonça-t-il en quittant sa berceuse.

Seule avec Stéphane, Janine, ne sachant que dire, se tourna vers la table et choisit un microsillon.

— Te sens-tu assez bon pour accélérer la cadence? On y va pour *Ready Teddy* et *Tutti Frutti*?

La voix d'Elvis rythma leurs pas. Au début, Stéphane arriva à suivre, mais il eut de plus en plus de mal à maintenir le tempo à mesure que le rythme s'accélérait. Janine se moqua gentiment de lui. À la fin de *Tutti Frutti*, tous deux se retrouvèrent, à bout de souffle, dans les bras l'un de l'autre.

— Ah, Janine, si vous veniez avec nous ce soir, vous seriez la reine de la soirée !

«Janine», le prénom avait surgi au milieu de son accès d'enthousiasme.

— Oh, pardon, madame Bilodeau…

Son embarras fit rosir ses joues, mais Janine, maintenant plus détendue, le mit à l'aise :

— Bah, ce n'est plus la mode de servir de la "madame" gros comme le bras. Tu sais, la plupart du temps, Patrice m'appelle Janine, sauf…

Elle lui fit un clin d'œil complice :

— … sauf quand il a quelque chose d'important à me demander.

Soudain, les échos d'une vive discussion parvinrent jusqu'à eux.

— Oh ! Oh ! On dirait bien que ça barde chez Patrice, ricana Stéphane.

— Petite chicane d'amoureux. Ça leur arrive souvent.

Avant de partir, le jeune homme aida Janine à ranger la cuisine. Elle le raccompagna jusqu'au vestibule.

— C'est vrai ce que je vous ai dit, tout à l'heure. Vous devriez venir avec nous ce soir.

Janine savoura cette invitation comme un compliment.

— Ce n'est plus de mon âge, tout ça. De toute façon, ce soir, mon père et moi avons prévu une soirée de cartes avec deux de ses amis.

— En tout cas, c'est encore moins de votre âge de passer un samedi soir avec des p'tits vieux !

Un sourire parut sur les lèvres de Janine.

— Pour être bien franche avec toi, Stéphane, si mon mari vivait encore ici, nous ne nous serions pas fait prier longtemps.

Le jeune homme saisit l'allusion au vol :

— Si c'est une question de partenaire, je suis là, vous savez !

Elle secoua la tête :

— Et Francine ? Elle va se retrouver seule comme un coton ? Voyons, elle a travaillé toute la journée, elle doit avoir hâte que tu ailles la chercher.

Un bruit de loquet ponctua cette réplique. Janine ouvrit la porte. Dehors, il neigeait à plein ciel.

— Allez, va te faire beau et fais-moi honneur, ajouta-t-elle en lui donnant une légère poussée dans le dos.

La porte refermée derrière lui, Stéphane remonta brusquement le col de son manteau avant de descendre les marches enneigées. Les mains dans les poches, il marchait d'un pas rapide vers la rue Masson. Il fulminait !

« Qu'est-ce qu'elle a à me traiter en p'tit garçon ? Je suis un homme, ça se voit, non ? »

Sa journée était gâchée ! Il n'avait plus du tout envie d'aller danser. « Maudit ! Si au moins elle avait accepté de venir, ce soir, elle aurait bien vu que toutes les filles me courent après ! » Il donna un coup de pied à un morceau de glace avant d'emprunter la rue Masson d'un pas rageur.

Derrière la porte, Janine avait tiré le rideau du carreau pour regarder le jeune homme s'éloigner. «Je l'ai blessé. Mais comment faire autrement?»

Comme le lui avait conseillé son père, Janine fut plus présente à la maison. Stéphane, qui avait fait l'acquisition d'une guitare d'occasion, venait tous les week-ends pour tenir compagnie à Patrice qui s'ennuyait ferme depuis sa rupture avec Catherine.

Les mois suivants s'écoulèrent, monotones, pour les deux amis. Janine eut beau insister, pas moyen de les faire sortir de la maison. Désœuvrés la plupart du temps, ils s'écrasaient devant la télévision ou s'enfermaient dans la chambre de Patrice pour écouter de la musique *heavy metal*.

— Des vrais flancs mous! J'te dis que dans mon temps, j'me s'rais fait ramasser à coups d'pied dans l'cul à traîner d'même, rageait Ernest. Janine, dis à ton fils de baisser sa musique du yable! Quand c'est pas ça, c'est l'autre qui nous casse les oreilles avec son crin-crin. J'te dis que j'ai hâte qu'y jouse comme du monde, celui-là!

— Stéphane doit bien commencer quelque part, l'excusa Janine. Rappelez-vous ce que je vous ai dit: un jour, il sera assez bon pour monter sur scène.

— J'veux ben te croire, mais pour le moment, il prend sa guitare pour une planche à laver.

Et si ce soir, on dansait le dernier slow
Comme si l'air du temps se trompait de tempo...

Sur le boulevard Saint-Joseph, Janine freina brusquement. Indifférente au concert de klaxons rageurs, elle se rangea le long du trottoir et coupa son moteur.

C'était pourtant bien,
De danser très doux,
Et de se fondre au point
D'oublier tout autour de nous...

Le dernier slow, une nouvelle ballade de Joe Dassin, venait d'émerger dans le palmarès. Janine monta le volume de la radio; cet air lui trottait dans la tête depuis des années.

« C'est notre chanson... », murmura-t-elle.

En 2000, Stéphane avait choisi cette mélodie dans son ordinateur pour lui raconter la soirée de son 18e anniversaire :

— Tu avais organisé un gros party, ici, dans la cuisine. Tous nos amis avaient été invités... Je m'étais fait tout beau. Tout beau pour toi, Janine...

Il avait candidement avoué avoir bu plusieurs bières avant de trouver le courage de l'inviter à danser.

— Tu avais 40 ans et moi 18... Et même si je n'étais pour toi qu'un ti-cul... pour moi, tu étais la femme idéale.

Cette scène aurait lieu le 15 avril, le samedi suivant. D'ici trois jours, le futur se conjuguerait au présent.

Les mains de Janine se crispèrent sur le volant: «Mon Dieu, vous m'en demandez trop!» L'idée de fuir cette soirée lui effleura l'esprit: «Non, j'ai pas le choix, le moindre changement pourrait faire dévier le cours du temps et compromettre nos retrouvailles."

Samedi matin, une circonstance providentielle lui facilita les choses:

— M'man, ça ne te tenterait pas d'aller voir un film avec ton amie Susan, après avoir reconduit pépère à sa partie de cartes? On t'attendrait pour le gâteau...

Janine n'eut pas besoin de réfléchir longtemps avant de donner son accord: son fils voulait être un peu seul avec ses amis et... elle avait besoin de prendre l'air.

Elle téléphona à Susan, qui, ravie de l'invitation, lui proposa *La Cage aux folles*, une comédie française dont on disait beaucoup de bien.

Après avoir passé l'après-midi à couper des légumes et confectionner des sandwichs, Janine conduisit son père chez l'un de ses amis où il devait passer la nuit, puis alla chercher Susan. Les deux femmes s'engouffrèrent dans un cinéma, rue Sainte-Catherine: le film avait débuté, la salle était bondée et le public riait déjà aux éclats.

À la fin de la représentation, Janine ramena Susan chez elle, mais refusa de monter prendre un café.

— Patrice est un grand garçon, arrête donc de t'en faire, la gronda son amie.

— Je ne m'en fais pas, répondit-elle, l'esprit tendu vers sa cuisine où la fête battait son plein.

— Ah ? C'est pour ça que tu n'as pas cessé de regarder ta montre pendant tout le film ? Je ne t'ai pas entendue rire une seule fois...

De retour rue d'Orléans, Janine aperçut au loin Stéphane assis seul sur une marche du perron : une bière à la main, il semblait s'ennuyer ferme. Janine lâcha un petit coup de klaxon. Le jeune homme leva un regard abattu qui s'illumina d'un seul coup. Pas de doute, il attendait son retour...

Malgré les appréhensions de Janine, la fête se déroula sans anicroche. Comme prévu, Stéphane l'invita à danser. Dès les premiers pas, il se lança dans un long monologue au sujet d'un scooter qu'il rêvait de s'acheter. Amusée, Janine l'écoutait parler mécanique. Jacasser comme une pie, c'était déjà sa façon de masquer sa nervosité.

Cette nuit-là, Janine se sentit moins esseulée dans son lit. Dans cette même chambre où elle avait vécu ses premiers émois érotiques, 19 ans auparavant, elle laissa ses mains caresser son corps alors que les deux Stéphane se confondaient dans ses pensées. Le rappel des gestes tendres et expérimentés du plus vieux l'emmena aux confins du plaisir, mais ce fut l'évocation du torride après-midi du 16 août – le contact de la poitrine du plus jeune sur ses seins, cette bosse insolente soulevant son pantalon – qui lui fit atteindre le septième ciel.

« Quel mal y a-t-il quand ça se passe en circuit fermé ? », songea-t-elle en soupirant d'aise.

216

Elle s'endormit rassurée : elle avait déraillé quelques mois plus tôt, mais désormais, elle avait les rênes bien en main.

Fin mai, Janine et Ernest décidèrent de repeindre le couloir et la cuisine, qui en avaient grand besoin. Patrice avait offert son aide et Stéphane devait se joindre à eux. Il se présenta avec une très bonne nouvelle : en juillet, son oncle Gaétan, le frère de sa mère, lui céderait sa vieille Mustang pour la modique somme de 400 dollars.

— Deux mois, ça me donne juste le temps de passer mon permis. Demain, je vais me trouver une école de conduite.

Il obtint facilement son permis temporaire. Les cours pratiques débutèrent au milieu du mois de juin. Bientôt, il put prolonger ses périodes de conduite en dehors des cours. Toutefois, comme la loi l'exigeait, il ne pouvait prendre le volant sans être accompagné d'un conducteur expérimenté. Or, sa mère ne conduisait pas et son père avait encore perdu son permis. Ernest s'offrit avec enthousiasme. À 84 ans, il prenait rarement le volant, mais il savait encore conduire !

Bon élève, Stéphane réussit son examen pratique du premier coup, mais le plus difficile restait à venir : patienter jusqu'en juillet...

Chapitre 8

Quelques jours après la Saint-Jean-Baptiste, Patrice prit l'avion pour San Francisco, un séjour de deux mois chez son père afin de parfaire ses connaissances de la langue anglaise. En septembre, le jeune homme ferait son entrée au cégep de Bois-de-Boulogne en sciences pures, ensuite, il avait décidé de poursuivre des études universitaires en médecine. Son intérêt précoce pour la grippe espagnole avait guidé son choix de carrière : la recherche.

Fervent d'histoire, Stéphane, lui, avait choisi l'enseignement. Seulement, son éventuelle carrière et ses études présentaient bien peu d'intérêt à côté de l'été extraordinaire qui s'annonçait avec sa Mustang.

Pour la saison estivale, il avait repris son emploi de sauveteur à la piscine Molson. En juillet, il eut beaucoup de temps pour s'exercer à conduire puisque sa copine Francine, découragée par sa tiédeur, l'avait plaqué pour un nouveau sauveteur. L'indifférence avec laquelle Stéphane avait pris la chose acheva de l'exaspérer : « Je ne sais pas qui c'est, mais il y a quelqu'un d'autre et ça fait longtemps!», lui avait-elle hurlé. Le jeune homme avait haussé les épaules sans répondre. «Ça paraît donc à ce point-là?»

Stéphane était certain que Patrice ne se doutait de rien, même s'il l'avait taquiné à plusieurs reprises, avant son départ pour San Francisco: «Coudon, *man*, je vais finir par croire que ma mère t'intéresse plus que moi. À moins que ce soit pépère...»

Il est vrai que les séances de conduite en compagnie du grand-père lui fournissaient une excellente excuse pour s'attarder à la maison.

Il se demandait souvent ce que Janine pensait de lui. Avait-elle enfin réalisé qu'il n'était plus un enfant? Oui, il en était certain, maintenant. Surtout depuis le party. Ce soir-là, lorsqu'il l'avait invitée à danser un slow, il avait cru déceler un petit je-ne-sais-quoi dans son regard. Depuis lors, il avait de plus en plus de difficulté à dissimuler ses sentiments.

En juillet, peu de temps avant le jour J, Janine remplaça son père (souffrant de lumbago) sur le siège du passager. Stéphane était ravi, même si la proximité de la femme dans le petit habitacle émoussait sa concentration.

À la fin de l'exercice, Stéphane ramassa son courage pour lui demander une faveur:

— Samedi, je dois aller chercher la Mustang à Saint-Bruno. Mon oncle ne reste pas à la porte et... je me demandais si vous accepteriez de venir avec moi.

— Ah? Je croyais que ton oncle te la livrerait en personne.

— Ben oui, il me l'a proposé, mais il ne pourra pas venir avant deux semaines, et moi…

— … et toi, tu n'en peux plus d'attendre, compléta-t-elle avec un sourire moqueur.

— Voilà ! répondit-il, déjà heureux en anticipant sa réponse.

Les jours suivants, Stéphane, qui ne tenait plus en place, exaspéra tout le monde avec sa Mustang. Janine se réjouissait pour lui. Elle aimait déjà l'oncle Gaétan, qui manifestait tant d'affection pour son filleul.

Le vendredi matin, Janine avait passé un temps fou dans sa penderie à choisir la tenue qu'elle allait porter : la robe soleil de l'année dernière lui semblait trop aguichante ; sa robe bleue la grossissait, quant à la rouge à petits pois blancs, elle était trop voyante. Restait sa robe blanche en broderie suisse. Certes, l'encolure élastique permettait quelques fantaisies invitantes, comme abaisser les manches pour dévoiler ses épaules, mais elle était tout aussi attrayante les manches relevées. Des sandales à talons hauts compléteraient l'ensemble.

Le lendemain, elle remonta ses cheveux et se maquilla légèrement. En apercevant son reflet dans le miroir de sa chambre, elle se trouva jolie avec ses petites lunettes rondes.

Ils devaient quitter Montréal au début de l'après-midi, mais lorsqu'elle voulut aller prendre Stéphane chez lui, elle constata avec consternation que sa vieille Chevrolet refusait de démarrer. Elle prévint Stéphane, puis appela une dépanneuse à la rescousse. Rien à faire. Malgré les efforts du mécanicien, le moteur de la voiture toussotait, puis s'éteignait à chaque fois qu'il tournait la clé du démarreur.

— Il va falloir la rentrer au garage, ma p'tite dame, annonça-t-il après avoir passé de longues minutes la tête sous le capot.

Il lui donnerait des nouvelles le lundi suivant et non, malheureusement, il n'avait aucune voiture de courtoisie à offrir.

Janine était navrée. Stéphane se faisait une telle joie de cette journée et maintenant, elle allait le décevoir. Puis une idée lui vint. Elle composa le numéro d'une flotte de taxis.

— Vous me chargeriez combien pour m'emmener à Saint-Bruno ?

Le taxi roulait sur le boulevard Pie-IX. Sur la banquette arrière, Stéphane n'en finissait plus de remercier sa bienfaitrice.

— Je vous en serai reconnaissant jusqu'à la fin de mes jours, mais ça n'a pas d'allure de faire une aussi grosse dépense !

Janine ne répondit pas. Stéphane l'observait : un sourire énigmatique aux lèvres, elle avait l'air ailleurs. À quoi pouvait-elle penser ?

Il aurait été bien étonné d'apprendre que la réflexion de Janine la projetait 22 ans plus tard. Son sourire reflétait la douce évocation de la jolie robe rose et du déshabillé qu'il lui avait généreusement offerts lors de leur promenade, rue Masson.

—Stéphane, lui avait-elle dit, je suis tellement mal… Comment vais-je faire pour vous rembourser tout cet argent?

Elle fut rapidement ramenée au présent: le jeune Stéphane s'était penché vers elle.

—Je vais vous rembourser à ma prochaine paye.

—Garde tes sous pour tes plaques et les assurances, répondit-elle en lui tapotant affectueusement l'épaule. Tu mérites bien qu'on te gâte un peu.

Stéphane accepta l'offre d'un léger signe de tête. La voiture roula quelques minutes sans que ni l'un ni l'autre ne brisent le silence.

Janine jeta un regard attendri à Stéphane qui avait baissé sa vitre et, un bras appuyé sur le châssis, contemplait le paysage urbain. Les cheveux au vent, l'air heureux, il devait vivre l'un des plus beaux moments de sa vie.

Au moment où le taxi empruntait le tunnel Louis-Hippolyte-La Fontaine, Stéphane sortit son portefeuille de sa poche arrière: quatre billets de 100 dollars y étaient soigneusement rangés.

—Yahou! Dire que dans moins de deux heures, c'est moi qui vais conduire pour reprendre le pont-tunnel. Encore merci, Janine!

Ils roulaient maintenant sur l'autoroute 20.

—J'ai apporté mon Kodak, dit-il en ouvrant son sac. J'aimerais que vous me preniez en photo avec Gaétan, tous les deux devant la Mustang.

Janine prit le petit appareil des mains du jeune homme.

— Eh! Il est mignon comme tout. Il fait de bonnes photos?

— Pas mal. Depuis que ma mère me l'a donné, j'ai fait développer deux films et il me reste quelques photos à prendre pour terminer le troisième.

Le doigt sur le viseur, Janine regarda le jeune homme:

— Allez, fais-moi ton plus beau sourire... Pense à ta Mustang.

Stéphane accepta de bon gré. Elle appuya sur le déclencheur, qui émit un petit clic.

— Voilà! lui dit-elle en lui remettant l'appareil, tu auras aussi une photo "avant".

Le chauffeur se retourna vers eux:

— On arrive bientôt, vous avez l'adresse?

— La maison est dans la montagne. Continuez à rouler, je vais vous guider, dit Stéphane.

Quelques minutes plus tard, le taxi s'arrêta devant l'entrée d'une magnifique résidence en bois rond flanquée d'un garage double.

— Mon Dieu! C'est ça, la maison de ton oncle! s'exclama Janine en ouvrant son portefeuille.

— Ouais! Pas pire, hein?

Ils saluèrent le chauffeur qui fit demi-tour.

— Et il est seulement mécanicien? Ça ne fait tout de même pas des millions, ces gens-là, s'étonna Janine.

— C'est parce que je ne vous ai pas encore dit que Gaétan est aussi l'un des plus importants concession-naires automobiles de la Rive-Sud.

Entourée d'un épais boisé, la maison, un chalet suisse à deux étages, perdait malheureusement beaucoup de son chic à cause de son aménagement paysager ultra kitch. Gaétan semblait avoir une passion pour les nains de jardin : une bonne douzaine d'entre eux étaient éparpillés sur le parterre.

— Même si l'argent lui sort par les oreilles, vous allez voir qu'il est loin d'être un péteux de broue.

Sur la porte, Stéphane décolla un bout de papier :

Salut Stef,
Je ne suis pas là, mais tu es le bienvenu.

— Il n'est pas là, mais c'est pas grave, je sais où il cache la clé.

« Comment ça, il n'est pas là ? », s'énerva Janine en consultant sa montre.

Stéphane fourra le papier dans sa poche puis se dirigea vers un farfadet qu'il souleva avant de revenir vers la porte en brandissant une clé.

— Et voilà !

Ils entrèrent dans une immense pièce meublée d'une façon plutôt singulière : au centre, une table à déjeuner et deux chaises ; à gauche, un long sofa à carreaux ; à droite, une imposante cheminée en pierre des champs et un lit double couvert d'une courte-pointe aux motifs étoilés. Pas de télé, mais une énorme bibliothèque contenant une chaîne stéréo et une quantité incroyable de microsillons occupait le mur du fond. Deux grandes fenêtres sans rideaux perçaient les murs en stucco, permettant au soleil de répandre sa lumière sur l'énorme dieffenbachia trônant entre les deux châssis.

— Où est la cuisine ? demanda Janine, l'air ahuri.

— Au deuxième étage… Oui, je sais, c'est un peu bizarre. Vous allez tout comprendre quand vous allez rencontrer Gaétan : c'est tout un numéro !

« Drôle de type, en effet ! Quelle idée de faire entrer les gens dans sa chambre à coucher ! », maugréa Janine entre ses dents.

Stéphane se dirigea vers la table, comme s'il s'attendait à y trouver quelque chose.

— Fiou ! il a laissé les clés du char et les enregistrements.

Janine poussa un soupir de soulagement : ils n'avaient qu'à sortir la Mustang du garage et retourner à Montréal.

— Et un message, dit Stéphane en déposant son sac.

Il s'empara d'une feuille de calepin et lut à haute voix :

J'ai reçu un appel d'un de mes vendeurs : un problème au garage. Je ne sais pas combien de temps ça va me prendre. Attends-moi si tu peux, j'aurais une ou deux choses à t'expliquer. À 15 h 30, si je ne suis toujours pas revenu, pars avec ta belle Mustang que j'ai shiné toute belle pour toi. Je t'appellerai ce soir ou demain

Il était 14 h 15.

L'après-midi prenait une tournure inattendue, et Janine n'aimait pas ça. Une sourde appréhension s'était emparée d'elle. Il lui fallait absolument reprendre contenance.

— Et la salle de bain, c'est ici ? s'informa-t-elle en désignant une porte près de la cheminée.

— Oui, si ça vous tente de faire pipi dans le garage ! s'esclaffa Stéphane.

Il ouvrit une porte près de la bibliothèque :

— Le p'tit coin, c'est ici !

— Ah, bon. J'étais certaine que c'était un garde-robe, tenta-t-elle d'ironiser pour masquer son malaise.

Quelques minutes plus tard, elle retrouva Stéphane dans le garage, au volant d'une flamboyante Mustang rouge.

— Venez, dit-il en sortant du véhicule. Je veux que vous soyez à côté de moi quand je vais la faire démarrer.

Il ouvrit la porte du passager et l'invita à s'asseoir avec déférence :

— Prenez place, chère madame…

Janine ébaucha un sourire : il avait l'air d'un enfant au matin de Noël.

Après avoir actionné le mécanisme de la porte du garage, il contourna le bolide et s'installa à son tour. Sa clé glissa dans la serrure du démarreur et le ronronnement dont il avait tant rêvé s'éleva.

— Yaouuuu ! Quelle merveilleuse musique !

L'auto sortit lentement du garage sous un soleil radieux.

— Maudit que j'ai hâte de prendre la route ! Mais j'aimerais mieux attendre mon oncle avant… Ça ne vous dérange pas trop ? demanda-t-il en regardant Janine.

— Mais non, voyons, il va sûrement être content de te voir.

En l'observant tripoter amoureusement son tableau de bord, Janine se rassura : « Je m'en fais pour rien, un jeune de 18 ans sur le point de prendre le volant de sa première voiture ne doit avoir que ça en tête... »

De retour dans la maison, elle prit place sur le divan pendant que Stéphane, le nez dans la bibliothèque, choisissait une chanson de circonstances. Circonstances qui n'avaient plus rien à voir avec sa nouvelle voiture...

— Qu'est-ce que tu cherches ? demanda-t-elle pour meubler le silence.

— Je ne cherche plus, j'ai trouvé, lança-t-il en agitant un album aux motifs psychédéliques. Gaétan est fou de Santana, il l'a vu en concert je ne sais plus combien de fois. Ça, c'est son disque préféré.

Il alluma l'amplificateur, plaça le vinyle sur le tourne-disque et déposa l'aiguille sur un sillon. Aussitôt, la vibrante guitare de Carlos Santana emplit la pièce.

— *Black Magic Woman*, annonça Stéphane.

— Oui, je connais. Patrice fait toujours jouer ça à tue-tête dans sa chambre.

— Vous trouvez que c'est trop fort ?

— Un p'tit peu. On ne pourra pas se parler.

Le jeune homme ajusta le son puis sortit son appareil-photo de son sac : Janine était si belle dans cette robe blanche, il voulait absolument l'immortaliser.

— Ne bougez surtout pas, dit-il en l'observant à travers l'objectif.

Janine amorça un geste pour se lever.

— Non, s'il te plaît, je déteste me faire prendre en photo.

Stéphane baissa son appareil.

— Allez, faites-moi plaisir. Il me faut votre photo, si je veux avoir le souvenir complet de cette journée.

— Bon, d'accord, mais juste une.

Elle reprit sa position.

— Ah, non, vous n'êtes plus placée pareil.

Janine essaya de s'asseoir autrement en prenant soin de tirer le bas de sa robe sur ses genoux, mais Stéphane n'était pas encore satisfait.

— Attendez, dit-il en déposant son appareil.

Il s'approcha, s'inclina vers elle et posa ses mains sur ses épaules pour la faire pivoter légèrement. Janine sentit un frisson la parcourir.

— Non, ça ne va pas du tout, constata-t-il en reculant. Vous seriez peut-être mieux debout.

Il revint vers elle et saisit sa main pour l'inciter à se lever. Janine obéit en soupirant.

Elle alla se mettre devant la fenêtre et s'efforça de prendre une pause décontractée.

— Ça marche pas, vous êtes à contre-jour, fit Stéphane, l'œil collé à son viseur.

Il regarda autour de lui pour repérer un meilleur endroit.

— On va essayer devant la plante.

— Bon, d'accord, soupira-t-elle encore en levant les yeux au ciel.

Dos à la plante, Janine, plus crispée que jamais, avait hâte qu'il en finisse.

— Voyons, relaxez, vous êtes raide comme un piquet... Ah, là, c'est mieux!

Il la contempla un moment, puis suggéra:

— Vos cheveux, pourquoi ne pas les laisser tomber sur vos épaules ? Ça vous va si bien, les cheveux longs.

— Tu trouves ? souffla Janine.

Après un moment d'hésitation, elle retira quelques épingles à cheveux et sa longue chevelure libérée s'épanouit sur ses épaules.

Troublé, Stéphane lui jeta un regard admiratif. « Elle est magnifique ! Qu'est-ce que je donnerais pour la prendre dans mes bras… »

Sans un mot, il s'approcha et glissa une main sous une mèche de cheveux pour la ramener vers l'avant. Ce geste anodin devint presque impudique tant la tension régnait entre eux. Il détourna subitement le regard, de peur qu'elle y décèle la soif brûlante qu'il avait d'elle.

— Ça y est, c'est ça, dit-il en reculant. Maintenant, *cheeeese…*

Janine avala péniblement sa salive, puis fit son plus beau sourire.

— Là, vous êtes parfaite !

L'appareil tremblait dans les mains du jeune homme : « Allons, calme-toi, mon vieux, elle a dit juste une photo, il ne faut surtout pas la rater… »

Il se redressa un peu et appuya enfin sur le déclencheur. Dans les haut-parleurs, Carlos Santana entamait les premières mesures de *Samba Pa Ti*.

— Ça y est ? T'es satisfait maintenant ? bougonna Janine en retournant s'asseoir sur le sofa.

Stéphane hocha la tête. Il déposa son appareil-photo sur la table et consulta de nouveau sa montre : 15 h 30. Gaétan allait arriver sous peu. En passant devant l'amplificateur, il monta légèrement le volume : l'envoûtant solo de guitare lui électrisait les sens. En ce moment, il aurait tout donné – même sa Mustang – pour danser avec Janine. Il commençait aussi à se demander s'il avait vraiment envie de voir son oncle arriver.

— J'ai reçu des nouvelles de Patrice, dit Janine.

— Pardon ? Qu'est-ce que vous avez dit ?

Janine répéta sa phrase en haussant le ton. Saisissant l'allusion, le jeune homme baissa le volume et vint s'asseoir près d'elle.

— Qu'est-ce qu'il avait à dire, le beau Patrice ? Je gage que l'anglais commence à lui sortir par les oreilles !

Janine eut un petit rire nerveux.

— C'est tout le contraire, il prend ça très au sérieux : le jour, il assiste à un cours de conversation anglaise et le soir, il travaille dans un café. Vraiment, il adore ça. Il ne m'a même pas demandé de nouvelles de Marie-France.

Un mois avant son départ pour San Francisco, Patrice avait commencé à fréquenter Marie-France Guillemette, une jeune fille rencontrée à la bibliothèque municipale.

— Ça se peut que Patrice n'ait pas envie de vous en parler : vous êtes sa mère.

— Tu as sans doute raison, mais il pourrait au moins lui écrire. Hier, elle est passée à la maison pour s'informer de lui. J'étais pas mal embêtée.

Stéphane eut un imperceptible mouvement d'épaule.

— Bah, loin des yeux, loin du cœur, à ce qu'on dit.

— Quand même ! Il devrait faire attention à elle. Toi, tu n'aurais jamais oublié Francine, ajouta Janine en glissant un regard furtif vers lui.

Les joues du jeune homme s'empourprèrent, il glissa sa main sur sa nuque.

— Il y a peu de chance que ça arrive… Francine m'a planté là.

Janine ouvrit de grands yeux étonnés.

— Ah, bon ? Quand ça ?

— Ça fait deux semaines. Elle avait un autre *lifeguard* dans l'œil.

Janine réprima un sourire. Une douce euphorie venait d'éclore en elle.

— Je ne comprends pas, vous étiez ensemble depuis un bon bout, pourtant.

— Un an, on s'était rencontrés à la piscine.

— Mais pourquoi t'a-t-elle laissé tomber ? Il m'a toujours semblé qu'elle t'aimait beaucoup.

Stéphane baissa les yeux. Une boule d'émotion montait dans sa gorge. Il n'avait pas envie de mentir, pas à elle, pas aujourd'hui.

— Elle était certaine que j'en aimais une autre…

Ces mots avaient été soufflés dans un murmure. Le jeune homme garda les yeux fixés sur le plancher.

Janine saisit immédiatement le sens de cette révélation. Comment endiguer les émotions qui secouaient tout son être ? Elle devait se lever à tout prix et sortir de cette maison. Mais elle restait là, le regard perdu, refusant de voir s'enfuir le moment présent.

Le jeune homme se taisait. Son silence traduisait un aveu dont il semblait honteux. L'atmosphère s'alourdissait, Janine avait de plus en plus de mal à contenir son angoisse. Mais que faisait donc Gaétan ?

— Mon petit Stéphane… murmura-t-elle dans une piètre tentative de reprendre son rôle maternel.

Le jeune homme releva vivement la tête.

— Vous le savez bien que c'est vous que j'aime ! Pourquoi vous faites semblant de rien voir ?

Subjuguée, Janine retrouva le regard éperdu de l'autre Stéphane, celui qui l'attendait au-delà des barrières du temps.

Il saisit sa main pour la porter à ses lèvres.

— Vous tremblez ?

Janine ferma les yeux. Ses paupières tentaient en vain de retenir ses larmes. Enhardi par cette réaction inespérée, Stéphane glissa son bras autour de ses épaules et appuya son front contre celui de Janine.

— Vous… tu pleures ? Est-ce que ça veut dire… que toi aussi, tu m'aimes ?

Janine secoua la tête et ce geste se prolongea long-temps sans qu'elle puisse l'arrêter. Stéphane déposa un baiser sur son front, puis sur ses joues humides. Tout doucement, il lui retira ses lunettes et étira le bras pour les déposer sur une table basse.

— Pourquoi pleures-tu ? murmura-t-il d'une voix rauque. C'est tellement merveilleux ce qui nous arrive.

Janine inspira profondément. Il lui fallait absolu-ment retrouver ses esprits.

— Non, Stéphane, non ! Il ne faut pas… J'ai plus de deux fois ton âge !

—Je m'en fous, de ton âge ! C'est pas important, ton âge ! L'important, c'est que je t'aime. Je t'aime comme un fou. J'en peux plus de me retenir !

C'est comme s'il lui enlevait les mots de la bouche ! Le cœur de Janine se serra :

—Mais je pourrais être ta mère… D'ailleurs, tu m'as déjà dit que j'étais la mère que tu as toujours voulu avoir, reprit-elle en tentant de se dégager.

Stéphane resserra son étreinte. Il la sentait affolée, prête à fuir.

—J'étais petit quand je t'ai dit ça. Arrête de me traiter comme si j'avais encore 10 ans ! Tu n'es pas ma mère, tu es la femme que j'aime. Tu comprends ?

Sa voix était ferme, dure même, pourtant ses yeux exprimaient une passion folle. N'arrivant pas à se détacher de ce regard qui lui hurlait son amour, Janine se sentit fondre sous son emprise. Lorsque les lèvres de Stéphane effleurèrent les siennes, elle s'abandonna enfin. La langue du jeune homme glissa timidement dans sa bouche. Bientôt, le baiser devint brûlant, torride. Les mains de Stéphane glissèrent sur ses épaules pour abaisser les manches de sa robe. Ses lèvres coururent le long de son cou.

—Oh, Janine ! Ta peau, ton parfum, j'en ai tellement rêvé…

Les yeux fermés, Janine laissa échapper un soupir de volupté. Il y avait si longtemps, tellement longtemps…

—Embrasse-moi, embrasse-moi encore, murmura-t-elle dans un souffle.

Les lèvres du jeune homme retournèrent vers sa bouche et Janine s'enivra de la saveur de l'homme de ses souvenirs.

Soudain, un vrombissement surgit. Janine et Stéphane se redressèrent d'un bond. Un claquement de portière. Stéphane se leva précipitamment. À la fenêtre, il vit son oncle s'approcher de la maison.

— C'est Gaétan !

Aussitôt, Janine remonta les manches de sa robe, s'élança vers la salle de bain et claqua la porte derrière elle. Dos au mur, elle couvrit son visage de ses mains. Des exclamations lui parvinrent : l'oncle de Stéphane venait d'entrer. Elle colla l'oreille à la porte, et une voix tonitruante retentit :

— J'pensais pas que tu s'rais encore là ! J'suis tellement content de te voir !

Elle entendit Stéphane bredouiller quelque chose, des remerciements sans doute. Puis de nouveau la voix de Gaétan s'éleva :

— Tu ne m'avais pas dit que tu viendrais avec la mère de Patrice ? Où est son char ? J'aurais voulu la rencontrer, moi.

— Elle est aux toilettes.

Stéphane lui parla de l'auto de Janine, tombée en panne au dernier moment. Il précisa :

— Nous sommes venus en taxi. Madame Bilodeau ne voulait pas que j'attende plus longtemps.

Les jambes flageolantes, Janine étouffa un sanglot dans ses mains. *Madame Bilodeau… La mère de Patrice…* Voilà ce qu'elle était ! Comment avait-elle pu l'oublier ? Elle se laissa glisser jusqu'au sol et sanglota en silence.

Dans l'autre pièce, la conversation se poursuivait :
— Ben, si t'as si hâte que ça, on va sortir la voir…
Une porte claqua.

Assise par terre, Janine essayait de retrouver son sang-froid. L'oncle de Stéphane ne devait surtout pas la voir dans cet état. S'appuyant au bord de la baignoire, elle se remit debout et aperçut son reflet dans le miroir de la pharmacie : les cheveux en bataille, de longues traînées de rimmel sur les joues : un vrai désastre ! Son visage barbouillé lui semblait l'image même de la déchéance. La honte lui pétrissait le ventre.

Elle ouvrit le robinet, remplit d'eau froide ses mains en coupe et y plongea son visage. La fraîcheur de l'eau l'apaisa un peu. Elle se savonna la figure, se sécha puis se regarda encore dans la glace : «J'ai l'air d'une déterrée», soupira-t-elle. En retournant dans la pièce centrale, elle aperçut Stéphane et son oncle en train de bavarder devant le capot relevé de la Mustang. Rapidement, elle récupéra ses lunettes, ses épingles à cheveux et son sac à main.

Quelques minutes plus tard, les cheveux remontés et fraîchement maquillée, elle trouva le courage d'aller à la rencontre de Gaétan. Elle rouvrit la porte des toilettes et elle vit Stéphane s'approcher ; elle ne l'avait pas entendu entrer dans la maison. Voyant qu'il était seul, elle retourna en vitesse dans la salle de bain et fit mine de retoucher sa coiffure.

Stéphane alla la rejoindre. Visiblement, il était inquiet. Il lui demanda si elle allait bien. Dans le miroir de la pharmacie, il vit le visage de Janine s'assombrir.

— Non, Stéphane ! Sors d'ici. Ton oncle…

La dureté du ton surprit le jeune homme qui, sans répliquer, retourna dehors.

Janine le rejoignit deux minutes plus tard, salua Gaétan (un homme dans la cinquantaine avancée à la figure joufflue de bon vivant, habillé un tantinet trop jeune pour son âge) et rappela à Stéphane qu'elle avait une importante photo à prendre.

Le jeune homme bondit dans la maison et rapporta son appareil. Les deux hommes se placèrent devant la Mustang et Janine appuya sur le bouton.

L'oncle invita ensuite Janine à prendre place à son tour aux côtés de Stéphane:

— Allez, ça vous fera un beau souvenir à vous aussi, insista-t-il devant les hésitations de celle-ci.

« Gaétan, t'es super cool, je t'embrasserais ! », se réjouit intérieurement Stéphane, en tendant un bras vers celle qu'il aimait.

Réprimant un douloureux soupir, Janine remit l'appareil à Gaétan et s'approcha de Stéphane, tout en maintenant une certaine distance entre eux.

L'œil rivé au viseur, le cinquantenaire contempla l'amie de son filleul. « Hum, elle, je lui ferais pas mal, mais crisse qu'elle a l'air bête. » Il recula d'un pas afin de bien cadrer le plan.

— J'vois mal le char. Tassez-vous un peu sur le côté... Aaaah ! Ça, c'est bon. Collez-vous un peu... Plus que ça, voyons !

L'occasion était trop belle. Stéphane se rapprocha de Janine. L'envie de la toucher poussa son audace jusqu'à lui enlacer la taille. La sentant se raidir, il s'inclina vers elle :

— Allons, relaxe, tu sais bien que mon oncle ne se doute de rien.

Résignée, Janine s'efforça de se détendre : ses épaules se relâchèrent et un sourire crispé parut sur ses lèvres.

La photo enfin prise, elle se retourna aussitôt et ouvrit la portière du passager.

— Bon, Stéphane, on doit y aller ! Dis vite au revoir à ton oncle.

D'abord vexé de se voir encore relégué au rang de petit garçon, Stéphane se rassura très vite : bien entendu, elle devait faire mine de rien devant Gaétan…

Il s'assit derrière le volant. Son oncle lui fit ses dernières recommandations et salua Janine. La voiture démarra et prit la route lentement.

— Elle roule comme une neuve, jubila Stéphane glissant un regard vers sa passagère.

— Tu te sens prêt à conduire jusqu'à Montréal ? demanda-t-elle.

Sa voix était terne, comme si quelque chose s'était brisé en elle.

— Oui, et j'ai le goût d'avoir le pied pesant, alors tu fais mieux de me surveiller.

« Maudit épais, arrête de dire des niaiseries ! », se reprocha-t-il aussitôt.

Ils roulèrent de longues minutes en silence. Puis Stéphane jeta un regard oblique à sa passagère, émit un commentaire peu élogieux à l'adresse d'un autre conducteur, risqua une blague… Rien à faire, Janine ne réagissait pas.

La traversée du pont-tunnel fut lugubre, la montée vers le nord de la ville, carrément mortelle. Puis tout à coup, rue Masson, Janine parla enfin :

— Je regrette d'avoir gâché ton retour à Montréal. Tu devais en rêver. C'est plate.

Stéphane sursauta. Heureusement, sa voiture était arrêtée à un feu rouge.

— Là, tu te trompes, c'est de toi que je rêvais, affirma-t-il en la regardant.

Mais les yeux de Janine étaient ailleurs, elle semblait perdue dans un monde à des années-lumière du sien.

— Janine…

Elle le dévisagea soudain d'un regard suppliant.

— S'il te plaît… Je ne veux pas en parler… Ramène-moi à la maison, je suis fatiguée.

Les mains de Stéphane broyèrent son volant. Pourquoi cette froideur ? Que fallait-il dire pour ramener la tendresse dans ses yeux ?

Le feu devint vert. Un bref coup de klaxon retentit derrière la Mustang. La mort dans l'âme, le jeune homme appuya sur l'accélérateur.

Il n'y avait aucune place pour se garer près de la porte de la maison, alors Stéphane s'arrêta en double file.

— Lundi, j'irai faire développer les photos et dans quelques jours, je vous apporterai les vôtres, dit-il, retrouvant subitement le vouvoiement.

Elle afficha un pauvre sourire.

— Si tu veux.

Ce flagrant manque d'enthousiasme désespéra Stéphane qui ne put se résoudre à la voir entrer chez elle sans mot dire.

— Et puis… nous reparlerons de tout ça, OK?

Janine le considéra longuement avant de répondre :

— Si tu veux, mais ce soir, je ne peux pas. Tu comprends? Je ne peux pas!

Stéphane ne savait plus que penser…

Le jeudi suivant, Stéphane sortit de chez Direct Film avec une épaisse enveloppe : il avait commandé un double de ses photos. Dans sa voiture, un sourire illumina son visage : les photos de Janine étaient réussies!

«Mon amour… Je t'aime tant…», murmura-t-il en caressant du pouce l'image glacée de Janine prise devant le dieffenbachia.

Depuis le samedi précédent, il ne cessait de revivre le moment merveilleux où elle s'était abandonnée dans ses bras. Elle, Janine Bilodeau, la mère de son meilleur ami…

Il n'en revenait pas encore… Même lorsqu'elle s'était agrippée à lui, le jour où il lui avait apporté les marguerites, il avait cru qu'elle pleurait la mort d'Elvis. Ses absences répétées pendant les mois suivants s'expliquaient, maintenant : elle était tombée amoureuse de lui et ce sentiment l'effrayait. Samedi, chez son oncle, les masques étaient tombés…

« Maudit, Gaétan, pourquoi t'es revenu ? Ça l'a mise tout à l'envers… Devant toi, c'était normal qu'elle agisse de cette façon, mais après… »

À quel jeu jouait-elle ? Et pourquoi avait-elle refusé d'en reparler ?

« Si je n'avais pas été aussi lâche, elle ne se serait peut-être pas refermée. J'aurais dû lui proposer de nous arrêter à Saint-Bruno : nous étions bouleversés tous les deux, un bon café nous aurait fait du bien… », se répéta-t-il pour la centième fois.

Ce manque de courage lui avait valu six jours de torture avant de tenir enfin un prétexte pour la revoir.

Il était 17 h 30, elle devait être rentrée du travail, maintenant…

Il préleva trois autres photos de l'enveloppe, dont le double de Janine devant la plante, qui trouva sa place dans la poche de sa chemise, tout contre son cœur.

Le grand-père l'accueillit avec empressement, puis l'informa que sa fille avait fait un détour à l'épicerie après son travail.

— Attends-la, elle devrait arriver dans pas long.

Il sortit sur le balcon.

— T'es venu avec ton char ?

— Ben oui, pépère, lui répondit affectueusement Stéphane. Vous voulez le voir ?

Ernest descendit sur le trottoir pour contempler la Mustang. Il émit quelques sifflements admiratifs, puis il accepta de s'installer au volant.

— Vous pourrez la conduire quand vous voudrez, je vous dois bien ça !

Les yeux du grand-père s'agrandirent :

— Ouais… T'es pas mal fin… J'dis pas non, mais pas le soir, c'est pas facile pour mes yeux.

Ils avaient tous les deux la tête sous le capot lorsque l'auto de Janine vint se garer devant eux. À la vue de Stéphane, le cœur de la jeune femme chavira : le moment était venu…

Elle le salua d'un signe de tête puis elle ouvrit le coffre de sa voiture pour prendre un sac d'épicerie.

Stéphane s'élança.

— C'est trop lourd pour vous, donnez-moi ça.

Il attrapa un autre sac dans le coffre et se dirigea vers la maison d'un pas alerte.

— Ça y est ? Tu vas lui parler ? demanda Ernest à sa fille.

Janine hocha la tête, puis s'empara du dernier sac brun et ferma le coffre.

Le soir, après la virée à Saint-Bruno, Ernest, s'inquiétant de la mauvaise mine de sa fille, l'avait pressée de questions. À bout de nerfs, elle lui avait tout avoué. Elle se jugeait seule responsable de cette terrible situation : le sachant épris d'elle, Janine prétendait avoir abusé de ses sentiments.

Mais Ernest avait le cœur aussi grand que sa maison :

— C'est pas juste un p'tit jeune de 18 ans. C'est l'homme que t'aimes… Ton homme, Janine. Qu'est-ce que t'attends de moi au juste ? Que j'te chicane ? De quel droit, veux-tu ben m'dire ? C'est arrivé, un point c'est tout. Ça sert à rien de te taper sur la tête.

Quand Janine lui avait fait part de sa décision d'éloigner Stéphane, il avait acquiescé en silence : elle n'avait pas le choix.

— J'reste dehors, lui dit-il. Ferme la porte et prends tout ton temps.

Il la regarda entrer en soupirant. Puis il s'assit sur une marche, sortit sa pipe et sa blague à tabac de sa poche : « Pauvre ti-gars, ça va être dur… »

Stéphane avait déposé les sacs d'épicerie sur la table avant de tirer quatre photographies de son enveloppe.

— J'ai les photos, lui dit-il lorsqu'elle vint le rejoindre dans la cuisine. La vôtre est la plus réussie. J'ai un double pour vous.

Janine ignora la main du jeune homme tendant les photos vers elle.

— Laisse-moi ranger ma commande avant, j'ai acheté des choses qu'il faut absolument que je mette au frigo.

Pendant qu'elle s'activait, Stéphane se lança dans un récit étourdissant de ses premiers jours au volant de sa nouvelle voiture : l'impression qu'elle faisait sur ses amis, ses parents et ses sœurs. Pourtant, son enthousiasme ne put endiguer ses terribles appréhensions lorsqu'il la vit aller et venir dans la cuisine, indifférente à ce qu'il racontait.

Son rangement terminé, Janine se posta devant la porte arrière. Le pommier de Laurent lui arracha un douloureux soupir. Depuis 1957, l'arbre avait doublé de hauteur, il restait 22 ans avant qu'il atteigne sa taille adulte. Vingt-deux ans d'attente avant de retrouver l'homme qu'elle aimait…

«Laurent… j'étais pourtant certaine de tenir le coup. Je n'aurais jamais cru que ce serait si difficile…»

Maintenant, il lui fallait couper tout lien avec le jeune Stéphane. Attendre davantage risquerait d'aggraver la situation. Elle ouvrit la porte:

— Viens, il fait bon dehors.

La ruelle était déserte. Les voisins, en vacances, avaient quitté Montréal. Personne n'entendrait ce qu'elle avait à dire.

Elle s'assit sur une marche du perron et Stéphane prit place à côté d'elle. Le cœur palpitant d'amour, il lui remit la photo qu'elle avait prise de lui dans le taxi.

— Regardez si j'ai l'air fou comme ça, les cheveux dans les airs. On aurait dû monter la vitre avant. Et voilà celle de Gaétan et moi.

Janine saisit la photo. Les deux hommes affichaient un large sourire et la Mustang était mise en valeur par un cadrage impeccable.

— Ça va te faire un beau souvenir, murmura-t-elle.

— J'en ai aussi une pour Gaétan, il va être content.

Il lui remit ensuite la photo que son parrain avait prise d'eux, devant la Mustang, et enfin, la plus précieuse:

— Vous êtes tellement belle, là-dessus, avec vos cheveux sur les épaules: vous avez l'air d'une jeune fille.

Janine saisit la photo. Sa main tremblait. Stéphane s'en aperçut, et il y puisa un peu d'espoir.

— Tu l'as vraiment bien réussie, le félicita-t-elle en lui remettant les quatre photos.

— Non, gardez-les, je les ai fait tirer pour vous.

— Bon, si tu veux, répondit-elle d'un ton morne, en les déposant sur la marche.

Stéphane se tut. Il n'avait plus rien à lui montrer, mais tellement à lui dire. Depuis samedi, il n'arrêtait pas de lui parler en pensée. C'était facile, tout seul, dans sa chambre, de s'imaginer qu'elle retombait dans ses bras. Or, maintenant, il réalisait qu'il s'était leurré sur toute la ligne.

Janine retint sa respiration. Au bout du silence qui s'alourdissait, des mots porteurs de souffrance allaient être prononcés. Des mots incisifs, assassins, travestis pour éloigner l'homme qu'elle aimait par-dessus tout...

— Janine, l'autre jour, nous deux... souffla Stéphane, incapable de supporter davantage ce silence qui n'en finissait plus.

Elle baissa les yeux, sachant très bien que sa réplique balaierait les illusions du jeune homme. Ce qui s'était passé à Saint-Bruno n'avait pas sa raison d'être. Certes, Stéphane avait un gros béguin pour elle, mais si elle n'avait pas craqué, la situation n'aurait pas dégénéré à ce point. Cet amour arrivait trop tôt, et si elle s'y abandonnait, le cours du temps changerait et elle risquerait de tout perdre. À cette pensée, un vide angoissant se creusa au fond d'elle.

« Mon amour, si tu savais comment je me déteste en ce moment... »

Réprimant un soupir, elle se forgea un regard impassible, puis releva lentement la tête.

— Il n'y a pas de "nous deux", Stéphane. C'était une erreur de ma part...

Soufflé, le jeune homme ne pouvait pas en croire ses oreilles : elle avait pourtant répondu à ses baisers...

— Une erreur ? Mais nous nous sommes embrassés comme des fous, tu tremblais dans mes bras... D'ailleurs, tu trembles encore. C'est pas un signe, ça ? dit-il en s'emparant de sa main.

Elle leva des yeux navrés vers lui :

— Oui, je tremble, mais ce n'est pas pour ce que tu crois. Je m'en veux parce que je vais te faire de la peine...

Elle quitta sa place subitement pour faire quelques pas dans la cour. Elle devait s'éloigner de lui, de son corps qui l'attirait comme un aimant.

— Mais qu'est-ce que je suis pour toi ? demanda Stéphane en bondissant de la marche.

— Je t'aime beaucoup, Stéphane, affirma-t-elle en se retournant vers lui. Tu as été formidable avec Patrice quand il était petit. Tu lui as présenté tes amis, tu lui as permis de sortir de sa coquille, tu as été un frère pour lui. Je te serai toujours reconnaissante pour ça. Le reste... il vaut mieux que tu l'oublies.

Cette enfilade de remerciements fit l'effet d'une douche froide à Stéphane qui se sentit insignifiant, tout à coup.

— Mais je t'aime, moi !

La voyant se détourner, il s'emporta :

— Veux-tu que je te dise ce que j'pense ? Tu m'aimes, toi aussi, mais t'as la chienne : t'as peur de la réaction de Patrice et de ton père !

— C'est pas ça, Stéphane... soupira Janine. L'été dernier, quand tu t'es présenté avec ton bouquet de marguerites, j'étais toute croche, j'aimais tellement Elvis, j'avais l'impression de perdre mon meilleur ami… Puis tout à coup, voilà que tu apparais dans ma cuisine avec tes fleurs et ton beau sourire… Je n'aurais pas dû me laisser aller contre toi…

Stéphane secoua la tête.

— Pourquoi tu dis ça? Pourquoi ne me parles-tu pas de samedi passé? C'est samedi l'important!

Déchirée, Janine lâcha un nouveau soupir.

— Stéphane, je suis tellement mal à l'aise… Depuis un bout de temps, je sentais bien que je te plaisais, j'en étais même flattée, mais samedi, j'ai commis une grave erreur de jugement.

Au comble de l'exaspération, le jeune homme lui saisit les épaules.

— Quoi? T'es en train de me dire que tu ne m'aimes pas?

Ses doigts avaient blanchi tant ils s'agrippaient aux épaules de Janine, mais elle ne sentait rien. Il fallait qu'elle aille jusqu'au bout.

— Je t'en prie, laisse-moi terminer. C'est déjà assez difficile comme ça.

Les mains de Stéphane se détendirent quelque peu, mais il refusait de la laisser s'éloigner.

— Il y a un homme dans ma vie, un homme qui travaille avec moi… On s'est disputés vendredi dernier. J'étais très en colère contre lui.

Le jeune homme tomba des nues. Le regard plongé dans le sien, Janine restait imperturbable. Stéphane ne pouvait y croire.

— Ça s'peut pas! Il n'y a pas d'autre homme, Patrice me l'aurait dit!

— Patrice n'est pas au courant, mais mon père, si. Demande-le-lui, si tu veux… Stéphane… j'ai préféré ne rien dire à Patrice parce que cet homme est marié. Je suis sa maîtresse depuis deux ans. C'est un homme de 40 ans, un homme de mon âge, tu comprends?

— Non, c'est pas vrai! hurla-t-il. Tu me racontes des histoires pour m'éloigner de toi. Tu m'aimes et ça te fait mourir de peur.

Des larmes coulaient sur ses joues empourprées. Le cœur chaviré, Janine poursuivit:

— Tu te trompes, Stéphane. Samedi, j'avais le cœur à l'envers à cause de lui: la veille il m'avait dit que sa femme se doutait de quelque chose et que tout était fini entre nous… Le lendemain, quand tu m'as prise dans tes bras, je me suis sentie belle et désirable… Comprends-moi, j'étais vulnérable… J'avais besoin d'être consolée.

Stéphane desserra son étreinte, ses bras retombèrent lourdement. Anéanti, il pleurait comme un petit garçon injustement puni.

— Je m'en veux tellement de te faire du mal, Stéphane. Pardonne-moi.

D'un geste brusque, le jeune homme essuya ses larmes. Il se haïssait de se donner ainsi en spectacle. Il n'ajouta rien, mais son regard chargé de mépris disait tout.

— Tu verras, tu m'oublieras vite. Je ne te donne pas un mois pour te faire une blonde de ton âge. Surtout avec ta belle Mustang…

Stéphane serra les poings. Cette façon de se débarrasser de lui du revers de la main, c'était le comble !

— Ah ! Va chier ! rugit-il.

Il s'élança hors de la cour et s'enfuit par la ruelle. Rue Masson, il accéléra sa course, sans reprendre son souffle. Au coin de la 9ᵉ Avenue, il gravit péniblement l'escalier de chez lui, entra dans sa chambre en coup de vent et claqua la porte si violemment qu'un cadre du corridor tomba par terre. En entendant son père vociférer, il mit le crochet à sa porte : il ne voulait voir personne !

Assis sur son lit, il sortit la photo de Janine de sa poche et la déchira en quatre. Mais tout de suite après cet excès de rage, de gros sanglots le secouèrent. Il songeait à tout ce qu'elle avait fait pour lui lorsqu'il était enfant ; à toutes les fois où elle l'avait laissé patiemment déblatérer contre sa famille sans le juger ; à toutes les fois où elle l'avait consolé en le serrant dans ses bras. Non, cette femme ne pouvait pas être une garce…

« Elle ment ! Je suis sûr qu'elle ment. Elle m'aime, j'en suis certain, mais elle préfère se faire passer pour une salope pour que je m'éloigne d'elle : la réaction des autres lui fait trop peur. »

Il essuya ses yeux avec un bout de drap puis alla chercher son rouleau de ruban adhésif dans sa commode. Installé à sa table de travail, il replaça minutieusement les morceaux de la photo avant de les recoller. Puis il s'allongea sur son lit et se recroquevilla en pressant la photo sur son cœur.

La gorge nouée par l'émotion, Janine retourna dans la maison et s'effondra sur une chaise. Elle ferma les yeux. Son esprit était hanté par le regard méprisant de Stéphane. La haine est si proche de l'amour, disait-on. Elle n'avait plus de larmes, elle en avait tant versées depuis samedi… Une énorme fatigue s'était emparée de son corps. Si, au moins, elle pouvait, telle la Belle au bois dormant, se piquer à l'aiguille d'un rouet pour s'assoupir pendant 22 ans… Comment allait-elle supporter toutes ces années à se demander s'il lui avait pardonné?

Soudain, un espoir jaillit: son journal! Tout n'était peut-être pas perdu…

Elle entra dans sa chambre, alla dans sa penderie et s'empara de la boîte à chapeau. Déjà, plus des trois quarts des pages du livre de cuir rouge avaient été noircies pour Stéphane. En s'installant pour écrire, elle se rappela son père en train de l'attendre sur le balcon.

Ernest se leva d'un bond.

— Alors, c'est fait?

— Oui, il est parti.

— Sans son char? fit le vieux, étonné.

En apercevant la Mustang encore garée devant la porte, Janine fronça les sourcils.

— Il est passé par la ruelle. De toute façon, dans l'état où il était, je l'aurais empêché de conduire.

Ernest la suivit dans la maison.

— Il va ben revenir la chercher à un moment donné. S'il sonne ici, qu'est-ce que tu vas faire?

— Je vais vous laisser répondre tant que l'auto sera stationnée devant la porte : il ne faut plus qu'il me voie. C'est mieux ainsi.

— Comment ça s'est passé ? As-tu été obligée de…

— Oui, je lui ai raconté que j'aimais quelqu'un d'autre. J'ai lui ai même dit que vous étiez au courant.

Ernest se gratta la tête en grimaçant.

— Ouais, j'aime pas ben ben ça, ces manigances-là.

— Que vouliez-vous que je fasse, papa ? Je ne pouvais tout de même pas lui parler du voyage dans le temps, il m'aurait prise pour une folle.

— Ben là, c'est pas mieux, il te prend pour une vache. Si ç'a du bon sens !

— Il faut qu'il m'oublie, et moi aussi, je dois arrêter de penser à lui. Sinon, je n'aurai plus de vie.

Elle entra dans la chambre sans rien ajouter. Assise à sa coiffeuse, elle écrivit quelques lignes dans son journal en pesant chacun de ses mots.

Dans la cuisine, Ernest se tracassait pour sa fille : il n'aimait pas du tout sa façon de réagir, comme si tout ça ne l'atteignait pas. Il craignait un contrecoup et il l'appréhendait avec anxiété.

Le lendemain matin, lorsque Janine sortit pour se rendre au travail, la Mustang était toujours garée devant la porte. À son retour, elle était encore là.

Pendant le souper, on sonna à la porte. Janine tressaillit. Son père se leva sans hésiter. Toute la journée, il avait jeté des coups d'œil dehors, espérant voir Stéphane avant le retour de sa fille. Il aurait voulu passer un peu de temps avec lui pour le réconforter.

Devant la porte, Stéphane retenait sa respiration. Toute la journée, il s'était répété les mots qu'il allait prononcer pour faire comprendre à Janine qu'il n'était pas dupe de son stratagème.

Ernest remarqua son air inquiet et ses yeux cernés : la nuit avait dû être difficile…

— Est-ce que madame Bilodeau est là ?

L'octogénaire sortit sur le balcon et referma la porte derrière lui.

— Oui, elle est en train de souper, mais… elle préfère ne pas te voir.

Le visage de Stéphane s'allongea.

— Mais il faut absolument que je lui parle. S'il vous plaît, pépère, laissez-moi entrer.

Ernest lui mit affectueusement une main sur l'épaule.

— Stéphane, il ne faut pas que tu m'en veuilles de faire ce que Janine m'a demandé. T'es venu chercher ton char ?

Le jeune homme lui répondit d'un hochement de tête.

— Tu m'emmènes faire un p'tit tour ? demanda-t-il avec un clin d'œil complice.

— Si vous voulez, murmura Stéphane, même s'il ne saisissait pas le sens de cette œillade.

Déjà, Ernest était sur le trottoir, prêt à monter dans la voiture. Il ne préviendrait pas sa fille. Au retour, il lui dirait que Stéphane avait insisté pour l'emmener faire une promenade ; ils n'auraient parlé que de mécanique et de hockey.

— Ça vous tente de chauffer ? s'enquit Stéphane en descendant les marches du perron.

— Non, vas-y. Montre-moi les progrès que t'as faits depuis la dernière fois.

Ils prirent place dans les sièges baquets. Stéphane démarra ; la voiture roula rue d'Orléans jusqu'au boulevard Saint-Joseph, puis tourna vers l'ouest.

— Mon gars, tu chauffes comme si t'avais 10 ans d'expérience !

Le compliment arracha un demi-sourire au jeune homme, mais c'était trop peu pour atténuer sa profonde détresse.

— Tiens, tourne sur cette rue-là, lui demanda Ernest en lui effleurant le bras.

Son compagnon déclencha docilement son clignotant et s'engagea rue d'Iberville.

— Astheure, roule jusqu'à Beaubien, il y a un beau parc là-bas.

Stéphane réprima un soupir : il aimait bien le grand-père de Patrice, mais il avait hâte d'en finir pour retourner se terrer dans sa chambre.

— Parque-toi ici, ordonna le vieux.

— Pourquoi voulez-vous qu'on s'arrête ? s'étonna le jeune homme.

— Pose pas de question. On va s'asseoir sur un banc, là-bas. J'ai des affaires à te dire.

Stéphane comprit enfin : le vieil homme avait voulu l'éloigner de la maison pour lui parler de sa fille. Ernest lui indiqua un banc, en face du magnifique kiosque à musique du parc Molson.

— Ça va pas fort, hein, mon p'tit gars ?

L'autre secoua la tête et baissa les yeux.

— Je te comprends, c'est pas drôle ce qui t'arrive… Janine m'a raconté ce qui s'est passé entre vous, chez ton oncle…

Le jeune homme tressaillit : il s'attendait à ce que le grand-père se doute de quelque chose, mais que Janine ait poussé la confidence à ce point-là…

— Vous devez me trouver pas mal niaiseux, murmura-t-il.

— Y a rien de niaiseux là-dedans. L'amour, ça s'commande pas. Seulement, il faut qu'il soit partagé, tu comprends ?

Frappé en plein cœur, Stéphane se redressa.

— C'est vrai, d'abord, qu'elle en aime un autre ?

« Bon, là on y est, se dit Ernest. Sauf que j'suis pas obligé de lui mentir pour autant… »

— Oui, c'est vrai. C'est un type bien, répondit-il en songeant au Stéphane qu'il avait rencontré en 1918.

— Vous êtes bien bon ! Moi, un homme marié qui trompe sa femme…

— Oui, je sais ce que t'en penses, le gars n'est pas libre, mais c'est pas mal plus compliqué que ça en a l'air, cette affaire-là. *Anyway*, l'amour c'est toujours compliqué.

— Pis moi ? geignit Stéphane d'une voix brisée. Qu'est-ce que je vais faire, moi ?

Ernest lui effleura l'épaule, se retenant de le serrer contre lui.

— Toi, tu vas faire des efforts pour oublier ma fille. Ça va être dur, mais tu verras, ça finira par passer.

Le jeune homme secoua la tête.

— Non, ça passera pas ! Je l'aime trop !

— Aujourd'hui, ça te paraît pas possible, mais, crois-moi, le temps arrange bien des choses. Il faut juste que tu t'aides un peu.

Stéphane haussa les épaules, désabusé.

— Ben oui, c'est ça! Vous aussi, vous allez me conseiller de me trouver une fille de mon âge…

— Oui, mais ça presse pas comme une cassure. Pour le moment, change-toi les idées. Surtout, faut pus que tu reviennes à la maison. Ça sert à rien de tourner le couteau dans la plaie. Pis c'est mieux pour elle aussi, cette histoire l'a mise tout à l'envers.

— Ah, oui? rétorqua Stéphane entre ses dents. Eh bien moi, j'ai rien senti de tout ça quand elle m'a r'viré de bord: elle se sacre ben de moi!

Ernest soupira. Il souhaitait que Stéphane se détache de sa fille, mais pas qu'il la déteste.

— Pantoute! Tu te trompes boutte pour boutte: ma fille s'en veut pour ce qui s'est passé. Elle a honte, tu comprends? Toi, mon gars, ça t'est jamais arrivé d'avoir honte d'avoir fait de la peine à quelqu'un?

L'espace d'un moment, Stéphane eut une pensée pour Francine. Pendant des mois, il avait continué à sortir avec elle même si Janine occupait toutes ses pensées. Il l'avait gardée juste pour le sexe, se servant d'elle pour assouvir ses fantasmes de Janine.

— Oui, ça m'est arrivé…

— Bon, alors, tu peux comprendre. Astheure, le mieux, c'est de passer à autre chose: profite de l'été, promène-toi dans ton char, emmène tes chums, mais surtout essaye pus de la revoir. Tu verras, ça ira mieux en septembre.

— Et Patrice là-dedans ? Qu'est-ce que je vais lui dire s'il m'invite à la maison ?

— Bah, j'suis pas inquiet, tu trouveras quelque chose quand l'occasion se présentera. *Anyway*, vous n'irez même pas au même cégep. Ç'est ben mieux d'même : ça va te permettre de rencontrer d'autre monde, conclut-il en se levant. Allez, viens me reconduire. J'ai envie de fumer une bonne pipe.

Chemin faisant, Ernest fit parler Stéphane de sa Mustang, s'informa de son travail, de ses études, n'importe quoi pour éviter de reparler de Janine. Coin Dandurand et d'Orléans, il lui dit :

— J'vais débarquer ici. Toi, continue sur Dandurand et descends une autre rue.

En ouvrant la portière, son regard s'attarda sur le jeune homme :

— Un jour, mon garçon, si tu te souviens de moi et de cette conversation, sois gentil et fais une p'tite prière pour que pépère Ernest ne se fasse pas trop longtemps chauffer les fesses au purgatoire…

Le visage impassible, Stéphane regarda le vieil homme s'éloigner, ignorant qu'il le voyait pour la dernière fois.

***

Cette nuit-là, Ernest entendit sa fille pleurer dans sa chambre. Il frappa à sa porte, mais elle lui demanda de la laisser seule. Toutes les nuits, les crises de larmes se répétaient.

Depuis son retour, 19 ans plus tôt, pas une journée ne s'était écoulée sans que Janine pense à Stéphane, à sa hâte de le retrouver. Lorsqu'il était revenu dans sa vie, en 1971, elle avait réussi à réprimer ses sentiments en le traitant comme tous les autres amis de Patrice. En six ans, elle n'avait jamais dérogé à cette règle. Stéphane était si jeune…

Et puis tout avait basculé, le 16 août 1977…

En 2000, Stéphane lui avait avoué avoir eu un faible pour elle à l'âge de 17 ans, mais jamais il n'avait été question de Saint-Bruno, ni de ses sentiments à elle. En réalité, il devait s'agir d'une tocade sans conséquence : un adolescent s'amourachant d'une femme de 40 ans, c'était presque banal.

« Je savais déjà que Patrice et lui allaient se perdre de vue à la fin de leur secondaire. Encore un peu de temps et Stéphane se serait détaché de moi. Tout a déraillé par ma faute… En 2000, il n'avait que de bons mots pour la madame Bilodeau de sa jeunesse. Maintenant, quel souvenir a-t-il de moi ? »

Janine craignait que le Stéphane du futur lui en ait gardé rancune et la repousse. Elle avait beau se dire qu'il n'avait qu'une journée à attendre pour avoir le fin mot de l'histoire, elle n'arrivait pas à se rassurer. De son côté, elle devrait patienter encore 22 années avant de s'expliquer, une éternité, un enfer…

Chapitre 9

1978 - 1979

À la fin du mois d'août, Patrice revint de San Francisco et retrouva sa copine, Marie-France. Il se demandait bien pourquoi son ami Stéphane déclinait toutes ses invitations. Lorsqu'il le rencontrait à la piscine, il le trouvait différent, distant : sa Mustang lui avait-elle tourné la tête ?

Sa mère aussi avait changé : elle avait beaucoup maigri et ses traits étaient tirés. Elle semblait avoir perdu sa joie de vivre et passait le plus clair de son temps enfermée dans sa chambre. Son grand-père prétendait qu'elle avait une peine d'amour, mais restait évasif à ce sujet : pas moyen de connaître l'identité de l'homme qui faisait pleurer sa mère.

Un jour de septembre, Janine revint tôt de son travail : son patron, excédé par ses erreurs de comptabilité, lui avait conseillé de prendre des vacances. En apprenant la nouvelle, Patrice sauta sur l'occasion pour faire une suggestion.

— Maman, pourquoi t'irais pas passer quelques semaines à San Francisco ? Depuis le temps que papa t'invite...

— T'es fin, Patrice, mais je ne veux pas embêter ton père et Garry avec mes problèmes.

— Pourquoi pas ? Tu t'entends bien avec son chum et t'arrêtes pas de dire que papa est ton meilleur ami.

— Je sais pas… J'vais y penser, soupira-t-elle avant de refermer la porte de sa chambre.

Rongé d'inquiétude, Patrice s'affala sur une chaise. « Si elle ne va plus travailler, qu'est-ce qui va lui rester ? Elle refuse toutes les invitations de ses amies. On dirait que plus rien ne l'intéresse, c'est tout juste si elle me parle de mes études… » Son impuissance à lui venir en aide le désespérait. « Si au moins je pouvais mettre pépère de mon bord… »

Mais Ernest ne parlait plus à Pierre depuis des années. « Qu'est-ce que ça peut bien lui faire que papa vive avec Garry ? songeait-il. Même maman lui a pardonné… »

Janine avait emmené plusieurs fois Patrice à San Francisco depuis le départ de son ex-mari, en 1970. Elle avait souhaité que son fils s'habitue à la présence de Garry dans la vie de son père avant de lui révéler son homosexualité. Patrice avait encaissé le coup mieux qu'elle ne l'aurait cru. D'abord troublé, il avait réalisé que son père était beaucoup plus heureux depuis qu'il avait quitté Montréal. Le comportement bienveillant de sa mère envers le couple gai avait évidemment joué un grand rôle dans son attitude.

Il en avait été tout autrement pour Ernest. Comme beaucoup de gens à cette époque, le vieil homme jugeait l'homosexualité comme une perversion contre nature. La clémence de sa fille et l'ouverture d'esprit de son petit-fils n'avaient aucune prise sur lui : il restait muré dans un silence buté !

Ce soir-là, le souper fut lugubre. Janine touchait à peine au pâté chinois cuisiné par son père.

— Allez, ti-fille. Prends encore une bouchée.

— Ça rentre pas, papa. J'ai pas faim, gémit-elle.

— Ç'a pas d'bon sens, t'es maigre comme un clou. Allez, force-toi un peu !

Janine haussa les épaules puis, sans un mot, quitta la table pour retourner dans sa chambre. Furieux, Ernest ramassa son assiette et vida rageusement le contenu dans la poubelle.

— Torrieux que j'suis tanné de la voir de même ! J'me demande bien à quoi y sert, son maudit docteur. C'est ben simple, j'sais pus quoi faire…

« Moi, j'le sais ! », songea Patrice.

Plus tard, prétextant un rendez-vous avec un ami, le jeune homme sortit en emportant toute sa petite monnaie. D'un pas décidé, il descendit la rue d'Orléans puis arpenta la rue Masson à la recherche d'un téléphone public.

Le lendemain, Ernest ouvrit la porte à un visiteur impromptu.

— Qu'est-ce que tu viens faire icitte, toé ?

— Pépère, c'est moi qui lui ai téléphoné, hier soir. Quand il a su pour maman, il a pris l'avion, annonça Patrice, derrière lui.

Pierre Bilodeau enlaça son fils, puis tendit la main au vieil homme qui détourna les yeux.

— Tu vas ramener maman à San Francisco, hein, papa ?

Son grand-père tressaillit :

— Quoi ? Pas question ! J'suis capable de m'occuper de ma fille !

— Permettez-moi d'en douter ! s'emporta Pierre. Patrice m'a dit qu'elle dépérissait à vue d'œil. Qu'avez-vous tant fait pour elle ?

Ernest fusilla son petit-fils du regard.

— Qu'est-ce que t'avais d'affaire à l'appeler, lui ? Tu trouves pas qu'il a assez fait de mal à ta mère ? T'aurais dû m'en parler avant !

Patrice rougit. La dernière fois que son grand-père lui avait parlé sur ce ton, c'était le jour où il l'avait surpris dans la cave, quand il avait 11 ans.

— Écoutez, Ernest, intervint Pierre d'une voix plus posée. Je ne suis pas revenu à Montréal pour régler des comptes. On veut tous le bien de Janine. Patrice m'a dit que vous l'aviez fait suivre par un médecin, c'est bien, mais elle ne va pas mieux. Il faut essayer autre chose. Pensez-y, ça lui ferait du bien de changer d'air pendant un certain temps. Elle aime beaucoup San Francisco et n'oubliez pas que Garry est médecin...

Il s'était tu subitement : alertée par les éclats de voix, Janine était sortie de sa chambre et s'avançait dans le couloir. Pierre sentit son cœur chavirer : «*My God*, elle a l'air d'un fantôme ! Je ne l'ai jamais vue aussi maigre... C'est pire que je ne le pensais...»

Janine s'avança vers son ex-époux pour l'embrasser, puis elle s'adressa à son père :

— Pierre a raison, papa. Il vaut mieux que je m'éloigne un peu.

Le vieil homme regarda sa fille, ses joues creuses, ses yeux cernés. Elle se consumait jour après jour. Par la force des choses, il était devenu son unique confident. Lui seul pouvait prendre la mesure de sa détresse, mais à part l'écouter et l'aimer de tout son cœur, que pouvait-il faire ? Janine avait besoin d'aide et malgré toute sa bonne volonté, elle continuait de s'enfoncer. À quoi bon s'entêter par pure rancune ? Le ressentiment n'avait-il pas ruiné une partie de sa vie ?

— Bon. C'est toi qui décides, ma fille. Va faire ta valise. J'vais jaser avec Pierre en attendant.

Patrice poussa un soupir de soulagement.

— Viens, maman, j'vais te donner un coup de main...

D'un signe de la main, Ernest invita Pierre à entrer dans sa chambre.

— Qu'est-ce qui s'est passé ? Patrice m'a dit qu'elle avait une peine d'amour. C'est vrai ?

La tentation de parler de Stéphane titilla l'esprit du vieil homme, mais comment aborder le sujet sans relater le voyage temporel ? Il jugea donc préférable de s'en tenir à la version officielle :

— Il y a deux ans, Janine s'est amourachée d'un homme marié. Elle l'a caché à Patrice, mais moi, j'étais au courant. J'avais beau lui dire qu'elle se faisait enfirouaper, tu sais comment elle est tête de mule...

Sa valise bouclée, Janine demanda à Patrice de la laisser seule. Assise à sa coiffeuse, elle sortit une tablette sténo du tiroir et détacha une feuille. Son dernier message à Stéphane... Elle ne lui écrirait plus pendant un bout de temps. La veille, elle avait arraché les pages restantes de son journal, y compris toutes celles qu'elle avait noircies depuis les dernières semaines : « Ça me rend folle, je n'arrête pas de lui radoter tout ce que je lui ai déjà écrit. »

Les larmes aux yeux, elle écrivit quelques lignes avant de plier la feuille en deux et de la coller sur le rabat de la couverture du journal. Elle le plaça ensuite, accompagné de quelques photos, dans une boîte à chaussures dont elle scella le couvercle avec du papier collant.

La proposition de Pierre lui avait donné un coup de fouet. Depuis quelques semaines, elle ne pouvait s'empêcher de revivre en boucle les trois jours de son bonheur perdu. Le Stéphane du futur la hantait : il lui semblait revoir son ordinateur au bout de la table, sa cafetière électrique sur le comptoir, la trace de son corps dans ses couvertures emmêlées... Rester à Montréal et continuer à entretenir le lien en lui écrivant ne pourrait remédier au mal qu'elle lui avait fait...

Tout le monde était inquiet autour d'elle, et il avait fallu que Patrice prenne les choses en main... à sa place. Quel exemple donnait-elle à son fils ?

« Il faut absolument que je reprenne le dessus, sinon je ne pourrai jamais passer au travers des 22 prochaines années... »

Elle entrouvrit sa porte pour appeler son père. Lorsqu'il entra, elle lui tendit la boîte à chaussures.

— Tous mes souvenirs de Stéphane sont dedans. Le journal que je lui écrivais aussi. Je ne veux plus les voir, papa. Il faut que vous alliez cacher cette boîte dans la cave.

— J'veux ben, Janine, mais la trappe...

— Je sais que vous mettre à genoux pour arracher la tuile, c'est pas évident, mais s'il vous plaît, papa, faites-le.

Ernest prit la boîte des mains de Janine.

— Si c'est pour t'aider à aller mieux, ma fille, je vais le faire!

— J'irai mieux quand j'aurai vraiment réussi à m'enlever Stéphane de la tête. Il faut absolument que je cesse de penser à lui.

Elle quitta la maison, le sourire aux lèvres, après avoir fait quelques recommandations à son fils. Ernest la regarda monter dans le taxi, confiant. Dans un mois ou deux, elle reviendrait fraîche et dispose, prête à reprendre sa vie.

Tous les deux jours, Janine téléphonait à Montréal pour donner de ses nouvelles. Elle passait beaucoup de temps en compagnie de Pierre à visiter San Francisco. Son séjour lui avait remonté le moral, elle semblait avoir retrouvé son énergie. Patrice et son grand-père étaient rassurés.

Mais les appels s'espacèrent après deux semaines. La voix de Janine s'était éraillée. Elle parlait peu, s'informait brièvement de la santé de son père et des progrès scolaires de son fils. Le 13 octobre, jour de son 84e anniversaire, Ernest s'alarma de ne recevoir aucun appel de sa fille. Personne ne répondit, lorsqu'il téléphona à San Francisco le lendemain matin.

À la fin de l'après-midi, il reçut un coup de fil de Pierre.

— Janine ne va pas bien, Ernest. Au début, son état s'était amélioré, mais après une dizaine de jours, son moral a flanché. Depuis, elle a perdu l'appétit et passe ses journées à pleurer.

Le vieil homme s'appuya au mur du corridor, son cœur palpitait dans sa poitrine.

— Oh, non ! Ça me disait, aussi : la dernière fois qu'on s'est parlé, elle avait une drôle de voix. Ton... chum... qu'est-ce qu'il pense de tout ça ?

— Garry est médecin généraliste, et comme le cas de Janine dépassait ses compétences, il l'a référée à un de ses collègues, le Dr Baxter, un très bon psychiatre...

Ernest se redressa brusquement :

— Quoi ? Voyons donc, torrieu, Janine est pas folle !

Pierre soupira, il s'attendait à cette réaction.

— Bien sûr que non. Mais pour le moment, elle a besoin de soins particuliers. Je... ne voulais pas vous inquiéter avec ça, Ernest, mais... Il faut que je vous dise... Janine a été hospitalisée, hier soir.

— C'est si grave que ça ? Mon Dieu !

À l'autre bout du fil, Pierre préféra alléger le tourment de son ex-beau-père en passant sous silence les véritables raisons qui les avaient poussés, Garry et lui, à confier sa fille au Dr Baxter. Outre un état de déprime avancé et une grande perte d'énergie, Janine souffrait d'un délire hallucinatoire inquiétant : elle prétendait que l'homme dont elle était éprise appartenait au futur...

— Janine est forte, Ernest, elle va s'en sortir.

La main du vieil homme se crispa sur le récepteur. Pourquoi fallait-il qu'il soit à des milliers de kilomètres de sa fille, alors qu'elle avait tant besoin de lui ?

— Pierre, tu me la ramènes ici et tout de suite! ordonna-t-il d'une voix enrouée d'émotion.

L'autre marqua un temps d'attente.

— C'est que… elle ne veut plus revenir à Montréal. Je ne comprends pas pourquoi, mais elle refuse de remettre les pieds à la maison…

Résigné, Ernest poussa un soupir de découragement: lui, il comprenait. Janine préférait se tenir loin de tout ce qui lui rappelait Stéphane.

— Qu'est-ce que tu penses faire?

— On va la garder ici. Pour les frais de clinique, Garry m'a dit qu'entre collègues, il y a toujours moyen de s'arranger. Tout ce qui manque, c'est votre signature. Je vous ai posté les formulaires tout à l'heure.

— Comment ça? C'est à Janine à signer…

À l'autre bout du fil, Pierre se mordit les lèvres: « Pauvre vieux, il est déjà à bout de nerfs… »

— Elle… n'est pas en état, Ernest… Janine a perdu contact avec la réalité. Elle… elle n'est plus là…

Le psychiatre avait diagnostiqué une dépression sévère, accentuée d'épisodes de catatonie: Janine pouvait rester de longues heures, immobile, à fixer le mur, les yeux vides. Des séances d'électrothérapie furent prescrites pour la sortir de sa stupeur.

Les semaines passèrent. Pierre communiquait tous les jours avec Ernest pour donner des nouvelles. Puis, peu à peu, Janine refit surface

Noël fut célébré en grande pompe, cette année-là : Janine avait obtenu son congé de la clinique. Ernest et Patrice furent invités à réveillonner à San Francisco.

Toujours médicamentée, Janine affichait un regard vitreux, même si ses propos étaient cohérents.

— Ne vous en faites pas, elle va beaucoup mieux, les rassura Garry. La semaine prochaine, son psychiatre va commencer à réduire sa médication. Elle est sur le bon chemin, dans quelques mois, elle sera tout à fait rétablie.

— Janine parle-t-elle de revenir à la maison ? demanda Ernest lorsqu'il fut seul avec Pierre.

— Pas encore. Elle rencontre son thérapeute deux fois par semaine, mais elle ne m'en dit pas grand-chose.

Ce n'est qu'en avril que Janine revint chez elle, juste à temps pour l'anniversaire de son fils. Tout à fait remise, elle débordait d'énergie et parlait même d'un retour aux études.

— Toi aux beaux-arts ? s'étonna Patrice.

— Eh oui, c'est fini, Angus et la comptabilité. J'ai eu tout mon temps pour y réfléchir durant les derniers mois. Ton père va m'aider financièrement.

Il n'y eut pas de party cette année-là. Qu'importe ! Le rétablissement de sa mère était le plus beau des cadeaux.

De son côté, Ernest gardait un fond d'inquiétude, redoutant le jour où sa fille allait lui demander de lui rendre son journal. Pourtant, les semaines passaient sans qu'elle y fasse la moindre allusion. D'abord étonné, le vieil homme finit par s'en réjouir : « Elle s'est fait une raison, tant mieux ! C'est toujours ben pas moi qui vais remettre ça sur le tapis. »

Chapitre 10

Vendredi 14 octobre 1988

Quartier Villeray. Stéphane ramassa son journal sur le pas de sa porte. Il était d'excellente humeur : après sa journée de travail, il avait rendez-vous avec Nathalie, sa nouvelle flamme dont il ne pouvait plus se passer depuis qu'il l'avait croisée dans un bar, deux mois plus tôt.

En sifflotant joyeusement, Stéphane déposa le quotidien à l'envers, sur la table. Il aimait bien tourner les pages à rebours jusqu'à la une, un petit rituel qu'il s'offrait avant de retrouver ses étudiants.

Il feuilleta les pages sportives, lut en diagonale une chronique sur les Canadiens, puis survola les titres, s'arrêtant ici et là sur le texte de quelques articles. Tout à coup, la photo d'un vieil homme, dans la rubrique nécrologique, attira son attention : Ernest Provencher !

Bien qu'il n'ait jamais revu le père de Janine depuis leur conversation au parc Molson, 10 ans plus tôt, Stéphane se sentit soudain orphelin du grand-père que la vie avait bien voulu placer sur son chemin.

Le père de Janine était exposé le soir même, chez Guilbault, le salon funéraire du boulevard Saint-Michel.

« Il faut que j'y fasse un saut, Nathalie va comprendre. On passera au salon après le souper et ensuite, on ira au cinéma. »

L'idée de remettre son rendez-vous galant au lendemain lui vint furtivement, mais il la repoussa aussitôt. Même s'il tenait à rendre un dernier hommage au grand-père de Patrice, il n'avait pas l'intention de s'attarder au salon funéraire : la perspective de revoir Janine Bilodeau le rendait mal à l'aise.

« Ça fait 10 ans... Je me demande comment elle va réagir en me voyant... »

Il se leva pour réchauffer son café. En le versant, il s'aperçut que sa main tremblait. Le souvenir de la scène où Janine avait anéanti ses illusions revenait le hanter. Sa conversation avec Ernest, quelques jours plus tard, lui avait enlevé ses derniers espoirs : Janine était amoureuse d'un autre, un homme engagé ailleurs qui l'avait laissée tomber, de peur de voir son mariage partir en fumée. Cette rupture l'avait tellement dévastée qu'elle avait perdu tout jugement : lorsqu'il lui avait avoué candidement son amour, elle avait répondu à ses baisers... pour se consoler...

Dans la fougue de ses 18 ans, Stéphane lui en avait voulu terriblement : comment avait-elle pu se servir de lui de cette façon ? Il lui avait fallu des années pour s'en remettre.

Dès sa première session au cégep de Rosemont, il s'était inscrit aux cours de guitare de Phil Jessen. Pour oublier Janine, il s'était livré corps et âme à cette activité, partageant son temps entre ses cours et ses exercices de guitare. Très populaire auprès des filles, il ne s'était pas privé, mais l'amour lui avait fait trop mal pour qu'il accepte de s'engager à long terme.

Le groupe The Time Men, formé l'été suivant, avait fait un tabac lors du spectacle de la rentrée. Des demandes provenant d'autres cégeps montréalais avaient afflué. Le succès spontané du *band* avait agréablement surpris Jess, qui profita de l'opportunité pour intégrer à son répertoire quelques-unes de ses compositions, dont *3 minutes 59*.

Stéphane n'avait pas prévu que l'effervescence autour de la formation musicale lui ferait négliger ses études. Au début du mois de novembre 1979, il préféra abandonner quatre cours sur cinq plutôt que d'obtenir de mauvais résultats et risquer de compromettre son éventuelle admission à l'université.

En mars 1980, une apparition à l'émission *Michel Jasmin* propulsa la pièce musicale *3 minutes 59* au sommet du palmarès québécois. Jess jubilait: après des années de vaines tentatives pour percer le marché du show-business, sa musique était enfin reconnue.

Dans les mois suivants, The Time Men se produisirent dans toutes les régions du Québec. Heureusement, Stéphane ne s'était inscrit qu'à un seul cours. Caroline Dupuis, une étudiante passionnée d'histoire, devint sa coéquipière pour un travail de session. Caroline était une jeune fille studieuse qui souhaitait poursuivre des études poussées à l'université. Elle s'était rapidement entichée de Stéphane malgré l'imposant fan-club féminin qui s'agglutinait autour de lui. Ils emménagèrent ensemble, l'été suivant, dans le sous-sol d'un immeuble résidentiel, dans le quartier Hochelaga-Maisonneuve.

Dans le tourbillon de son succès, Stéphane n'avait pas abandonné son ambition d'enseigner un jour et, pour cela, Caroline l'aidait à garder les pieds sur terre. En septembre 1981, au moment où Phil Jessen voulut tenter sa chance aux États-Unis, Stéphane préféra se retirer du groupe pour reprendre ses études à temps plein. Il obtint son brevet d'enseignement, quatre ans plus tard, et décrocha plusieurs contrats de suppléance avant d'obtenir un poste régulier en 1987 à la polyvalente Père-Marquette.

Depuis les trois dernières années, Stéphane habitait seul dans un petit trois-pièces au deuxième étage d'un triplex, situé rue de Châteaubriand. D'un commun accord, Caroline et lui s'étaient séparés après cinq ans de vie à deux : elle voulait se marier, avoir des enfants, mais Stéphane ne se sentait pas prêt à se caser. Il se rendait compte qu'il s'était attaché à elle davantage par besoin d'encadrer sa vie que par amour véritable.

Il avait repris sa vie de célibataire, jusqu'au jour où il avait rencontré Nathalie Lamarche pour qui il avait eu un véritable coup de foudre.

Le temps et la maturité lui avaient permis de relativiser ce qui s'était passé entre Janine et lui en 1978. Il n'était pas le seul adolescent à s'éprendre d'une femme plus âgée. Si ses doux aveux avaient bouleversé Janine, fragilisée par sa récente rupture au point de commettre un écart, elle s'était reprise aussitôt. Et même si sa façon de redresser la situation avait été cruelle, l'évocation des bons moments passés rue d'Orléans, pendant son enfance, avait permis à Stéphane de soulager son amertume : il ne pouvait tout de même pas passer le reste de ses jours à lui en vouloir.

Stéphane plia son journal, et rinça sa tasse. Ces quelques minutes d'introspection avaient calmé ses appréhensions. Il était temps de retrouver ses élèves.

Une véritable foule s'agglutinait à l'entrée du salon funéraire : Ernest Provencher, celui dont le cœur s'était attendri à la fin de sa vie, avait laissé derrière lui un grand nombre de parents, d'amis ou de simples connaissances chagrinés par sa mort.

Nathalie préféra rester dehors pour griller une cigarette. Après lui avoir promis de faire vite, Stéphane se faufila parmi les gens massés devant l'entrée.

Il offrit d'abord ses condoléances à Gaston, l'oncle de Patrice, qui se lança dans un interminable récit d'anecdotes que Stéphane écoutait distraitement en cherchant Janine des yeux.

— Hé, Stef !

Patrice avait posé une main sur son épaule.

— J'espérais que tu viendrais. Content de te voir !

Après avoir pris congé de Gaston, Stéphane serra la main de son ami d'enfance. Ils tentèrent d'échanger quelques nouvelles, mais Patrice, constamment sollicité, n'eut pas la chance de placer un mot.

En voyant entrer Nathalie, Stéphane fit les présentations. La jeune femme afficha un sourire éblouissant avant de lui murmurer quelques mots à l'oreille pour l'inciter à en finir au plus vite. Mais, déjà, Patrice entraînait Stéphane plus loin.

— Viens, je veux absolument te présenter mon père.

Stéphane tendit la main à sa copine en lui adressant un regard navré.

— Vas-y, je t'attends ici, l'assura-t-elle en s'assoyant dans l'un des fauteuils près de l'entrée.

Le visage de Pierre Bilodeau s'éclaira lorsque son fils lui présenta son ami d'enfance :

— Comme ça, c'est toi, le fameux Stéphane dont mon fils me parlait tout le temps quand il était petit !

Stéphane, ne sachant trop que penser de cet homme maniéré au passé trouble, balbutia quelques mots de circonstance, brusquement ébranlé par la voix de Janine en train de remercier un visiteur à quelques pas de lui.

Patrice avait glissé un bras sous celui de sa mère :

— Maman, regarde qui est là !

Et Janine fut devant lui, Janine avec 10 ans de plus, mais toujours aussi troublante. Le cœur battant à tout rompre, Stéphane aperçut une lueur étrange allumer son regard, aussitôt balayée d'un battement de cils.

— Stéphane ! C'est tellement gentil d'être venu.

Janine l'attira vers elle pour l'embrasser affectueusement sur les joues. Un doux parfum se dégageait de ses cheveux ondulés. Le jeune homme sentit ses jambes ramollir.

— C'est… C'est tout naturel, voyons. J'aimais beaucoup votre père.

— Tu l'as vu ? lui demanda-t-elle en désignant le cercueil des yeux.

— Non, je viens juste d'arriver. Il y a tellement de monde !

— Allez, viens ! dit-elle en le prenant par le bras.

Happé par un tourbillon de sentiments confus, Stéphane se laissa conduire.

Devant le cercueil, bordé de couronnes de fleurs, un homme d'âge mûr et une vieille dame vêtue de noir se recueillaient sur un agenouilloir.

Stéphane jeta un coup d'œil au père de Janine. Ce corps raidi, ce visage fardé aux traits inexpressifs n'avaient rien à voir avec Ernest Provencher, le pépère si attachant qui l'avait toujours traité comme s'il était un membre de sa famille. Il détourna la tête : il ne voulait pas se souvenir de lui ainsi.

Puis, se rappelant leur conversation au parc Molson, tout particulièrement les dernières paroles du vieil homme, il baissa furtivement les yeux pour se recueillir : « C'est promis, pépère. Ce soir, je vais demander au bon Dieu de ne pas vous oublier au purgatoire… »

La voix de Janine le fit tressaillir.

— Lui aussi t'aimait beaucoup, tu sais. Après t'avoir vu à la télévision, il passait son temps à se vanter de t'avoir connu ! Il était si fier de toi… Il ne t'a jamais oublié : la semaine dernière, nous parlions justement de toi, de notre petit Stéphane…

Sidéré, Stéphane resta bouche bée : « Notre petit Stéphane… » Ainsi, 10 ans plus tard, elle s'entêtait à le traiter en gamin alors qu'elle avait tremblé dans ses bras! Pourquoi feignait-elle d'ignorer ce qui s'était passé entre eux?

— Stéphane?

Il reconnut la voix de Nathalie dans son dos. Rempli de reconnaissance, il se retourna. Janine voulait jouer? Alors, lui aussi.

— Madame Bilodeau, je vous présente mon amie, Nathalie, dit-il en enserrant les épaules de sa belle et en songeant: «Tu vois, je t'ai bel et bien oubliée!»

Soufflé, Stéphane vit Janine, tout sourire, tendre les bras vers la jeune fille pour l'embrasser chaleureusement.

Au même moment, l'homme agenouillé sur le prie-Dieu se leva avec sa compagne.

— Madame Gasparelli, c'est si gentil à vous de vous être déplacée! s'exclama Janine.

— Ma maman voulait absolument rendre hommage à ton père, avait susurré l'homme d'une voix au fort accent italien.

Il termina sa phrase en glissant une main dans le cou de Janine, pour lui caresser la nuque. Délaissant la dame en noir, Janine lui murmura quelques mots à l'oreille avant de se blottir dans ses bras. Elle semblait avoir complètement oublié la présence de Stéphane.

— Allez, viens, on va rater le début du film, s'impatienta Nathalie en le tirant par la manche de son veston.

Stéphane ne se fit pas prier. Sans saluer personne, il fendit la foule vers la sortie.

Au cinéma, on présentait une comédie. La main dans celle de Nathalie, Stéphane, les yeux rivés sur l'écran, ne voyait rien. Il était terrassé… et fou de rage de l'être.

«Je l'aime encore… Je ne peux pas croire que je l'aime encore! Maudit épais!»

Chapitre 11

Une longue pétarade réveilla Stéphane en sursaut : « Veux-tu ben m'dire… »

Les yeux bouffis de sommeil, il repoussa ses couvertures, enfila son peignoir et entrouvrit la porte d'entrée au moment où le son assourdissant d'un marteau-piqueur reprenait de plus belle. Un camion de la Ville était garé devant la maison et des panneaux orangés bordaient une partie de la rue. Stéphane se souvint des affiches annonçant les travaux.

Le son infernal emplissait la maison, retourner au lit serait inutile. Même s'il était plus de 9 h, la journée commençait un peu trop tôt à son goût : après une nuit pénible à se ronger les sangs et ressasser ses souvenirs, il s'était endormi au petit matin.

Stéphane se prépara un café et ouvrit la porte du frigo pour prendre du lait. Sur une tablette, les cannellonis tout rabougris lui levèrent le cœur.

Dehors, le tapage avait cessé subitement et Stéphane profita de l'accalmie pour réfléchir à la journée qui l'attendait. Combien de temps pourrait-il encore tenir avant de relancer Janine à l'hôtel ?

On sonna à la porte. Le cœur battant, Stéphane traversa le corridor à grandes enjambées. Un homme trapu, vêtu d'un costume trois-pièces attendait sur le balcon, une grande enveloppe blanche à la main.

— Bonjour, j'ai une lettre à remettre à monsieur Stéphane Gadbois.

— C'est moi, répondit-il, en regardant l'enveloppe avec curiosité

L'homme lui remit le pli après avoir obtenu sa signature. Stéphane referma la porte en jetant un coup d'œil au nom de l'expéditeur : un bureau de notaire. « Maudit ! Pas encore Nathalie ! »

Trop tard ! Il avait accepté l'envoi.

Dans la rue, la pétarade reprit de plus belle. Stéphane revint dans la cuisine en fulminant et jeta l'enveloppe sur la table.

La sonnerie du téléphone retentit :

— Janine ! s'écria-t-il.

Il se précipita dans sa chambre et chercha fébrilement le récepteur dans les couvertures froissées.

— Allô ?

— Monsieur Gadbois ?

La voix d'un homme. Stéphane se retint de lancer le téléphone contre le mur.

— Oui ?

Le son du marteau-piqueur couvrait les paroles de son interlocuteur.

— Je ne vous entends pas. Attendez une minute.

Il ferma la porte de la chambre et s'assit sur le lit.

— Ça y est, vous pouvez y aller.

— C'est Claude Deschênes. Je vous attends depuis 20 bonnes minutes !

« Merde, je l'avais complètement oublié, celui-là ! »

— Euh…

— Nous sommes bien le 18, n'est-ce pas ? reprit l'homme d'un ton glacé. N'avions-nous pas planifié une rencontre, ce matin ?

Effectivement, trois semaines plus tôt, Stéphane avait sollicité un rendez-vous avec son directeur de mémoire à l'Université de Montréal.

— Je suis vraiment désolé, j'ai oublié de noter le jour dans mon agenda.

À l'autre bout du fil, un long soupir se fit entendre.

— Avez-vous avancé, au moins ?

« Maudit mémoire ! Quel enfer ! »

— Pas autant que je l'aurais voulu. Je pense demander un report.

— Bon, c'est à vous de voir !

Stéphane conclut rapidement en s'excusant encore.

Sa tasse de café à la main, il sortit dans la cour et s'assit sur une marche de la galerie. Aussitôt, ses pensées le ramenèrent en juillet 1978. « Il n'y a pas de "nous deux", Stéphane. C'était une erreur de ma part… »

Janine l'avait éconduit pour l'éloigner, c'était clair maintenant.

« Elle m'a laissé croire qu'elle en aimait un autre. J'étais certain qu'elle me mentait. C'est son père qui m'a convaincu du contraire. »

Au fait, quel rôle Ernest avait-il joué dans cette histoire ? Tout dépendait de ce que Janine lui avait raconté à son retour en 1959... Quoi qu'il en soit, le grand-père de Patrice avait su le réconforter comme un père et Stéphane avait suivi ses conseils : il n'avait plus revu Janine avant l'épisode du salon funéraire. « J'étais tellement en maudit, ce jour-là, je ne comprenais pas pourquoi elle me traitait comme s'il ne s'était jamais rien passé entre nous... »

« Comme si de rien n'était », avait recommandé Laurent...

Oui, maintenant, les événements reprenaient leur sens véritable : la vive réaction de Janine en recevant le bouquet de marguerites, ses départs précipités de la maison lorsqu'il passait voir Patrice, Saint-Bruno...

« Tout va rentrer dans l'ordre, tenta-t-il de se rassurer. Nous reparlerons de tout ça devant un bon souper... »

Mais quand ?

« Elle m'a pourtant attendu pendant 41 ans et vendredi dernier, son avion s'est posé à Dorval... »

À cette pensée, son cœur s'emballa : « Minute, minute ! Qu'est-ce qui me prouve que Janine est à Montréal ? Je me fie uniquement à ce que dit son ex-mari... »

Trois jours plus tôt, la visite surprise du père de Patrice lui avait donné des sueurs froides : la jeune Janine était à deux pas, Pierre Bilodeau ne devait absolument pas la voir !

Par prudence, Stéphane lui avait remis les papiers bancaires de Patrice sans l'inviter à entrer. Mais voilà que Pierre voulut admirer la murale de son fils et Stéphane n'avait eu d'autre choix que d'accepter. Par bonheur, Pierre n'avait pas reconnu Janine; il s'était simplement étonné de l'état du plancher de la cuisine.

Avant de prendre congé, le père de son ami lui avait tendu la carte de son hôtel :

— Demain, je vais chercher la mère de Patrice à l'aéroport. Nous séjournerons une semaine à Montréal. Venez prendre un verre, ça lui ferait tellement plaisir de vous revoir.

« Et si un contretemps avait empêché Janine de prendre l'avion ? »

Il n'y avait qu'un seul moyen de le savoir ! Stéphane se précipita dans la maison et composa le numéro de l'hôtel où Pierre était descendu.

— Bonjour, j'aimerais parler à l'une de vos clientes : madame Janine Bilodeau.

À l'autre bout du fil, on le fit patienter. Le cliquetis d'un clavier lui parvint, puis :

— Désolée, monsieur, nous n'avons personne de ce nom parmi nos clients. Vous êtes certain qu'elle est descendue à notre hôtel ?

— Euh, oui… Attendez ! Essayez Janine Provencher.

Après quelques secondes qui lui parurent une éternité, la réceptionniste répondit :

— Je vous transfère.

En entendant la sonnerie, Stéphane raccrocha aussitôt et s'effondra sur une chaise : « Mon amour, qu'est-ce qui se passe ? Tu ne peux pas avoir raté notre rendez-vous… »

La vue du bouquet de roses sur la table le rendit si misérable qu'il décida d'aller le porter sur la commode de Patrice. Il revint dans la cuisine, tenaillé par l'envie de rappeler à l'hôtel. Il amorça un geste vers le combiné, puis se ravisa : « OK, Janine, je te donne jusqu'au souper pour me faire signe, après, je te jure que tu vas avoir de mes nouvelles ! »

Comment tuer le temps en attendant ?

Il ouvrit son portable pour prendre ses courriels. Pas de nouvelle de Nathalie : c'était toujours ça ! Sa boîte de réception affichait trois messages d'un ancien collègue, amateur de blagues grivoises. Stéphane les supprima sans les ouvrir puis resta prostré de longues minutes, les yeux sur son écran, avant d'avoir une idée : « Je pourrais remettre de l'ordre dans la chambre... »

À l'entrée de la chambre de Janine, il lâcha un soupire résigné en constatant les dégâts du raz-de-marée de la veille. Il ramassa d'abord les souliers, retrouva la boîte à chapeau dans un coin et rangea le tout dans la penderie. Ensuite, il récupéra les enveloppes en plastique, qu'il replaça dans un des tiroirs du pupitre. Ne restaient plus que les photos éparpillées sur le plancher. À genoux, il les rassembla, puis, curieux, il s'assit par terre avec sa pile.

C'étaient des photos de voyage, datées du milieu des années 1990. Stéphane les fit glisser fébrilement une à une : Florence, Amsterdam, Londres, Berlin, Paris... D'une ville à l'autre, on apercevait Janine souriante, au bras d'un homme dans la soixantaine.

« Maudit ! »

Stéphane se leva et sortit de la pièce avec son paquet de photos. Dans la chambre de Patrice, il s'approcha de la murale et retrouva la photographie de Janine posant devant la tour Eiffel en compagnie du même homme.

Furieux, il jeta la pile de photos sur le lit : « Finalement, tu ne t'es pas gênée pour te payer du bon temps ! »

Pourtant, dans son esprit, la voix de la jeune Janine cherchait encore à le rassurer : « Voyons donc ! Si ça se trouve, c'est juste un bon copain. Moi je sais ce que j'éprouve pour toi... »

— Ben oui, calvaire ! Je commence à le voir en crisse, ce que tu ressens pour moi ! maugréa-t-il.

Il retourna se verser un autre café qu'il sirota en toisant l'enveloppe du notaire, abandonnée sur la table de cuisine. « Et l'autre, qu'est-ce qu'elle me veut encore ? »

Il s'empara de pli pour lire le nom de l'expéditeur : « François Grenon ? C'est qui ce gars-là ? » Nathalie aurait changé de notaire ? Il leva un sourcil perplexe en parcourant l'adresse : « 3138, rue Masson ? C'est bizarre, ça : c'est à côté d'où je restais quand j'étais p'tit... »

Il déchira l'enveloppe : elle contenait une lettre à en-tête et un petit paquet cacheté du sceau de l'étude et identifié à son nom : « C'est quoi, ça ? », grogna-t-il en déballant une cassette audio.

Sur le boîtier, le nom du père de Janine avait été tracé d'une écriture tremblante. Stéphane parcourut avidement le message du notaire :

Monsieur,

Conformément aux dernières volontés de monsieur Ernest Provencher, domicilié au 5467, avenue d'Orléans, à Montréal, nous vous transmettons un témoignage audio, enregistré le 14 mars 1983.

« Ah, ben, j'en reviens pas ! »

Sans perdre de temps, Stéphane traversa le couloir et entra dans le bureau de Patrice, pour vérifier si sa chaîne audio disposait d'un lecteur de cassettes. Il revint, bredouille et contrarié : cet enregistrement concernait sûrement Janine. Il y trouverait peut-être la raison de son silence. Janine s'était confiée à son père au retour de son voyage temporel. Ernest devait savoir ce qui allait arriver dans le futur de sa fille, sinon comment expliquer qu'il ait su, 17 ans plus tôt, où et surtout *quand* poster son message ?

Stéphane entra dans la chambre de Patrice, ne sachant où chercher. Puis, miracle ! Il se souvint du vieux baladeur jaune dans la commode.

Il ouvrit le premier tiroir, s'empara de l'appareil et appuya sur un bouton : « Yes ! Ça marche ! Ah, Pat, je t'adore ! », s'exclama-t-il en embrassant le baladeur.

Il s'installa sur le sofa du salon, inséra la cassette et, en retenant son souffle, il démarra la lecture.

Une voix inconnue se fit d'abord entendre :

« Témoignage de monsieur Ernest Provencher, réalisé dans l'étude de maître François Grenon, notaire, le lundi 14 mars 1983. »

Le son coupa, puis :

« … Ça va, ça va, j'comprends comment ça marche. Vous pouvez sortir, maintenant… »

Les bougonnements du grand-père lui donnèrent la chair de poule.

Le vieillard se racla bruyamment la gorge puis…

« Euh… Allô, Stéphane…

« C'est moi, Ernest Provencher, le grand-père de Patrice. Tu t'souviens de moi ?

« J'aurais ben aimé t'écrire, mais j'ai juste une troisième année : j'suis capable de lire, signer mon nom pis calculer, mais écrire trois ou quatre pages, c'est un peu trop pour moi… Le notaire voulait le faire à ma place, mais on n'a pas besoin d'un écornifleux dans nos affaires.

« J'aime pas ben ben ça parler dans cette machine-là… mais j'vais l'faire pareil.

« Je sais qu'hier, Janine et toi, vous deviez vous retrouver. C'est pour ça que j'ai demandé qu'on t'envoie la cassette le lendemain… au cas où elle serait pas venue. »

Stéphane appuya sur pause. Il n'en croyait pas ses oreilles. Comment Ernest aurait-il pu se douter d'une telle chose ?

« Sans m'étendre là-dessus, je veux d'abord que tu saches que j'suis au courant de tout ce qui s'est passé entre ma fille et toi dans le futur. En passant, un gros merci de l'avoir aidée à revenir en 1959.

« Y a un mois, j'ai fait une crise cardiaque. Pas une grosse, mais le docteur a dit que c'était un avertissement. Pour la première fois de ma vie, j'ai eu pas mal peur de mourir. Depuis, j'ai arrêté de fumer la pipe et j'me suis décidé à faire mon testament.

« C'est chez l'notaire que j'ai eu l'idée de te laisser ce message… parce que, depuis ma crise, j'arrêtais pas de penser à toi et à la fois où je t'ai parlé dans le parc.

« T'sais, j'ai été obligé de te mentir, ce jour-là. Ça me faisait mal au cœur, mais il fallait absolument que tu t'éloignes de ma fille… J'pense qu'aujourd'hui, tu dois comprendre pourquoi…

« J'savais que Janine et toi deviez vous retrouver en l'an 2000. Depuis son retour, elle n'arrêtait pas de m'en parler. Pauvre ti-fille, à qui diable aurait-elle pu se confier, à part moi ?

« Si vot' souper a eu lieu, tant mieux ! Mais j'ai pas voulu prendre de chance, parce que t'es un bon garçon. Pis… tu mérites de savoir ce qui s'est passé après notre jasette dans le parc.

« Vot' histoire, ç'a été très dur pour Janine, parce qu'elle s'en voulait à mort de t'avoir fait de la peine. Elle avait peur que tu lui en veuilles. Elle passait son temps à pleurer, enfermée dans sa chambre. Elle a même été obligée d'arrêter de travailler. Le docteur disait qu'elle faisait une grosse dépression nerveuse. »

Les doigts de Stéphane se crispèrent sur le baladeur.

« Les semaines ont passé, mais elle n'allait pas mieux. J'étais vraiment inquiet, Patrice aussi. On en a parlé à Pierre, son ex-mari, qui a décidé de venir la chercher pour l'emmener aux États.

« Avant de partir, Janine m'a remis une boîte à souliers. Le journal qu'elle t'écrivait était dedans… »

Stéphane se redressa : « Le journal ! Ernest sait où il est ! »

« Elle disait qu'elle devait plus t'écrire ni continuer à penser à toi, parce que ça la rendait folle. Elle m'a demandé de cacher son journal dans la cave pour pas que Patrice tombe dessus. C'est ce que j'ai fait.

« Trois semaines plus tard, Pierre m'a appelé pour m'avertir que la dépression de Janine avait tellement empiré qu'il avait dû la faire hospitaliser dans une clinique psychiatrique. »

« Mon Dieu ! » Stéphane appuya de nouveau sur pause pour reprendre ses esprits. Tendant une main vers la table basse pour saisir sa tasse de café, il se rendit compte qu'il ne l'avait pas apportée. Il remit en marche le baladeur.

« J'étais pas content ! Pourquoi la faire soigner aux États, alors qu'on a de bons médecins ici ? Quand Pierre m'a répondu que Janine voulait plus rentrer à Montréal, j'en suis par revenu…

« Ç'a pris des mois avant qu'on la remette su' l'piton. Heureusement, quand elle est revenue, au printemps, elle allait pas mal mieux… J'dirais même qu'elle avait changé boutte pour boutte. Elle a lâché sa job aux Shops pour retourner sur les bancs d'école étudier l'histoire de l'art. L'année passée, elle a commencé à travailler dans un musée. Elle aime bien ça. »

Un léger sourire décrispa les lèvres de Stéphane : « Elle a réussi à réaliser son rêve… »

« Maintenant, ça va pas pire, poursuivit Ernest, mais y a quand même une affaire qui m'chicote : depuis son retour des États, Janine ne m'a jamais reparlé de toi…

« Au début, j'me disais qu'avec toutes les années qui lui restaient à t'attendre, c'était mieux d'même. Pis un soir, on t'a vu à la télé en train de jouer d'la guitare dans un groupe. Je surveillais Janine du coin de l'œil. En la voyant pâlir, je m'suis inquiété : s'il fallait que sa dépression revienne… Finalement, non. Après l'émission, elle est allée se coucher sans un mot. Ça m'a surpris.

« Après, j'ai oublié ça. La vie a continué jusqu'à ma maudite crise cardiaque…

« J'suis resté quelques jours à l'hôpital. Là, j'ai eu du temps en masse pour jongler. J'ai réalisé que Janine savait toujours pas à quel endroit exact j'avais caché la boîte à souliers, dans la cave. Quand j'me suis décidé à lui en parler, elle m'a fait un drôle d'air, comme si elle savait pas pantoute de quoi j'parlais. J'comprenais pas : après l'avoir vue se morfondre pendant des années en pensant à toi, c'était comme si elle t'avait sorti de sa vie. »

Stéphane fixa le baladeur d'un air consterné. Dans son esprit, les paroles du vieillard tourbillonnaient dans une frénésie d'angoisse et d'incompréhension. Il arracha ses écouteurs et se leva d'un coup.

« Ç'a pas de bon sens ! »

Il commençait à penser que le grand-père divaguait sérieusement. Pourtant, l'attitude de Janine au salon funéraire confirmait ce qu'il venait d'entendre.

Abandonnant l'appareil sur le sofa, il alla dans la cuisine : il avait vraiment besoin d'un café ! Il se servit puis il retourna aussitôt au salon. Un clic se fit entendre : l'enregistrement était terminé. Dans son

énervement, il avait oublié d'éteindre le baladeur. Il
se rassit et rembobina une partie de la cassette.

«... c'était comme si elle t'avait sorti de sa vie.
Pour les raisons que tu sais, j'ai pas pu en parler à
personne, même pas à Pierre.

«La bonne chose, c'est que, présentement, elle est
heureuse comme elle l'a jamais été. Elle s'est fait
beaucoup d'amis aux beaux-arts, elle aime étudier et
elle pense même à enseigner ce qu'elle apprend.
J'peux pas demander mieux !

«J'sais pas encore si je vais lui reparler du journal.
Pour le moment, ça me tente pus de l'achaler avec ça.
Il faut pas que tu m'en veuilles, Stéphane, je l'ai telle-
ment vue pleurer...

«La cassette, c'est pour ça. J'voulais que tu saches
que la boîte à souliers est cachée au fond de la grosse
malle bleue, dans la cave. J'ai profité d'une journée où
mon petit-fils était au cégep pour faire ce que j'avais
à faire. Patrice est pas fou. Il a bien vu que j'avais
défait le plancher parce que les tuiles qu'on avait
gardées en réserve juraient avec le reste. Mais j'avais
pris mes précautions en remontant quelques souvenirs
que je lui ai remis pour lui faire croire que c'était pour
ça que j'avais rouvert la trappe.

«Maintenant, Stéphane, tout ce que t'as à faire, c'est
de descendre dans la cave. La malle est pas barrée.

«... Bon, ben, c'est ça... Ça m'fait drôle de savoir
que tu vas m'écouter dans 17 ans... En 2000, ça va
faire une méchante mèche que j'serai mort et enterré...

«En tout cas... Tout ce que j'espère, c'est que je
m'en suis fait pour rien et que tout se passe bien entre

ma fille et toi. Mais… si elle revient pas… J'sais pas trop comment tu vas prendre ça… Au moins, lis son journal, ça t'aidera peut-être à comprendre…»

La voix éraillée se tut.

Terrassé, Stéphane resta de longues minutes immobile sur le sofa. La descente aux enfers de Janine après leur scène d'adieu dépassait son entendement : «Voyons, Janine savait qu'on allait se retrouver de toute façon, ça aurait dû l'aider à surmonter sa culpabilité. C'est une battante, c'est pas son genre de se laisser aller comme ça… À moins que…»

En pensée, il revit la jeune Janine quelques heures avant son départ pour 1959 : «Elle avait tellement peur que je me désintéresse d'elle en la voyant me revenir à 62 ans. Je ne pouvais pas la laisser partir sans lui donner un peu d'espoir…»

Il lui avait alors avoué le gros béguin qu'il avait eu pour elle à l'âge de 17 ans. Seulement, craignant de la bouleverser davantage, il avait préféré taire la suite des événements.

Avait-il eu tort de tenir pour acquis qu'en 1978, Janine ferait spontanément le lien entre le futur et le présent ? Et si, en répondant à ses avances à Saint-Bruno, elle avait cru avoir détourné le temps ?

«Ernest disait qu'en m'éloignant d'elle, Janine craignait que je lui en tienne rancune… Voyons, elle ne peut pas avoir cru que je l'enverrais promener à son retour, en 2000 !»

Son journal lui en dirait plus. Stéphane se leva.

Dans la dépense de la cuisine, il s'empara du pied de biche pour ouvrir la trappe. Puis, en songeant à

Ernest, un pâle sourire se dessina sur ses lèvres : « Dire qu'en 1971, il était tellement en maudit quand il nous a surpris, Patrice et moi, dans la cave... Et maintenant, c'est lui qui m'invite à y descendre... » L'ironie de la situation le fit, cette fois, se fendre d'un large sourire qui se transforma en un violent fou rire. Puis, tout aussi brusquement, ses appréhensions reprirent le dessus. À bout de nerfs, il éclata en sanglots.

« Ça s'peut pas qu'elle ait refait sa vie avec un autre et qu'elle ne prenne même pas la peine de venir m'en parler... Hier, elle ne voulait plus me quitter... »

Hier...

Pour Janine et lui, ce mot n'avait pas le même sens... Stéphane soupira de dépit. Il essuya ses yeux, puis souleva la trappe et descendit les marches.

Il tira sur la chaînette pour allumer. Courbé en deux, il avança vers le milieu de la cave. La malle était au même endroit qu'autrefois : près du puits, encore illuminée par la baladeuse de Laurent. Stéphane la remonta pour éclairer les alentours : les deux boîtes de bois avaient disparu au cours des 41 dernières années, Laurent avait effacé toutes les traces des Compagnons du Saint-Esprit.

Il retourna à la malle et souleva le couvercle. Il trouva la boîte à chaussures camouflée sous un châle noir. Sans plus attendre, il se précipita dans l'escalier.

La boîte était scellée avec du ruban adhésif, maintenant sec et jauni, qu'il coupa à l'aide d'une paire de ciseaux. Le souffle court, il s'attabla et examina le journal à couverture de cuir rouge aux pages noircies d'une belle écriture régulière. À sa grande surprise, il constata que les dernières pages avaient été arrachées.

Une feuille de tablette sténo avait été fixée sur le rabat du journal. Stéphane la décolla d'une main tremblante.

Je n'en peux plus! Ce qui s'est passé entre nous depuis un an n'avait pas sa raison d'être. Je m'en veux tellement.

Pierre est venu me chercher. Je pars dans quelques minutes pour San Francisco. C'est mieux ainsi. Encore 22 ans à t'attendre, c'est trop long. Il vaut mieux que je m'éloigne de cette maison où tout me rappelle ta présence.

Je vais mettre ce journal de côté. Je le reprendrai plus tard, beaucoup plus tard.

Janine

Mais elle n'y avait jamais retouché, et quand son père avait voulu lui indiquer l'endroit où il l'avait caché, elle n'avait rien voulu entendre…

«C'est comme si elle t'avait sorti de sa vie.»

Dans son esprit, les paroles d'Ernest sonnaient comme un glas.

Immobile sur sa chaise, Stéphane devait se rendre à l'évidence: à son retour de San Francisco, Janine avait décidé de refaire sa vie. L'Italien du salon funéraire, le type des photos de voyage et combien d'autres hommes s'étaient endormis contre son corps après l'avoir fait frémir…

La rage au cœur, Stéphane feuilleta les pages à rebours pour remonter jusqu'au 16 août 1977, le jour où il était passé la voir avec un bouquet pour la consoler de la mort d'Elvis Presley...

Je ne t'avais pas revu depuis des mois, mais j'avais réussi à me faire une raison. Chaque fois que je pensais à toi, l'image de l'homme et du petit garçon se confondaient. C'était touchant et rassurant à la fois.

Tu m'as surprise tout à l'heure avec ton bouquet. Ce n'était plus le copain de mon fils qui me serrait contre lui, mais l'homme que je pleurais depuis 18 ans. Le manque de toi a eu raison des mises en garde de Laurent. J'ai perdu la tête. Je me suis accrochée à toi sans penser aux conséquences. Je ne pensais qu'à nous.

Tu as dû me prendre pour une folle. Tu semblais si mal à l'aise.

Je t'en prie, ne reviens pas. C'est trop dur.

Stéphane ferma les yeux : « Ah, mon Dieu, c'est donc ça ! »

Si seulement elle avait su que tout ce qui allait se passer entre eux faisait déjà partie de leur destin...

Il parcourut les pages jaunies. Des espoirs déçus aux grands frissons d'allégresse, les mots de Janine vibraient en lui, embrasaient son cœur. Il la sentait derrière lui, collée à son dos, son souffle contre son oreille :

Lorsque tu m'as dit : « Vous le savez bien que c'est vous que j'aime ! » J'aurais dû m'enfuir à toutes jambes, mais la passion dans ton regard m'a clouée sur place.

La brusque volte-face de Janine à l'arrivée de Gaétan ramena Stéphane au cœur de son tourment. «Il n'y a pas de "nous deux", Stéphane...»

Un chagrin enfoui depuis 22 ans lui noua la gorge: «Oui, il fallait qu'elle le fasse, il fallait qu'elle le fasse...»

Stéphane s'obligea à tourner l'avant-dernière page. La feuille était tachée d'encre délayée de larmes. Daté du 20 juillet, le message avait été griffonné en grosses lettres irrégulières:

> *Oh, mon amour, si tu savais comment je me suis haïe tout à l'heure. Tu étais tellement content de me montrer tes photos de Saint-Bruno, et moi, j'essayais de rester froide. Après, il a fallu que je coupe court: tu ne pouvais pas m'aimer, c'était trop tôt. Je sais que je t'ai brisé le cœur, mais il fallait absolument que j'agisse ainsi, au risque de te perdre pour toujours.*
>
> *M'as-tu pardonnée? Si tu n'as pas encore compris mes raisons, c'est qu'il est vraiment trop tard...*

Son chagrin et sa culpabilité avaient été si lourds à porter qu'elle en avait fait une dépression. «Et moi, pendant ce temps-là, je trippais musique avec mes chums, se reprocha Stéphane, le cœur gros. Après, elle a eu le courage de reprendre sa vie en main, et puis elle a rencontré d'autres hommes... Pardonne-moi, mon amour, tu avais le droit de vivre... J'ai été injuste envers toi...»

Il pressa le livre de cuir rouge contre sa poitrine: «Mais qu'est-ce qui te ramène à Montréal si ce n'est pas pour me revoir? Je suis là à t'attendre dans ton silence. As-tu vraiment fait une croix sur moi ou est-ce la crainte que je t'en veuille encore qui t'empêche de revenir? »

Stéphane referma le journal puis vérifia l'adresse de l'hôtel sur la carte. Après avoir jeté son reste de café dans l'évier, il sortit le plat de cannellonis du frigo.

Plus question d'attendre! Il allait manger, puis il prendrait une douche et filerait à l'hôtel. Il ne savait pas encore comment il aborderait Janine, mais, chose certaine, il ne repartirait pas sans elle.

Devant son repas, Stéphane posa les yeux sur la boîte à chaussures. La lecture du journal l'avait tellement accaparé qu'il en avait oublié son existence.

Il y trouva une enveloppe contenant plusieurs photographies de Patrice et lui, rangées en ordre chronologique. Au verso, Janine avait pris soin de dater chacune d'elles.

Stéphane tomba sur une photo prise le soir du fameux party d'anniversaire, le 15 avril 1978, où on l'apercevait, en compagnie de son ami d'enfance, souffler leurs 18 bougies.

Il passa à la suivante: « Oh! »

Janine, charmante, dans sa robe de dentelle blanche, posait devant la grosse plante, chez Gaétan. Ses cheveux dénoués flottaient sur ses épaules et un timide sourire entrouvrait ses lèvres.

« C'est moi qu'elle regarde. » La tendresse de son regard agit comme un baume sur ses blessures.

Le cliché suivant lui arracha un soupir douloureux: Gaétan avait dû insister pour qu'elle accepte de se faire prendre en photo. Devant la Mustang, Janine avait grimacé un sourire contraint : « Elle était si tendue quand j'ai passé mon bras autour de sa taille… Et moi, j'avais l'air d'un imbécile heureux. »

Il la retourna pour lire la date qu'il n'avait jamais oubliée : 15 juillet 1978. Aucun commentaire n'avait été ajouté. Derrière celle de la plante, seulement deux mots : « *Pardonne-moi.* »

Une heure plus tard, après avoir laissé son auto dans le stationnement souterrain de l'hôtel, situé au centre-ville, Stéphane, un porte-document à la main, se présenta à la réception.

— Madame Provencher ? C'est au troisième étage, le 307. Malheureusement, je l'ai vue quitter l'hôtel il y a 15 minutes. Désolé.

Mais Stéphane n'avait pas du tout l'intention de rebrousser chemin.

— Je peux l'attendre ici ? demanda-t-il en désignant l'un des luxueux fauteuils du hall d'entrée.

— Bien sûr, monsieur. Seulement, il se peut qu'elle ne rentre qu'à la fin de la journée.

— Ce n'est pas grave, répondit-il, imperturbable.

Il s'installa confortablement dans le fauteuil le plus en retrait.

Euphorie, inquiétude, incompréhension, colère, sollicitude : depuis la veille, il avait dérivé sur une mer de sentiments contradictoires. Il en avait assez.

Il ouvrit son porte-document pour en retirer le journal de Janine qu'il ouvrit à la première page. Après en avoir parcouru la dernière partie, il avait tout son temps pour lire le début.

« Et si je termine ma lecture avant ton retour, ma chère Janine, eh bien, je t'attendrai encore… »

Chapitre 12

Lundi 18 septembre 2000, au même moment...

Aux Deux Canailles, sympathique bistro de la rue Laurier, un couple dans la soixantaine était attablé devant la large fenêtre donnant sur la galerie Signature.

— Ah, non, nous n'avons pas de champagne, mais nous avons tout de même un choix d'excellents crus. Alors, c'est vous qui avez acheté Signature ?

L'homme haussa les sourcils :

— *My God !* Les nouvelles voyagent vite à Montréal. Qui vous a dit ça ?

Consciente de son sans-gêne, la serveuse rougit.

— C'est que… je suis la meilleure amie de Greta Tanasescu, elle est venue déjeuner ce matin… Je suis désolée, je…

— Il n'y a pas d'offense, mademoiselle, la rassura la femme en lui tendant la main. Quel est votre nom ?

— Claudia Rioux, répondit la jeune femme, soulagée en voyant s'épanouir le sourire de la dame.

— Nous allons nous revoir souvent, Claudia. C'est moi qui vais prendre la gérance de la galerie. Je m'appelle Janine Provencher.

Après avoir pris la commande, la serveuse se rendit à la cuisine, puis alla s'asseoir dans la section fumeurs. Tout en grillant sa cigarette, elle observait ses nouveaux clients.

«Je me demande ce qu'ils sont l'un pour l'autre, s'interrogea-t-elle en voyant l'homme s'incliner vers sa compagne. S'il n'était pas aussi empressé auprès d'elle, je jurerais que ce type est gai.»

La femme, qu'elle trouvait jolie et très élégante, semblait un peu plus jeune que son compagnon. «C'est vrai qu'elle n'a presque pas de rides, comme la plupart des femmes un peu fortes. En tous cas, elle est vraiment sympathique.»

Janine effleura la main de son associé.

— Ça me fait tout drôle d'être assise à la même table.

Pierre Bilodeau lança un regard circulaire. L'endroit, plutôt exigu, offrait tout de même assez de place pour asseoir une vingtaine de personnes. Même si le décor avait changé, il retrouvait avec joie l'atmosphère paisible d'autrefois.

— Moi aussi. C'est fou les heures qu'on a passées ici à discuter de nos projets autour de la galerie.

— On était si jeunes dans ce temps-là…

— Ouais, jeunes et naïfs… Surtout moi… soupira Pierre.

— Tu étais si dévasté quand tu as su que la galerie avait été vendue.

— Heureusement, cette fois, j'ai été prévenu à temps: pas question qu'elle nous échappe encore!

Le mardi 12 septembre, Pierre, informé de la mise en vente de la galerie par un de ses contacts à Montréal, avait sauté dans un avion, dès le lendemain, pour déposer une offre d'achat. Janine, retenue par des obligations, l'avait rejoint trois jours plus tard.

Peintre célèbre et fin négociateur, Pierre Bilodeau n'avait plus rien du petit jeune homme coincé dissimulant sa timidité sous un collier de barbe. En couple avec Garry Jones depuis 30 ans, assumant pleinement son homosexualité, il était devenu, à force de travail acharné, propriétaire d'une demi-douzaine de galeries d'art à San Francisco qu'il gérait avec Janine, depuis quelques années.

— Quand même ! S'il avait fallu que Calvin refuse ta proposition…

Dimanche, cet Omar Calvin, l'homme d'affaires américain qui avait déposé la première offre d'achat, avait téléphoné à Pierre pour lui annoncer qu'il se retirait.

Tous les gens du milieu connaissaient Omar Calvin. Riche propriétaire d'un grand nombre de galeries en Europe et en Amérique du Nord, il avait, quelques années plus tôt, jeté son dévolu sur la Sunrise Art's Gallery, une maison réputée de San Francisco. Mais il avait trouvé Pierre sur son chemin.

Ce n'était pas la première fois que les deux hommes croisaient le fer. Cinq ans plus tôt, Calvin, qui voulait percer en Californie, avait réussi à mettre la main sur un réseau de galeries à Los Angeles, devançant Pierre de quelques milliers de dollars. En revanche, ce dernier lui avait fait mordre la poussière à San Francisco.

— Qu'il refuse ma proposition? Pas de danger, depuis le temps qu'il voulait mettre la main sur la Sunrise.

— S'il avait su à quel point tu tenais à Signature, il en aurait sans doute profité pour négocier ton prix à la baisse.

— Hé! Hé! Je l'ai bien eu!

Janine et Pierre s'étaient associés en 1993. Unis par la même passion, la peinture, ils prenaient soin l'un de l'autre comme avant.

Pierre n'avait jamais su l'identité de l'homme pour qui Janine avait perdu la tête en 1978. Au début de son séjour chez lui à San Francisco, elle lui avait parlé d'un collègue dont elle était tombée amoureuse, mais, au plus fort de sa dépression, elle lui avait raconté une histoire sans queue ni tête au sujet d'un homme rencontré lors d'un séjour de trois jours dans le futur, au moment de sa disparition après l'incendie de l'hospice, en 1959.

Après des mois de soins en clinique psychiatrique, l'«homme du futur» avait cessé de l'obséder. Toutefois, même si sa fuite lors de l'incendie avait laissé une trace indélébile dans sa mémoire, Janine n'avait gardé aucun souvenir de sa captivité dans la cave de son père.

— Tu veux dire que je suis restée trois jours enfermée dans la cave? Mon Dieu! Comment ai-je pu l'oublier? s'était-elle étonnée lorsqu'il lui avait relaté l'événement.

Trois jours perdus en 1959, de même qu'une foule de souvenirs précédant son internement à San

Francisco, comme cette mystérieuse peine d'amour qui aurait tout déclenché…

Des tests psychologiques avaient révélé une amnésie quasi totale de sa dernière année. Son psychiatre lui avait précisé que les pertes de mémoire étaient l'un des effets secondaires de l'électrothérapie.

— Mais d'après moi, avait-il ajouté, vous devez aussi souffrir d'amnésie psychogène. Certains militaires en ont été atteints à leur retour de la guerre au Vietnam : les recherches parlent de trous de mémoire causés par un traumatisme psychologique. Des souvenirs pourraient vous revenir dans une semaine, un mois, quelques années ou peut-être jamais. Soyez à l'affût, mais évitez de vous tracasser à ce sujet et continuez à aller de l'avant.

De retour à Montréal, en avril 1979, Janine avait préféré cacher ce diagnostic à son père, jugeant qu'il avait eu largement sa part d'inquiétudes.

En septembre, elle avait entrepris des études à l'École des beaux-arts. Après avoir travaillé quelques années au Musée des beaux-arts, elle avait enseigné l'histoire de l'art dans un cégep jusqu'à sa retraite, en 1992. Un cancer des ovaires avait rongé sa première année de retraite, alors que son fils Patrice séjournait en Norvège à mettre sur pied un important projet de recherche. Pierre avait décidé de venir passer quelques mois auprès d'elle pour la soutenir. L'année suivante, Janine, qui avait accepté avec enthousiasme sa proposition d'association, avait plié bagage pour le suivre à San Francisco.

La serveuse se présenta à la table avec une bonne bouteille.

— Je trinque à notre succès et au retour de ta bonne mine, dit Pierre en levant son verre.

Vendredi, à sa descente d'avion, le peintre avait remarqué ses yeux cernés :

— Qu'est-ce que t'as ? On dirait que tu as passé la nuit sur la corde à linge.

— Bah, je fais de drôles de rêves depuis quelques jours.

Dans l'auto, elle lui avait raconté l'un d'eux où, fuyant l'incendie de l'hospice, elle s'était retrouvée, en robe de nuit, au beau milieu de la cuisine de la maison paternelle.

— Le plus bizarre là-dedans, c'est qu'en me levant, jeudi matin, j'ai réalisé que ça faisait 41 ans, jour pour jour, que l'hospice était passé au feu.

Le samedi matin, elle s'était levée avec les traits tirés, et la nuit suivante, Pierre l'avait entendue hurler dans son sommeil. À contrecœur, Janine avait accepté le somnifère qu'il lui avait proposé.

— Je dors mieux depuis dimanche, mais à partir de ce soir, fini les pilules : c'est peut-être efficace, mais je ne veux pas me retrouver avec un problème d'accoutumance.

— Tu as raison. De toute façon, ce soir, tu n'en auras pas besoin, on va se soûler au champagne. Que dirais-tu d'un petit souper à l'hôtel ?

— Bonne idée… Mais demain, on risque d'être pas mal sur le carreau.

— Bof, on passera la journée à flâner. De mon côté, je n'ai rien de prévu, à part quelques coups de fil à passer pour Pat : j'ai trois donateurs potentiels à lui présenter.

Leur fils Patrice, à la recherche de financement pour sa clinique au Vietnam, devait faire un saut à San Francisco au courant de la semaine suivante.

— Mon petit doigt me dit qu'il va prolonger son contrat là-bas, poursuivit Pierre. Il t'a parlé de sa petite amie ? Tu sais, l'infirmière…

— Il en est fou ! J'espère que ça va marcher, cette fois. J'aimerais bien avoir des petits-enfants à chou-chouter.

Pierre éclata de rire.

— Wô, wô, range tes aiguilles à tricoter, mémé, et laisse-lui le temps de se faire une idée.

La serveuse revint avec leur dîner : quiche et salade pour tous les deux.

— Je suis contente qu'on puisse rester encore quelques jours. Si tu veux, on pourrait magasiner les boiseries pour la galerie.

Dès son arrivée à Montréal, Janine avait insisté pour aller visiter Signature. Ce jour-là, la galerie était bondée de touristes américains. Débordée, Greta Tanasescu avait quand même pris le temps de saluer Pierre, qui lui avait présenté Janine.

D'un œil attendri, Pierre avait observé son amie qui, étrangement silencieuse, avait considéré les lieux d'un regard médusé. En sortant, lorsqu'il lui avait demandé ses commentaires, elle s'était enthousiasmée devant les rénovations apportées à l'endroit, tout en déplorant la disparition des boiseries.

—Ah, c'est donc pour ça que t'avais un drôle d'air...

Ils prirent deux ou trois bouchées en silence. Janine semblait perdue dans ses pensées.

«Elle est encore dans la lune... Qu'est-ce qui peut bien la préoccuper?», songea Pierre en l'observant.

—C'est ton retour à Montréal qui te chicote? lui demanda-t-il en posant sa main sur la sienne.

Tirée de sa rêverie, Janine poussa un long soupir.

—Plus ou moins. Il faut que je voie l'ami de Patrice avant de partir.

—Stéphane Gadbois? Je croyais que tu l'avais contacté, quand on a su pour Signature...

—Non, pas encore... C'est embêtant... Patrice lui a prêté la maison jusqu'à son retour. Stéphane ne s'attend pas à être délogé si tôt. Je ne sais pas trop ce que je vais lui dire...

Pierre s'étonna: en général, Janine n'était pas du genre à laisser traîner les choses.

—Demande à Patrice de s'en charger, si tu n'es pas à l'aise.

—Voyons, Pierre! C'est ma décision de retourner vivre à Montréal, c'est à moi d'en parler à Stéphane.

Pierre but un peu de vin et s'absorba dans ses pensées. Puis...

—La maison est grande, tu pourrais lui offrir de la partager avec toi. Tu t'entendais bien avec lui, non?

— Dans le temps, oui, mais ça fait des années que je ne l'ai pas vu. Je ne sais plus vraiment à qui j'aurais affaire.

Le regard de Pierre s'éclaira.

— Ah, c'est vrai! J'ai oublié de te dire que je suis passé à la maison, jeudi soir, pour chercher les papiers de Patrice. Stéphane s'apprêtait à souper, je ne suis pas resté longtemps…

Janine tressaillit vivement:

— Ah, bon? Tu l'as trouvé comment?

— Un peu nerveux, mais plutôt sympathique.

— Comment ça, nerveux?

— J'aurais dû téléphoner avant. Il ne s'attendait pas à ma visite, il y avait une fille avec lui.

— Ah? Tu penses que c'est sa petite amie? demanda Janine en tentant de garder contenance.

— Peut-être, mais il doit avoir le double de son âge. Mais écoute ça… La fille, quand je l'ai aperçue, je n'en suis pas revenu: on aurait dit toi à 20 ans. Le visage, la taille, la coiffure et surtout les yeux… Je te le jure, la ressemblance était frappante. J'aurais aimé que tu la voies… Voyons, qu'est-ce qui t'arrive?

Janine avait blêmi, sa fourchette lui avait échappé des mains, elle la reprit d'une main tremblante.

— Rien, rien… La tête me tourne un peu… Je… je ne suis pas habituée à boire si tôt dans la journée.

— Tu veux que je te ramène à l'hôtel?

— Non, non. J'ai des projets pour l'après-midi. Je vais prendre un café avec mon dessert, ça me remettra d'aplomb. Tu as toujours l'intention d'aller voir Julien?

— Ne change pas de sujet, coupa Pierre, je vois bien que tu files un mauvais coton depuis ton arrivée. Si tu as des problèmes, tu peux m'en parler…

— Ben non. C'est juste le vin… Fais-moi plaisir, ne pense plus à ça et va voir ton ami.

— Bon, d'accord, fit Pierre à moitié rassuré. C'est quoi, tes fameux projets qui t'empêchent de m'accompagner chez Julien ? Il veut mon opinion sur ses toiles, un avis de plus ne serait pas de trop…

Julien Després était un ancien camarade de classe de Pierre, un beau parleur qui avait jeté son dévolu sur Janine.

— Désolée, je n'ai pas du tout envie de passer l'après-midi à entendre ton ami roucouler. Je préfère que tu me déposes au centre-ville. On se retrouvera à l'hôtel pour souper.

— *My God !* Ne me dis pas que tu veux encore magasiner ! Avec tout ce que tu as acheté hier, ça va te coûter une fortune aux douanes.

— Comment ça, aux douanes ? ricana Janine. Je vais tout laisser à la maison, voyons ! On dirait que tu oublies que je reviens m'installer ici.

⁂

À la fin de l'après-midi, Janine entra dans un café, rue Saint-Denis. Elle choisit une table et déposa quatre gros sacs sur la banquette. En prévision de son retour au Québec, elle s'était procuré quelques vêtements, dont un manteau d'hiver et une paire de bottes. Après toutes ces années passées à San Francisco, loin de ses amis, il lui tardait de retrouver le chemin de la petite maison blanche où elle avait grandi.

« Je suis épuisée. Je vais essayer de dormir un peu avant le souper », se promit-elle.

Elle commanda un café qu'elle sirota en pensant à son fils : « Il voulait savoir quand nous serions de retour à San Francisco. Il a hâte de nous voir : il s'ennuie, lui aussi… Pierre m'a dit qu'il était content d'apprendre que je retournais vivre à la maison. »

Et Stéphane ? Comment réagirait-il ? Elle aurait pu lui téléphoner sitôt sa décision prise, mais la seule évocation de son nom engendrait en elle une confusion insoutenable…

Quelques années après son séjour en clinique psychiatrique, certains épisodes des mois précédant sa dépression étaient remontés à la surface : des anecdotes anodines, comme le départ à la retraite d'une collègue, chez Angus, ou la fête organisée pour souligner le 20e anniversaire de vie commune de ses amis, Susan et André. Toutefois, d'autres perceptions furtives s'imprégnaient de sentiments troublants. Étrangement, plusieurs d'entre elles la ramenaient à l'ami d'enfance de Patrice, comme le soir où elle l'avait vu se produire à la télévision…

C'était au printemps 1980, peut-être au début du mois de mars. Revenue tard en soirée de l'École des beaux-arts, Janine avait retrouvé Patrice et Ernest dans le salon devant le talk-show de Michel Jasmin.

— Yeah ! Je suis content que t'arrives à temps, maman ! s'exclama Patrice en se levant pour lui céder sa place. Assois-toi, Stéphane va passer tout de suite après la pub. Tu vas enfin pouvoir entendre *3 minutes 59*, la toune dont je te parlais, l'autre fois. Son groupe vient tout juste de l'endisquer.

Patrice ne tarissait pas d'éloges pour cette pièce musicale depuis qu'il avait assisté à une représentation des Time Men au cégep de Bois-de-Boulogne. Malheureusement, à la fin du spectacle, quand il avait voulu féliciter Stéphane, il l'avait cherché en vain dans les coulisses. Sa déception était palpable à son retour à la maison. Patrice avait perdu Stéphane de vue depuis leur entrée dans des cégeps différents, deux ans plus tôt, et même si son fils s'était fait de nouveaux copains, Janine se doutait qu'il en voulait un peu à son ami d'enfance de ne plus donner de nouvelles.

Curieuse de revoir le garçon qui avait partagé les jeux de son fils, Janine s'était installée dans son fauteuil préféré. De retour en ondes, l'animateur avait fait un bref survol des succès de la formation de Phil Jessen, puis un nuage de fumée avait envahi l'écran au son d'une guitare envoûtante. Janine avait tressailli : elle connaissait cet air ! Cette vive impression s'était intensifiée au moment où la caméra avait offert un gros plan du guitariste : Stéphane Gadbois, 20 ans, les cheveux aux épaules, le regard bleu perçant l'écran.

Prise d'un vertige, Janine avait senti son cœur s'abîmer dans un gouffre de désespoir sans nom. Les larmes d'un chagrin inexplicable avaient roulé sur ses joues.

Assis à son clavier, le leader du groupe avait entamé la mélodie du succès qui avait déjà gagné le cœur des cégépiens du Québec. Après avoir essuyé discrètement ses yeux, Janine avait amorcé un geste pour se lever afin de recouvrer ses esprits, mais la musique suscitait en elle un tel émoi qu'elle en était restée clouée à son fauteuil.

Les yeux rivés sur l'écran, Patrice émettait des commentaires enthousiastes auxquels Ernest répondait par monosyllabes. En se tournant vers lui, Janine avait surpris son regard inquiet. D'un mince sourire, elle avait tenté de le rassurer : elle ne voulait pas que son père se fasse du mauvais sang pour elle.

— Pis, qu'est-ce que t'en penses, maman ? lui avait demandé son fils à la fin de la prestation.

La voix du grand-père avait retenti :

— En tout cas, on peut dire qu'y en a mangé, des croûtes, depuis qu'il nous cassait les oreilles avec ses trois maudits accords, hein, ma fille ?

— Ça, c'est sûr, papa, était-elle parvenue à articuler.

— Tu ne restes pas pour l'entrevue ? s'était étonné Patrice en la voyant quitter son fauteuil.

— J'ai un examen demain, je dois me lever tôt pour étudier.

Enroulée dans ses couvertures, Janine avait tenté de chasser cette mélodie qui tournait en boucle dans sa tête. Après avoir passé une heure à essayer de comprendre sa réaction, elle avait pris un léger somnifère.

Le lendemain, à six heures, elle s'était attablée dans la cuisine pour réviser la matière de son examen, refusant à ses émotions de prendre le pas sur ses études.

Dans les semaines suivantes, *3 minutes 59* fut propulsée à la tête du palmarès québécois : la chanson passait sur toutes les stations de radio. Chaque fois qu'elle l'entendait, la même troublante sensation s'emparait de Janine, sans qu'elle puisse en identifier la source.

Le départ du groupe vers les États-Unis, l'année suivante, avait relégué la mélodie aux oubliettes et aucun épisode de ce genre ne s'était reproduit jusqu'au jour où elle avait croisé Stéphane au salon funéraire...

— Maman, regarde qui est là! avait lancé Patrice en passant son bras sous le sien.

Janine s'était retournée: Stéphane lui avait tendu la main pour lui offrir ses condoléances. D'abord déstabilisée, elle avait encaissé le coup avant de l'attirer vers elle pour l'embrasser. Ensuite, elle l'avait observé à la dérobée pendant qu'il se recueillait devant le cercueil de son père, ne pouvant s'expliquer la terrible angoisse qui lui tordait l'estomac. Pour reprendre contenance, elle lui avait parlé de sa prestation à la télévision et de la fierté d'Ernest.

Par la suite, elle n'avait cessé de s'interroger au sujet de cette sourde jalousie qui était montée en elle lorsqu'il lui avait présenté sa copine... Grâce au ciel, l'intervention inespérée d'Enzo Gasparelli, collègue du Musée des beaux-arts, avait mis fin à la scène.

Janine s'était promis de relater cet événement troublant à son psychiatre, à sa prochaine visite à San Francisco. Puis, voyant que la vie reprenait normalement son cours, elle avait décidé de passer outre.

— Vous voulez que je réchauffe votre café, madame ?

Éjectée de ses pensées, Janine poussa sa tasse vers la serveuse.

— Oui, merci, vous êtes gentille.

Elle consulta sa montre : « 16 h 20, Pierre doit toujours être avec Julien, j'ai encore du temps... »

Elle avait besoin de réfléchir calmement avant de décider si elle allait confier à son ex-mari la teneur des rêves troublants qui avaient perturbé son sommeil depuis le cauchemar de la nuit du 13 au 14 septembre...

Le mercredi 13 septembre, à San Francisco, Janine s'était couchée tôt. Une grosse journée l'attendait, le lendemain : elle devait donner une conférence dans un collège français sur les peintres impressionnistes.

Elle s'était endormie rapidement, mais quelques heures plus tard, son sommeil avait été secoué par un rêve terrifiant : un incendie dévastateur ravageait l'hospice Saint-François-Solano ; suffoquant sous un épais nuage de fumée, elle s'était enfuie par le puits du garde-manger.

Un long hurlement l'avait arrachée à ce cauchemar.

Le visage couvert de sueur, le cœur prêt à éclater, elle avait ouvert les yeux, égarée dans un dédale de souvenirs enchevêtrés. Recroquevillée en fœtus, elle n'osait plus bouger ni fermer les yeux, de peur que son cauchemar se prolonge au-delà de son cri d'horreur.

Peu à peu, son pouls avait retrouvé un rythme régulier. Elle s'était levée. Dans la salle de bain, elle avait jeté une débarbouillette sous un jet d'eau froide puis l'avait appliquée sur son visage. Soudain, une violente quinte de toux l'avait secouée, au moment même où son esprit la replongeait au cœur de l'incendie : l'épaisse fumée, la montée vertigineuse d'une sourde panique et une fulgurante douleur labourant son bras gauche.

Toute l'horreur de sa fuite aveugle dans le souterrain avait ressurgi en un puissant ressac. Elle vacillait. La débarbouillette était tombée à ses pieds alors que l'eau coulait toujours du robinet. La respiration haletante, entrecoupée de toussotements, elle avait saisi le verre au bord du lavabo et l'avait rempli à ras bord. Puis, les yeux fermés, elle l'avait vidé d'un seul trait. Subitement, une autre vision avait surgi : dans la cuisine de sa maison, rue d'Orléans, elle tendait le verre vide à quelqu'un, un homme dont elle ne pouvait distinguer le visage.

En ouvrant les yeux, elle avait aperçu le reflet d'une sexagénaire au visage livide tendant son verre vers le miroir de l'armoire à pharmacie.

« Mais qu'est-ce qui m'arrive ? »

Agitée de tremblements incontrôlables, elle ne voulait plus retourner dans son lit, seule, au cœur de cette nuit cauchemardesque.

Que faisait-elle au beau milieu de sa cuisine vêtue d'une robe de nuit souillée de terre ? Qui était l'homme à qui elle avait tendu le verre ?

Après de longues minutes à essayer de comprendre, elle s'était assise devant la télé avec une tisane, dans l'espoir de se calmer en se changeant les idées. Elle avait zappé quelques secondes, puis s'était arrêtée sur un film de Charlie Chaplin, *Les Temps modernes*, qu'elle avait visionné jusqu'à la fin.

Elle s'était ensuite obligée à retourner au lit. Il le fallait si elle voulait être en forme pour donner sa conférence. Elle s'était assoupie plus facilement qu'elle ne l'aurait cru.

Dans son sommeil, elle avait esquissé un sourire en poussant la porte de la chambre de sa mère. Derrière elle, l'homme avait appuyé sur l'interrupteur et la lumière avait jailli. Soudain, elle s'était rendu compte que la chambre n'était plus celle de Juliette, mais celle de Patrice. Une panique indescriptible s'était emparée d'elle. Bousculant l'homme à la porte, elle s'était ruée hors de la pièce pour se précipiter dans le vestibule. Ses mains tremblaient sur la poignée. L'homme l'avait rattrapée, il s'était glissé devant elle.

— Wô, là! Où pensez-vous aller?

Elle avait tenté de le repousser, mais il lui avait fermement saisi les épaules:

— Écoutez, mam'zelle, vous sortez des entrailles de cette maison en jaquette, vous me devez quand même une explication.

Elle avait levé de grands yeux perdus vers lui:

— Oh mon Dieu! Stéphane! Stéphane!

Elle s'était éveillée au bout de son cri, tremblant de tous ses membres.

Que signifiait ce rêve absurde ? Pourquoi Stéphane Gadbois était-il revenu hanter son esprit ? Elle s'était relevée, résignée à passer le reste de la nuit debout.

La journée avait été pénible, mais le manque de sommeil n'avait eu aucun effet sur la qualité de sa conférence : Monet, Degas, Renoir n'avaient plus de secret pour elle.

À son retour à la maison, elle avait reçu un appel de son ex-mari : son offre d'achat avait été déposée. Pierre avait déjà contacté Omer Calvin pour lui faire sa proposition, il était optimiste.

Janine avait bouclé ses valises en se réjouissant d'aller passer quelques jours à Montréal. Pour elle, l'acquisition de Signature ne faisait aucun doute : Pierre en avait les moyens. De son côté, cette transaction remettait sa vie en perspective : elle avait immédiatement signifié à Pierre son désir de prendre en main l'administration de la galerie.

La nuit suivante avait été encore meublée de rêves étranges : un médecin recousant la blessure à son bras ; une balade en auto au son de la voix d'Elvis Presley ; des centaines de photos qui se confondaient sur le mur de la chambre de son fils ; des brochettes sur un barbecue ; une rencontre déconcertante avec Pierre et la présence de Stéphane Gadbois derrière chaque porte, à chaque coin de rue, son rire, son regard tendre, sa main sur la sienne, un slow dans ses bras, *Loving You...*

Janine était sortie du sommeil bouleversée par ces scènes oniriques, oscillant entre un réalisme saisissant et les divagations les plus folles.

En se glissant dans son lit, le vendredi soir, à l'hôtel, Janine, comblée par la perspective d'assumer la gérance de Signature et réconfortée par la présence de Pierre, s'attendait – à tort – à passer une nuit paisible.

La descente dans le puits de sa maison, un long couloir jalonné de flambeaux couverts de toiles d'araignée l'attendaient. Elle grelotait, Stéphane l'avait serrée contre lui, son étreinte la troublait. La jolie robe en mousseline qu'elle venait de revêtir, un canotier de guingois sur la tête de Stéphane, leurs reflets dans la glace d'une chambre austère, elle était si belle dans sa jeunesse...

Janine s'était agitée dans son sommeil. Non, elle n'avait plus 20 ans, pourquoi le miroir lui mentait-il ?

Elle avait ouvert de grands yeux dans la pénombre et s'était redressée péniblement sur un coude. Son rêve semblait si réel et, tel un feuilleton télévisé, l'aventure avec Stéphane se poursuivait. Par contre, depuis la veille, son affolement de la première nuit s'était mué en une sorte de fantasme délirant qui hantait ses réveils.

Sur la table de chevet, le cadran lumineux du réveil indiquait 3 h 15. Janine avait reposé sa tête sur l'oreiller, mais le sommeil n'était venu la prendre que deux heures plus tard.

Un tramway bondé de gens vêtus à la mode d'autrefois. Il faisait si chaud ! Elle se sentait nauséeuse. Ils étaient descendus devant l'entrée d'un parc d'attractions : une fanfare, la grande roue, des montagnes russes, l'odeur de friture... Elle avait passé son bras sous celui de Stéphane, il lui avait souri tendrement.

Soudain, une voix l'avait fait tressaillir : Laurent ! Elle s'était retournée. Pourquoi était-il déguisé en pirate ? Elle s'était jetée dans ses bras. Une promenade en Ford T dans une rue cahoteuse, encombrée de calèches et de tramways. Une course haletante à la sortie de la basilique Notre-Dame, un baiser volé dans le métro, un western à la télé... Elle avait ouvert ses draps à Stéphane. Il s'était blotti contre son corps, elle était si bien, elle était amoureuse...

Samedi, quand Janine s'était réveillée, Pierre n'était pas dans la suite. Un mot lui avait appris qu'il était parti faire son jogging. À son retour, il lui avait proposé une tournée des galeries du Vieux-Montréal.

Durant la journée, il lui avait souvent fait remarquer qu'elle avait l'esprit ailleurs. Une fois, à la blague, il lui avait même demandé si elle était amoureuse. Elle avait haussé les épaules, offusquée : ce qu'il pouvait être énervant, parfois !

N'empêche qu'elle avait trouvé la journée bien longue...

Le soir, ils étaient invités chez leur vieux couple d'amis, Susan et André. Ensemble, devant un bon repas, ils s'étaient rappelé leurs folles virées dans les bars de la bohème. Ils étaient partis trop tôt au goût de leurs hôtes, mais Janine avait sommeil...

Déjà, Pierre se doutait que quelque chose ne tournait pas rond. Elle aurait pu tout lui raconter, elle avait confiance en lui, seulement... elle craignait que son esprit cartésien ne tue la magie de ses nuits.

Malgré le vin bu à table et dans la soirée, le sommeil avait tardé à venir. Après s'être tournée et retournée dans son lit, elle s'était relevée pour prendre un bain. Assis dans un fauteuil, Pierre, plongé dans un album d'art, lui avait encore offert un somnifère. Elle avait refusé. Lorsqu'elle était sortie de la salle de bain, il dormait. Sur la table à déjeuner, il avait déposé un flacon de comprimés, qu'elle avait ignoré.

Elle s'était endormie une demi-heure plus tard.

— Jess! Jess! Jess!

Le chanteur s'était présenté sur scène devant une foule en liesse. Ce soir, le rock and roll était roi! Stéphane se révélait un merveilleux partenaire, comme s'ils avaient dansé ensemble depuis toujours.

Peu à peu, l'éclairage s'était tamisé, l'orchestre s'était retiré. Seul sur scène, Jess avait fait vibrer sa guitare : *Sleepwalk*… Les couples s'étaient enlacés. Elle tremblait dans les bras de Stéphane, qui n'en menait pas large non plus : après l'entracte il devait offrir une prestation solo : *3 minutes 59*…

«Ramène-moi à la maison», lui avait-elle murmuré à la fin de son exécution. Le taxi filait sur le pont Champlain. Leurs cheveux au vent, leurs doigts entrelacés, ils ne pensaient qu'à s'aimer. Un peu plus tard, sa robe était tombée à ses pieds, les lèvres de Stéphane couraient sur son cou, elle frissonnait de plaisir. Un grand lit les avait accueillis, elle avait défait les boutons de la chemise de son amant. «Oh, Stéphane, il y a tant d'amour dans tes yeux! Comment vais-je pouvoir te quitter?» Non! Elle ne voulait pas y penser, pas tout de suite… Elle s'était abandonnée dans ses bras. La bouche de Stéphane sur ses seins, ses mains sur ses fesses, elle frémissait sous ses caresses.

« Ça n'a pas de bon sens comme je t'aime, Janine, tu vas me rendre fou. » Sa langue chaude avait glissé sur son sexe, titillant habilement son clitoris. Au creux de son ventre, la vague de plaisir s'élevait, s'enflait, éclatait. Elle s'était cambrée dans son lit en gémissant.

Son corps assouvi était comme un grand lac étale, mais il faisait si froid tout à coup. Stéphane avait ramené les couvertures sur eux et l'avait serrée dans ses bras.

— Tu verras, mon amour, à ton retour, on se fera une belle vie juste à nous.

Mais elle ne voulait plus revenir sur ses pas pour s'enterrer là-bas ! Sans lui, elle ne tiendrait pas le coup. Mais déjà, la voix de Laurent l'appelait, sa silhouette se découpait à l'entrée de la chambre, la trappe était ouverte. Non ! Elle refusait de partir. Des larmes avaient jailli. Dans le lit, elle avait roulé sur le côté pour s'agripper à son amant : son corps était flasque et difforme…

Le vent dans les arbres faisait danser des ombres inquiétantes sur les murs de la chambre. La pluie crépitait contre la fenêtre. Stéphane n'était plus là. Un gouffre de silence s'ouvrait entre eux. Janine étreignit son oreiller en sanglotant.

Puis, soudain, le matelas avait ployé sous un poids. Une main caressait son dos.

— Janine, Janine qu'est-ce qui se passe ? Janine, réveille-toi.

En apercevant Pierre, elle avait eu un mouvement de recul.

— C'est fini, c'est fini. Ce n'était qu'un mauvais rêve, avait-il murmuré à son oreille.

— Mais c'était si réel…

Après un moment, il s'était assis dans son lit.

— Tu as encore rêvé de l'incendie ? C'est ça ?

Janine avait secoué la tête en essuyant ses larmes avec un coin du drap.

— Allez, raconte-moi.

Une terrible angoisse bloquait les mots dans sa gorge, elle était restée silencieuse. Pierre n'avait pas insisté, mais il lui avait suggéré de se lever.

— On va jaser un peu. Après, ça ira mieux et tu pourras te rendormir.

Janine l'avait suivi dans le petit salon. Après lui avoir rempli un verre d'eau, Pierre avait pris un comprimé dans le flacon laissé sur la table.

— Tiens, avale ça, avait-il commandé. Je te garantis que tu vas dormir comme un bébé.

— Mais il est presque quatre heures du matin, avait-elle protesté.

— C'est dimanche, nous n'avons rien de prévu aujourd'hui. Tu pourras dormir autant que tu voudras. J'en ai assez de voir ta mine de déterrée.

Elle avait finalement accepté le somnifère. Satisfait, Pierre s'était assis à ses côtés.

— Demain, on annonce du beau temps. À ton réveil, nous irons faire un tour à Saint-Sauveur et s'il ne fait pas trop frais, nous souperons quelque part sur une jolie terrasse.

Pour la distraire, il l'avait ensuite entretenue de ses projets d'expansion au Québec. Il l'avait déjà fait cent fois, mais qu'importe. Au bout d'une quinzaine de minutes, les paupières de Janine s'étaient alourdies, ses paroles se ponctuaient de plus en plus de bâillements qu'elle essayait d'étouffer sans succès.

— Allons, il est temps de retourner au lit. Tu crois que ça va aller ?

— Oui, mais je ne veux pas dormir dans ma chambre.

— Bon, alors je t'invite dans mon lit. J'espère seulement que mes ronflements ne te dérangeront pas.

— Depuis quand tu ronfles, toi ?

Pierre s'était levé avec un petit rire.

— Je ne sais pas trop. C'est Garry qui n'arrête pas de me le dire.

Janine s'était assoupie en posant la tête sur l'oreiller pour se réveiller six heures plus tard. Comme promis, Pierre l'avait emmenée dans les Laurentides. Dans la soirée, il avait reçu un coup de fil d'Omer Calvin : il acceptait son offre. Un appel à l'agent d'immeuble d'Ana Tanasescu avait bouclé la vente de la galerie. Le notaire pouvait préparer le contrat.

⌐⌐⌐≈≈≈

— Vous désirez autre chose, madame ?

La serveuse se tenait devant Janine, une carafe à la main.

— Non, c'est gentil, merci.

Elle jeta un nouveau regard à sa montre : 17 h 20. Elle s'accorda encore 15 minutes.

326

« Parler de mes rêves à Pierre est une chose, mais le reste… »

Que penserait-il de ces perceptions fugaces qui, depuis l'affolante vision devant le miroir de la salle de bain, se manifestaient à tout moment ? Comme cette vive impression de déjà-vu, vendredi, en franchissant l'entrée de Signature, ou cette folle conviction *d'être* la jeune fille que Pierre avait croisée à la maison, jeudi soir ?

Malgré elle, un sentiment tendre pour Stéphane ne cessait de grandir. Elle ne se comprenait plus : comment avait-elle pu s'amouracher d'un homme vu en rêve ? Elle secoua la tête : « Voyons, qu'est-ce qui me prend à me pâmer ainsi ? Je me conduis comme si j'avais encore 15 ans. Franchement, à mon âge ! »

Comment pouvait-elle s'imaginer dans les bras d'un homme qui l'avait toujours considérée comme sa deuxième mère ? Son désir pour lui était presque incestueux, il fallait en finir au plus vite !

« Je vais suivre le conseil de Pierre : en rentrant à l'hôtel, j'appellerai Patrice pour qu'il s'arrange avec Stéphane. S'il le faut, je retarderai mon déménagement ou je louerai un petit meublé en attendant qu'il se trouve autre chose. »

Ce soir, au diable les confidences ! Elle s'était assez torturée pour la journée. L'achat de Signature méritait d'être célébré dans la sérénité.

Cette résolution prise, elle régla l'addition et sortit dans la rue pour héler un taxi.

Chapitre 13

Stéphane regarda sa montre : 18 h. Il soupira. L'attente était longue. Il avait lu deux fois le journal de Janine, et même si cette lecture lui avait permis de reconstituer les 19 années suivant le retour de Janine à son époque et de rétablir certains faits comme la véritable raison du départ de Pierre Bilodeau pour San Francisco, l'énigme entourant la suite des événements restait entière.

De son point d'observation, rien ne lui échappait des allées et venues des clients déambulant dans le hall de l'hôtel. Si Janine était entrée, il l'aurait aperçue sans qu'elle le voie. L'effet de surprise revêtait une importance capitale pour lui : il croyait fermement que la réaction qu'elle aurait en le découvrant lui donnerait l'heure juste sur ses sentiments.

Soudain, une vision coupa court à ses réflexions : Janine se dirigeait vers la réception ! Le cœur battant à tout rompre, Stéphane regarda le réceptionniste s'adresser à elle, puis lever un bras vers lui. Janine se retourna, son visage devint livide, elle porta une main à son cou en vacillant.

Abandonnant son porte-document sur le fauteuil, Stéphane se précipita vers elle et la prit dans ses bras.

— Ça va ? Janine, ça va ?

Elle le dévisagea, stupéfaite. Stéphane la sentit se crisper.

— Je suis désolé, j'aurais dû appeler avant, lui souffla-t-il à l'oreille. Allons, viens t'asseoir.

— Non... J'aime... j'aime mieux monter, balbutia-t-elle en se détachant de lui.

Elle le laissa en plan pour se diriger vers l'ascenseur d'un pas mal assuré. Stéphane la suivit.

— Madame, vos sacs.

Le réceptionniste se présenta devant elle avec ses sacs d'emplettes. Stéphane s'en empara et appuya sur le bouton de l'ascenseur. Les portes s'ouvrirent immédiatement. Stéphane la fit passer devant lui.

— Monsieur ?

Il se retourna et aperçut l'homme de la réception, son porte-document à la main. Il le remercia. Les portes se refermèrent.

— Ah, cette manie de tout oublier quand c'est pas le temps ! lança-t-il en pouffant de rire.

Janine esquissa un mince sourire puis détourna rapidement le regard. L'homme de ses nuits était là, il la tutoyait et la considérait avec les mêmes yeux... Était-elle encore en train de rêver ?

Devant la porte de la suite, Janine sortit sa carte magnétique de son sac à main. Sa main tremblait.

— Donne, laisse-moi faire.

Elle remit la carte à Stéphane, étonnée par la fébrilité qu'il essayait de dissimuler.

— Tu devrais boire quelque chose, lui suggéra-t-il en la voyant se laisser tomber lourdement dans un fauteuil.

— Il y a du cognac dans le bar.

Stéphane repéra du Courvoisier dans le minibar et trouva deux verres dans une armoire.

Janine le dévorait des yeux : il avait 28 ans en 1988, lors de leur dernière rencontre, au salon funéraire, mais dans ses rêves il avait exactement le même âge qu'aujourd'hui : 40 ans. Elle avait envie de se pincer. Que faisait-il ici ? Selon le réceptionniste, il l'attendait depuis des heures...

Elle aurait préféré que Pierre soit là ou, mieux, que Stéphane l'ait laissée sur le pas de la porte. Il fallait absolument qu'elle trouve quelque chose à lui dire avant que l'angoisse qui lui étreignait le cœur ne prenne le dessus.

— Patrice m'a dit que tu avais enseigné quelques années à Québec. Penses-tu revenir définitivement à Montréal ?

En train de verser le cognac, Stéphane suspendit son geste : où voulait-elle en venir ?

— Euh... oui... J'ai l'intention de postuler au collège de Rosemont...

— Ah, c'est le cégep où tu as étudié, non ?

— C'est ça, répondit-il d'une voix à peine audible.

Cet échange de banalités lui semblait irréel. Décidément, il avait bien besoin d'un verre, lui aussi.

Il déposa les ballons sur la table basse et prit place sur le sofa. Il sentait Janine tellement tendue qu'il ne savait plus quoi lui dire. Pour se donner contenance, il reprit les deux verres et lui en tendit un :

— On boit à quoi ?

Un sourire indéfinissable se dessina sur les lèvres de Janine :

— Euh… Disons, à mon retour à Montréal, annonça-t-elle avant de prendre une petite gorgée.

Puis elle enchaîna très vite :

— C'est drôle que tu sois là. J'ai passé l'après-midi à penser à toi, parce que… écoute… je suis un peu mal à l'aise…

La voir tripoter nerveusement son ballon de cognac, les yeux ailleurs, ne lui disait rien qui vaille. Inquiet, Stéphane anticipait la suite.

— Vois-tu… euh… je sais que Patrice t'avait invité à habiter à la maison pendant son séjour au Vietnam, mais il y a un contretemps : d'ici une semaine, je vais quitter définitivement San Francisco et j'aimerais bien retourner vivre chez moi. Mais… sois bien à l'aise… en attendant que tu te trouves autre chose, je vais m'organiser…

Le visage de Stéphane s'allongea, il était estomaqué : après avoir passé des années à lui écrire à quel point elle se languissait de lui, voilà qu'elle l'invitait tout bonnement à plier bagage comme si de rien n'était !

Il s'était trompé ! Cette femme n'avait rien à voir avec celle qu'il avait délivrée de la cave, six jours plus tôt. C'était l'autre ! Celle du salon funéraire, cette femme insensible qui s'était pendue au cou de son maudit Italien pour lui briser le cœur, encore une fois.

Furieux, il se leva d'un bond.

— Cassez-vous pas la tête, madame Bilodeau, je ramasse mes guenilles et je claire la place !

Janine écarquilla les yeux :

— Mais, voyons, Stéphane... Prends pas ça d'même...

En le voyant empoigner son porte-document, elle se leva, les jambes flageolantes.

— Stéphane, qu'est-ce qui t'arrive ? Je ne comprends pas...

— Eh bien, moi, si ! aboya-t-il. T'étais pas obligée de me niaiser pendant deux jours, un message dans ma boîte vocale aurait suffi !

Il sortit en claquant la porte. Après avoir traversé le couloir à grandes enjambées, il enfonça rageusement le bouton de l'ascenseur : « Maudite sans-cœur ! J'aurais dû lui garrocher son hostie de journal en pleine face ! »

Au même moment, dans le garage souterrain, Pierre Bilodeau ouvrait le coffre de sa voiture pour récupérer son sac de provisions et une bouteille de champagne.

Stéphane l'aperçut en sortant de l'ascenseur. Après un léger moment d'hésitation, il marcha vers lui d'un pas décidé.

— Stéphane ! Quel bon vent vous amène ?

— Un vent de folie ! rugit l'interpellé.

Déconcerté, Pierre perdit son sourire : « *My God*, quelle mouche le pique... »

Stéphane déposa sa mallette sur le capot de la voiture de Pierre et l'entrouvrit pour sortir le livre de cuir rouge.

333

— J'ai assez fait un fou de moi ! Tenez, remettez ça à Janine !

Et avant que Pierre ne puisse prononcer un seul mot, il referma son porte-document et se dirigea vers sa voiture d'un pas pressé.

Perplexe, Pierre haussa les épaules et fourra le livre dans son sac.

Dans la suite, Janine essayait de contenir ses tremblements. La colère de Stéphane l'avait fortement remuée. Pourtant, il avait semblé si heureux de la revoir. Son regard l'avait enveloppée d'une telle tendresse, qu'elle n'avait pas osé le regarder en face, de peur de laisser transparaître ses sentiments.

Elle termina son cognac d'un seul trait en fermant les yeux, alors que la voix du Stéphane de ses nuits se faufilait dans son esprit :

— Tu verras, mon amour, à ton retour, on se fera une belle vie juste à nous.

Ce rappel la troubla davantage : « Dans le rêve, il parlait de sa hâte de me retrouver, alors que j'étais sur le point de le quitter et… aujourd'hui, j'apprends que le vrai Stéphane a passé tout l'après-midi à m'attendre dans le hall de l'hôtel… Dans l'ascenseur, il m'a regardée comme… s'il était amoureux de moi. Il était tellement nerveux… Puis, quand il a été question de la maison, il a pété les plombs : une vraie douche froide… »

Son front se plissa de rides soucieuses. Un terrible sentiment de perte s'ajouta à sa confusion.

Un déclic se fit entendre. Pierre entra.

— Hello, voilà le champagne ! chantonna-t-il en brandissant sa bouteille.

Il déposa son sac sur le comptoir et commença à sortir ses achats : des salades, du foie gras, des rillettes, une boîte de camembert, un fromage de chèvre et deux baguettes.

— Veux-tu ben m'dire ce que Stéphane faisait ici ? Je viens de le croiser dans le garage. Il n'avait pas l'air content. C'est à cause de la mai…

Il se tut brusquement, en voyant Janine sangloter, les mains sur le visage.

— Tu pleures ? C'est lui qui t'a mise dans cet état ?

— Oh, Pierre…

S'agenouillant devant elle, il lui écarta les mains.

— Vas-tu enfin me dire ce qui se passe ?

Remarquant un verre à moitié plein sur la table basse, il s'en empara pour le remettre à Janine.

— Allez, cul sec !

— Non, j'en ai déjà pris.

— Cul sec, j'te dis !

Elle obéit, puis attrapa un coussin pour le presser contre sa poitrine. Au bout d'un long soupir, elle dit :

— Ça ne va pas très bien depuis jeudi… Je t'ai raconté mon cauchemar, mais je ne t'ai pas parlé de mes autres rêves.

Quel rapport pouvait-il bien y avoir entre la colère de Stéphane et les rêves de Janine ? Pierre se releva en se massant les genoux et s'assit près d'elle.

— Allez, *go*, vas-y, je suis prêt à tout entendre, blagua-t-il pour détendre l'atmosphère.

— C'est sérieux, Pierre. Si sérieux et si bizarre que je suis certaine que tu ne voudras pas me croire. Alors…

si tu veux réellement m'aider à y voir clair, laisse-moi te raconter sans m'interrompre.

Effectivement, pendant les minutes suivantes, Pierre dut se faire violence pour écouter en silence le récit des nuits de son ex-femme. Certes, rêver qu'on est amoureux d'une personne de son entourage est une chose, mais que ce fantasme onirique se prolonge pendant quatre nuits, voilà qui dépassait son entendement. Mais ce qui le secouait davantage, c'était que les propos délirants de Janine lui rappelaient ceux qu'elle avait tenus, 22 ans plus tôt, au sujet de « l'homme du futur »…

« Je vais téléphoner à Garry, dès ce soir », se promit-il pour soulager son anxiété.

Janine s'était tue en constatant l'air soucieux de Pierre. « Non seulement il ne me croit pas, mais il commence à avoir de sérieux doutes sur l'état de ma santé mentale… »

— Holà ! Sors de la lune et avoue que tu es en train de m'organiser un rendez-vous chez le psychiatre.

Pierre émergea de ses pensées.

— Ils sont vraiment étranges, tes rêves, Janine. Je n'aime pas ça… Demain, nous devons passer à la galerie, mais jeudi nous reprendrons l'avion.

Comme d'habitude, quand les choses n'allaient pas, Pierre prenait la direction. Un mince sourire détendit les lèvres de Janine : dans les circonstances, cette attitude la rassurait et s'il fallait revoir le Dr Baxter pour en avoir le cœur net, elle irait.

— Tu as faim ? lui demanda Pierre en se levant. J'ai acheté toutes sortes de bonnes choses.

— Pas vraiment. Et toi?

— Ça peut attendre.

En rangeant ses provisions dans le minifrigo, il aperçut le livre de cuir. Pas question de le remettre à Janine : elle était assez perturbée comme ça.

— On devrait aller voir une bonne comédie pour se changer les idées. Tout à l'heure, j'ai vu la publicité d'un film sur un bus : *Elvis Gratton II : Miracle à Memphis*. Qu'est-ce que t'en penses?

⌐∞∞∞⌐

Dans le garage de l'hôtel, Stéphane, les yeux rougis, reprenait peu à peu le dessus. Trop sonné pour conduire, il avait passé sa rage sur son volant, puis la colère avait fait place au chagrin. Un grand vide s'était creusé autour de lui : les trois jours passés avec la jeune Janine l'avaient secoué de sa mélancolie en ravivant son amour pour elle ; la lecture de son journal l'avait rassuré sur la fidélité de ses sentiments : une nouvelle vie les attendait à son retour... Toutefois, à son insu, le temps avait fait des ravages. Ernest avait vu juste : Janine l'avait écarté de sa vie après sa dépression. Cette décision n'avait probablement pas été aussi tranchante, au départ, mais c'était une question de survie. Peu à peu, un nouveau destin l'avait guidée vers d'autres avenues, dans d'autres bras. Elle avait réalisé son rêve en retournant étudier, elle avait œuvré dans les milieux de l'art, elle avait voyagé : la fête après des années de grisaille...

Vingt-deux ans plus tard, que restait-il de son amour pour lui et de sa promesse de retour? Rien, sans doute, puisqu'elle n'avait même pas daigné se présenter à leur rendez-vous.

«D'autres projets l'ont amenée à Montréal, elle n'est pas venue pour moi…», soupira-t-il.

Aussitôt formulé, ce constat ranima sa colère: «Tout à l'heure, je sentais bien qu'elle était mal à l'aise: elle venait sans doute de se rappeler notre souper. Pourquoi ne m'en a-t-elle pas parlé? Bon sang, j'étais là devant elle, elle avait juste à cracher le morceau!»

Les mains de Stéphane broyaient son volant, cette lâcheté dépassait les bornes; même Nathalie ne l'avait jamais traité d'une façon aussi cavalière. Les choses n'allaient pas en rester là! Le geste suivant la pensée, il ouvrit sa portière: «C'est pas vrai que je vais partir d'ici sans explications!»

Le bruit de l'ascenseur le fit se retourner. Interdit, il aperçut Janine et Pierre entrer dans le garage pour se diriger vers la porte automatique. Le cœur lourd, il les vit passer à côté de sa voiture, sans qu'ils remarquent sa présence. Janine avait l'air bouleversé… Pierre lui avait-il remis le journal?

Stéphane la suivit des yeux jusqu'à ce qu'elle prenne place dans l'auto de Pierre. Un mince espoir venait de poindre en lui. L'attitude de Janine, plus tôt dans le hall de l'hôtel, lui revint à l'esprit: il avait tablé sur sa réaction pour se faire une idée de ses sentiments envers lui et elle avait failli s'évanouir en l'apercevant. Dans l'ascenseur, elle l'avait à peine regardé avant de tourner résolument les yeux vers les chiffres lumineux des étages qui défilaient. Quelque chose d'important était en train de se produire, mais elle s'efforçait de faire comme si rien ne s'était passé entre eux : elle se rendait sans doute compte qu'elle ressentait encore quelque chose pour lui, mais le choc de le revoir avait été si grand qu'elle ne savait plus où elle en était…

Stéphane attendit que le véhicule de Pierre quitte le garage avant de claquer sa portière. Il avait bien fait d'attendre avant d'aborder Janine de nouveau : « Tout n'est peut-être pas perdu, il faut que je lui donne du temps… » Lui-même avait grand besoin de prendre du recul.

Janine et Pierre arrivèrent au cinéma juste à temps pour le début de la représentation de 19 h 50. Pierre rit de bon cœur aux facéties de cet hurluberlu bedonnant personnifiant Elvis Presley, alors que Janine, froissée de l'affront fait à son idole de jeunesse, ne cessait de ronchonner.

« C'est ça, râle tant que tu veux, ricana secrètement son compagnon. Rien de mieux pour changer le mal de place ! »

Ils revinrent à l'hôtel vers 22 h 30 et soupèrent en parlant de Stéphane. Plus calme, Janine essayait de relativiser sa réaction.

— Il file peut-être un mauvais coton, supposa-t-elle. Patrice m'a dit qu'il venait de se séparer.

« Il semblait m'en vouloir à mort... », ajouta-t-elle intérieurement.

— Il se croyait bien installé, tu l'as pris par surprise. Mais quand même, ce n'était pas une raison pour piquer une telle colère. Il était comment, enfant ?

Nostalgique, Janine rassembla ses souvenirs du petit garçon à fossettes.

— C'était un boute-en-train. Pas colérique pour deux sous. J'étais contente que Patrice le fréquente. Papa l'adorait.

Sa phrase se termina par un long bâillement. Elle se leva de table et donna un baiser à son compagnon.

— Bon, une douche et dodo.

Lorsqu'il entendit le jet d'eau, Pierre s'enferma dans sa chambre pour téléphoner à San Francisco. Son conjoint était absent : « *Shit*, c'est vrai, il est trois heures plus tôt et le lundi, c'est sa soirée de bridge. Demain, je trouverai un moment pour l'appeler. »

Plus tard, après s'être assuré que Janine dormait, il s'assit au bord de son lit en se frottant les yeux : « Ouf ! On dirait bien que Janine n'est pas la seule à qui le champagne est monté à la tête. »

Avant de partir au cinéma, il avait rangé discrètement le livre rouge dans le tiroir de sa table de nuit avec l'intention de le feuilleter plus tard pour savoir de quoi il en retournait.

« Allons, juste cinq minutes... »

Son front se plissa lorsqu'il reconnut l'écriture de son ex-femme sur la page de garde : « À Stéphane, pour retrouver le temps perdu. »

« Encore lui ? »

Il tourna les pages fébrilement: «Un journal?» Il découvrit, insérés au milieu du livre, une feuille de tablette sténo, pliée en quatre, et deux photos aux couleurs délavées. Âgée d'une quarantaine d'années, Janine était photographiée devant une énorme plante verte. Un jeune homme l'accompagnait sur l'autre photo; tous deux posaient devant une rutilante Mustang.

Pierre mit ses lunettes de lecture. Pas de doute, c'était bien l'ami de Patrice qui entourait affectueusement la taille de Janine. Étonné, Pierre retourna la photo. Encore l'écriture de Janine: «*15 juillet 1978*». Il fronça les sourcils: «Deux mois avant que je l'emmène à San Francisco...»

Derrière l'autre, les mots «*Pardonne-moi*» le rendirent perplexe. Le message de la feuille jaunie le plongea dans la plus grande confusion:

> *Je n'en peux plus! Ce qui s'est passé entre nous depuis un an n'avait pas sa raison d'être. Je m'en veux tellement.*
>
> *Pierre est venu me chercher. Je pars dans quelques minutes pour San Francisco. C'est mieux ainsi. Encore 22 ans à t'attendre, c'est trop long. Il vaut mieux que je m'éloigne de cette maison où tout me rappelle ta présence.*
>
> *Je vais mettre ce journal de côté. Je le reprendrai plus tard, beaucoup plus tard.*
>
> *Janine*

Les mots de Janine dansaient sous ses yeux. Il reprit le journal et tourna la première page: *22 septembre 1959...*

« Voyons donc, comment a-t-elle pu lui écrire en 1959 ? Si Stéphane était né, il n'avait que quelques mois... »

De plus en plus dérouté, Pierre poursuivit sa lecture.

Cinq jours depuis mon retour. Tu me manques déjà terriblement. J'avais hâte de commencer à t'écrire. Tu avais raison : tenir ce journal me donne l'impression d'être moins seule.

Laurent m'a reconduite sans problème. La présence de mon grand frère m'a donné le courage de retourner même s'il m'en coûtait.

Plus confus que jamais, Pierre leva les yeux : « Laurent ? Que vient-il faire dans cette histoire ? En 1959, personne ne savait où il se cachait... »

Il y avait de la lumière dans le puits, d'abord j'ai cru que nous étions revenus à notre point de départ, mais Laurent m'a dit que c'était parce que mon père savait que j'allais revenir (plus tard, j'ai su que Marie-Claire et Jo Larivière l'avaient prévenu).

Pierre secoua la tête. Un mélange d'incrédulité et d'appréhension creusait les traits de son visage.

Papa m'a ouvert les bras en pleurant lorsqu'il m'a aperçue dans l'escalier. Ça m'a revirée à l'envers de savoir à quel point il tenait à moi. Nous n'avons pas eu le temps de nous dire grand-chose parce que Gaston est arrivé comme un cheveu sur la soupe. Quand il a vu ma jaquette couverte de terre, il a deviné comment j'avais échappé au feu et, dès qu'il en a eu la chance, il est allé tout raconter à un journaliste. Naturellement, il a fait un fou de lui. Mais ça, tu le sais déjà...

Comme l'article de La Presse *le mentionnait, papa a été hospitalisé après avoir tenté de me secourir. Ses blessures ne sont pas trop graves, mais il a subi un choc nerveux si violent qu'on a dû lui prescrire des calmants.*

Je n'ai pas attendu longtemps avant de lui dire que j'étais en famille. Il a quand même bien pris ça.

Au sujet de ma disparition, Pierre a eu droit à la même version que Gaston (j'aurais passé trois jours enfermée dans la cave, après ma fuite par le souterrain). Pierre a été très étonné d'apprendre qu'un passage secret reliait l'hospice à la maison. Il était si sceptique que j'ai dû l'emmener dans la cave pour lui montrer le puits. Je me demande comment il aurait réagi s'il avait su la vérité. Moi-même, j'ai encore du mal à réaliser que j'ai fait un saut de 41 ans dans le futur en empruntant le mauvais passage...

Le journal tomba des mains de Pierre. L'écho d'une lointaine confidence résonna comme un coup de tonnerre dans sa tête:

— Je t'ai menti, je n'ai jamais passé trois jours enfermée dans la cave. J'étais avec un homme, dans le futur...

C'était en octobre 1978, à San Francisco. Quelques jours avant l'hospitalisation de Janine, en psychiatrie, il l'avait trouvée en larmes dans la chambre d'ami. Elle était dans un état si lamentable qu'il avait cru qu'elle délirait: un voyage dans le temps, voyons donc!

« À mon air, elle a bien vu que je ne la prenais pas au sérieux. »

— Tu ne me crois pas ? Je le savais ! Va-t'en ! Laisse-moi tranquille ! lui avait-elle lancé en se recroquevillant dans son lit.

Le souffle coupé, Pierre enleva ses lunettes et se massa les paupières : « Ça voudrait dire que... la fille que j'ai vue, l'autre jour avec Stéphane... c'était elle ? » Il secoua la tête : « Voyons, c'est du roman, cette histoire-là ! »

Il ramassa le livre et relut lentement le dernier paragraphe. Puis il s'obligea à poursuivre...

Tous les autres croient que j'ai pris l'autobus pour Joliette et que j'ai passé trois jours chez une amie (imaginaire, bien sûr). J'ai eu peur que ma tante soit plus difficile à convaincre, mais elle était si contente de me retrouver, saine et sauve, qu'elle n'a pas cherché à en savoir plus. Pas encore, en tous cas...

Quand mon père m'a questionnée à ton sujet, j'ai fondu en larmes. Il a bien essayé de me consoler, mais que pouvait-il y faire ? Tant d'années me séparent du 17 septembre 2000, il faut que je me résigne...

« Le 17 septembre, c'était hier... Oh, *my God* ! C'est pour ça que Stéphane est venu la relancer à l'hôtel ! » Des larmes amères brillaient dans les yeux de Pierre. « Tout est de ma faute ! Je n'ai pas voulu la croire... Elle me faisait confiance et moi, au lieu de l'aider, je l'ai fait interner... »

Chapitre 14

Les derniers doutes de Pierre Bilodeau sur la véracité du voyage temporel s'étaient envolés à l'évocation de sa rencontre avec la jeune Janine.

« Il me faut une cigarette ! »

Il avait arrêté de fumer depuis 20 ans et quand le goût le reprenait, il résistait la plupart du temps, mais cette nuit, l'envie était trop forte. Il avait vu une distributrice à l'entrée du bar de l'hôtel. Sans hésiter, il remit le livre de cuir dans le tiroir de sa table de chevet et sortit sur la pointe des pieds.

Le ciel était sans étoiles, un vent frais soufflait sur Montréal. Pierre boutonna son veston en frissonnant puis fit craquer une allumette dans le creux de ses mains.

Il s'accouda à la balustrade du balcon surplombant la rue Sherbrooke et tira une première bouffée de sa cigarette qu'il exhala avec rage. C'était la clope SOS, celle qu'il se permettait lorsqu'il sentait la vie lui échapper.

«Ernest était au courant… C'est lui qui a convaincu Janine de me servir la même version qu'à Gaston, j'en suis certain! Que je sois le fiancé de sa fille ou qu'elle porte mon enfant ne comptait pas, il ne me faisait pas plus confiance qu'à ce gros imbécile… maugréa-t-il. Vieux sacrament! Le secret de sa maudite cave était plus important que le bien-être de sa fille! Pourquoi ne m'a-t-il rien dit en 1978 quand je suis venu chercher Janine? Si j'avais su, jamais je ne l'aurais fait hospitaliser en clinique psychiatrique!»

Il inhala une seconde bouffée qui lui fit tourner la tête. Il se redressa et tenta de se calmer: la nuit allait être longue, il devait garder son sang-froid s'il voulait remettre ses souvenirs en perspective et aider Janine à retrouver les siens.

Quelque chose de très grave avait dû se produire en 1978, car Janine n'était pas le genre de femme à s'effondrer à la première contrariété. Le psychiatre avait parlé d'un traumatisme important ayant causé une sorte d'amnésie sélective. «Ses rêves des dernières nuits, c'est un signe que la mémoire est en train de lui revenir, elle va avoir autant besoin de moi que de Stéphane…»

«J'ai assez fait un fou de moi!», avait-il dit, en lui remettant le journal.

Le ressentiment de Stéphane s'expliquait maintenant: après avoir passé deux jours à s'inquiéter, il s'était fait montrer la porte.

«Il faut que je lui parle.» Brûlant d'envie de réparer ses fautes, Pierre aurait voulu lui téléphoner immédiatement, mais le bon sens exigeait qu'il prenne connaissance du journal auparavant. Au matin, il aurait peut-être trouvé les mots pour aider Janine à recouvrer la mémoire ou, au moins, clarifier la situation avec Stéphane.

Résolu, il jeta sa cigarette et fit glisser la porte coulissante.

Samedi, 26 septembre 1959

Je me marie dans deux semaines. Le deuil de ma mère a été un bon prétexte pour célébrer sobrement.

Comme prévu, Pierre viendra vivre à la maison. Nous emménagerons dans la chambre de maman, celle qui deviendra un jour la chambre de Patrice: notre chambre…

Je me demande comment je vais faire pour partager le lit avec Pierre. Si au moins je n'avais pas vu la photo sur la murale de Patrice: le voir dans les bras d'un homme m'a revirée à l'envers. Si tu savais tous les efforts que je fais pour être aimable avec lui!

Un coup de poing dans le ventre!

Janine avait vu la photo de Garry et lui: elle savait depuis tout ce temps! Pierre comprenait maintenant pourquoi la jeune fille froide et lointaine qu'il avait retrouvée le matin du 17 septembre 1959 n'osait plus le regarder en face: «Ah! Qu'est-ce qu'elle a dû me haïr!» Il retira ses lunettes pour essuyer ses larmes et reprit sa lecture.

Il n'était pas au bout de ses peines: son côté rationnel se rebiffait lorsqu'au fil de sa lecture, il apprit tout ce qu'on lui avait dissimulé, comme le rôle qu'avait joué Laurent dans l'aventure de Janine, ou la raison du changement radical d'attitude de Janine envers son père, ou encore ses doutes au sujet de l'acquisition de la galerie Signature…

En revanche, la compassion qu'il retrouva à son égard, à mesure que les mois s'écoulaient dans le journal, l'aidait à apaiser sa rancœur :

Vendredi, 27 mai 1960

Pierre est malheureux, je le sais. Il semble toujours ailleurs, délaisse sa peinture et sort souvent le soir pour revenir ivre au milieu de la nuit. Mon père n'est pas content, mais moi, je préfère ne rien dire.

Je ne lui en veux plus. Pierre est un excellent père pour Patrice et un bon travaillant. Mais je m'ennuie de mon ami d'enfance, de mon partenaire de danse, du jeune homme qui souhaitait refaire le monde…

« Elle m'a délivré le jour où elle m'a fait avouer mon homosexualité. Même si je l'avais trahie, même si sa vie sans Stéphane n'avait aucun sens, elle a eu la générosité de me laisser vivre ma passion avec Jean et tous les autres. Elle m'a permis de la quitter pour Garry et elle a même aidé Patrice à accepter mon orientation sexuelle… »

Beaucoup de passages relatant de petits faits anodins étaient entrecoupés de mots d'amour. Mal à l'aise devant son indiscrétion, Pierre tournait rapidement les pages en lisant en diagonale.

Les années passaient, Janine continuait à écrire régulièrement à Stéphane, principalement pour lui parler de Patrice, de ses bons et mauvais coups, et d'Ernest qu'elle adorait. Elle était souvent drôle, parfois triste, mais elle semblait tout de même garder le moral jusqu'à cette terrible nuit du mois d'octobre 1970 quand la police avait débarqué à la maison.

Pierre l'avait appris deux jours plus tard. Inquiet pour sa famille, il avait voulu rentrer à Montréal, mais Janine lui avait conseillé de n'en rien faire…

Ce soir-là, elle en avait donné les raisons à Stéphane…

> *Un mot de moi et il reprenait l'avion au risque de tout perdre. Sa rencontre avec Garry lui a permis de prendre un nouveau départ, le succès et l'amour l'ont élevé au-dessus de sa petite vie de professeur mal payé et des liaisons éphémères. Je ne peux pas lui demander un tel sacrifice…*

«Huit ans d'exil avant ce saut à Montréal pour venir la chercher pendant sa dépression… Janine a tout fait pour me faciliter la vie avec Patrice: il venait me voir trois fois par année, et à 15 ans, lorsqu'il a su pour Garry et moi, c'est elle qui l'a aidé à encaisser le choc. Merveilleuse Janine, toujours là à prendre soin des autres», songea-t-il avant de reprendre sa lecture.

Dimanche, 25 octobre 1970

> *Ah! je suis tellement en maudit! Depuis que la police a débarqué chez nous, tout le voisinage croit que Pierre*

349

*a été membre du FLQ. Patrice passe son temps à se faire
écœurer. Vendredi, il est encore revenu de l'école en
pleurant. Là, ça va faire ! Son grand-père et moi avons
décidé de le garder à la maison en attendant de lui
trouver une autre école. Et comme si ce n'était pas assez,
cette semaine, j'ai perdu trois contrats de comptabilité
dont celui de l'épicerie, mon plus gros.*

*Je n'ai pas le choix, il faut que je me trouve un tra-
vail régulier. De ce côté-là, je ne suis pas trop inquiète :
demain, papa contactera son ami Taylor, l'un des
directeurs de chez Angus.*

Bouleversé, Pierre referma brusquement le livre et
le jeta sur sa table de nuit. Le harcèlement subi par
son fils, les bris de contrats, les ragots dans le quartier,
il n'avait jamais rien su de tout ça.

« C'était pour me ménager qu'elle m'a caché ça ?
Même Patrice ne m'a jamais rien dit à ce sujet… »

Non seulement ses amours avec Garry avaient fait
éclater sa famille, mais son passé de gauchiste avait
fait un tort irréparable aux deux êtres précieux qu'il
avait laissés derrière lui. Comment avait-il pu vivre
toutes ces années d'insouciance sans se douter du
chaos qu'il avait semé autour de lui ? Tout à coup, son
bonheur lui fit horreur…

Poussé par une décharge d'adrénaline, il sortit de
sa chambre et arpenta le salon. L'instant d'après, il
était de nouveau sur le balcon.

« Et merde ! », grogna-t-il en apercevant entre ses
doigts une cigarette qu'il n'avait même pas conscience
d'avoir allumée.

Dans sa chambre, Janine s'était redressée dans son lit. Le glissement brusque de la porte coulissante l'avait fait sursauter. Sur la table de chevet, le réveil indiquait 2 h 25.

« Qu'est-ce qu'il fait encore debout ? »

Elle était réveillée depuis une heure. La scène vécue quelques heures plus tôt avec Stéphane l'empêchait de se rendormir : elle cherchait encore à comprendre sa réaction. Elle avait décidé de lui téléphoner, le matin venu, et elle tentait de formuler les mots qu'elle avait l'intention de lui dire.

Pierre pourrait sans doute être de bon conseil...

Elle repoussa ses couvertures et se leva. En entrant dans le salon, elle l'aperçut de dos, sur le balcon, des volutes de fumée s'élevant autour de lui.

« Tiens donc ! Je ne savais pas qu'il avait recommencé à fumer... »

À la porte de la chambre de Pierre, elle aperçut le livre de cuir rouge, sur la table de chevet. Une émotion intense l'envahit lorsqu'elle le saisit entre ses mains.

Elle vit une photo par terre. Elle la ramassa : « Oh, mon Dieu ! »

Sur le balcon, Pierre se sentait seul, comme sur une île plongée dans l'obscurité. En ouvrant le journal de Janine, il était loin de se douter qu'il passerait une nuit d'enfer. Il tira une dernière bouffée de sa cigarette en se demandant s'il aurait le courage de poursuivre sa lecture. Une pichenette projeta son mégot au loin. Il fallait y retourner...

Le chuintement de la porte coulissante ne fit même pas broncher Janine. La photo prise à Saint-Bruno tremblait dans ses mains. En retrouvant le sourire du jeune Stéphane, une foule de souvenirs emmêlés avaient surgi, et avec eux, la douleur. Oh, cette effroyable douleur ! Un long sanglot la secouait.

— Janine ? Qu'est-ce que… *My God !*

Pierre lui enleva la photo des mains, puis s'empara du journal sur ses genoux et rangea le tout dans le tiroir de sa table de nuit.

— Janine, tu n'aurais pas dû voir ça… Allons, calme-toi, lui souffla-t-il à l'oreille en lui massant le dos.

Elle se tourna vers lui. Son visage en larmes brisa le cœur de Pierre.

— Oh, si tu savais comme je m'en veux ! Il m'aimait tellement, et moi je lui ai fait tant de mal…

Pierre avait l'impression de revivre une scène datant de 22 ans : « Elle se souvient… » Ému, il la serra contre lui.

— Tu parles de Stéphane, n'est-ce pas ?

Elle hocha la tête en silence.

— Tu as eu tellement de peine, Janine, et moi je n'ai rien compris.

Il la laissa sangloter contre lui. Il n'était pas assez avancé dans sa lecture pour savoir ce qui s'était passé en 1978, mais il avait le reste de la nuit pour écouter Janine le lui raconter.

— Tu verras, tout va s'arranger.

Elle se redressa en essuyant ses larmes.

— La photo… comment tu l'as eue ?

— Elle était dans ton journal… C'est Stéphane qui me l'a remis, quand je l'ai croisé dans le garage.

— Mon Dieu! s'exclama-t-elle en jetant des regards affolés autour d'elle. Pierre, quel jour sommes-nous?

— Mardi, le 19 septembre, depuis quelques heures.

— Notre rendez-vous… Stéphane et moi devions nous retrouver dimanche soir. C'est pour ça qu'il m'a attendue pendant des heures… Il t'a dit quelque chose en te remettant mon journal?

— Euh…

— Pierre, insista-t-elle en lui empoignant le bras, qu'est-ce qu'il t'a dit?

— Qu'il en avait assez de faire un fou de lui, lâcha-t-il au bout d'un soupir.

Janine secoua la tête en signe d'impuissance.

— Allons, tu sais bien que tout va se clarifier aussitôt que vous vous reverrez. Et ça va se faire dès demain matin, la rassura-t-il en récupérant le livre rouge pour le lui remettre.

Elle feuilleta le journal, l'esprit emmêlé de souvenirs disparates.

— Qui a arraché les dernières pages?

— Toi, sans doute… Ça ne te dit rien?

— Je ne sais pas, tout est embrouillé dans ma tête. Elle lut la date du 20 juillet 1978 sur la dernière page.

— Et ça, ça te rappelle quelque chose? demanda Pierre en lui tendant la feuille pliée en quatre.

Janine déplia le papier. Les mots tracés quelques minutes avant son départ pour San Francisco cette année-là ravivèrent sa mémoire.

Tous les soirs, depuis le 20 juillet 1978, Janine avait confié sa détresse à Stéphane en lui répétant inlassablement les raisons de son geste. Puis un jour, résolue à ne plus lui écrire, elle avait arraché toutes les pages noircies après cette date fatidique.

— Avant de partir avec toi pour San Francisco, je me rappelle avoir confié le journal à mon père. Il devait le cacher dans la cave…

— Donc, conclut Pierre, ton journal serait resté dans la cave jusqu'au moment où Stéphane aurait mis la main dessus… D'après toi, comment a-t-il su où le trouver ?

Janine haussa les épaules, l'air ailleurs. Ses doigts pétrissaient la couverture de cuir abritant ses 18 ans de confidences. Comment Stéphane avait réussi à détenir son journal importait peu, il l'avait eu entre ses mains, c'est tout ce qui comptait. Seulement, il n'avait pas été le seul…

— Tu l'as lu ?

Pierre afficha un sourire contraint.

— Écoute… je n'ai pas voulu être indiscret, mais tu étais déjà pas mal à l'envers au sujet de Stéphane. Ce n'était pas le temps d'en rajouter. Et puis, il fallait que je sache de quoi il retournait avant de te le remettre.

— Je ne te fais pas de reproches, le rassura-t-elle. Tu l'as lu jusqu'au bout ?

— J'étais rendu à la fin de 1970… Janine… il faut que je te dise…

— Tu ne sais pas tout ! le coupa-t-elle brusquement. Il faut que je te raconte ce qui s'est passé entre Stéphane et moi.

Pierre ravala ses regrets. Pour le moment, sa meilleure amie avait plus besoin de son écoute que de l'entendre soulager sa conscience.

— D'accord, mais avant, on se fait du café ?

Ils s'installèrent au salon. Tout le reste de la nuit, la mémoire de Janine, stimulée par son récit, renouait ses fils. Maintenant que son scepticisme n'entravait plus son jugement, Pierre buvait ses paroles. Il l'interrompait de temps en temps pour lui demander des précisions : ce voyage temporel était si exaltant, surtout la journée passée en 1918 où elle avait retrouvé Laurent.

Lorsque Janine évoqua son retour en 1959, Pierre dut s'efforcer de taire son ressentiment d'avoir été écarté du secret de la cave : après tout ce qu'elle avait fait pour lui, il aurait été bien ingrat de lui demander des comptes.

Elle escamota les 12 années suivantes pour raconter l'arrivée du jeune Stéphane, en mars 1971 : un garçon de 10 ans, issu d'une famille dysfonctionnelle, qui avait joué un rôle important dans la vie de leur fils. Elle en profita aussi pour lui relater l'escapade des deux garçons dans la cave et l'accident de son père.

— Ça m'avait vraiment troublée, cette affaire-là : le Stéphane du futur ne m'en avait jamais parlé...

L'incroyable histoire se poursuivit :

— Stéphane passait beaucoup de temps à la maison : il faisait partie de la famille. Moi, je tenais le coup, je suivais à la lettre les directives de Laurent : faire comme si de rien n'était.

Pierre fronça les sourcils.

— Faire comme si de rien n'était ? Qu'est-ce que tu veux dire par là ?

— Laurent m'avait recommandé d'agir avec Stéphane comme si je ne l'avais jamais rencontré dans le futur.

Les années passaient, tout s'était bien déroulé jusqu'au moment où Janine avait flanché en août 1977, le jour de la mort d'Elvis Presley. La suite des événements avait pris une tournure dramatique…

— Stéphane n'avait que 18 ans, il ne devait pas m'aimer si tôt, il fallait que je l'éloigne… Il l'a très mal pris, et le lendemain, il est venu me relancer. Mon père lui a parlé. Je n'ai pas su ce qu'il lui avait dit, mais par la suite, Stéphane n'a plus jamais donné de ses nouvelles, même pas à Patrice.

— Il s'est tout de même présenté au salon funéraire, à la mort de ton père, fit remarquer Pierre.

Janine se tut, elle songeait à cette rencontre fortuite, les souvenirs se bousculaient dans sa tête.

— Ça fait 12 ans… Je ne me souvenais de rien à ce moment-là, mais ça m'avait donné un coup de le revoir et je ne comprenais pas pourquoi…

— Il avait fait allusion à quelque chose ?

— Non, mais il est parti très vite : il devait encore m'en vouloir… Et hier… après ma façon de l'avoir reçu…

Les larmes lui montèrent aux yeux.

— Pierre, en 1978, j'ai fait dévier le cours du temps, plus rien n'est pareil maintenant…

Son ex-mari la considéra longuement.

— Et si tu te trompais ?

Janine lui lança un regard ahuri. Rien dans le comportement du Stéphane de 2000 n'aurait pu lui laisser croire qu'il avait déjà ressenti autre chose pour elle qu'un béguin d'adolescent.

— Pierre, je l'ai tellement humilié… Dans mon futur, Stéphane n'avait que de bons mots pour décrire ce que j'avais été pour lui. S'il avait vécu autre chose, il m'en aurait parlé.

— Pourquoi en es-tu si sûre? N'oublie pas qu'il t'avait caché son expédition dans la cave… Écoute, tu es revenue en 1959 avec un bagage d'émotions et de connaissances sur le futur dont tu ne pouvais faire abstraction. Les conséquences de ton aventure ont influé non seulement sur toi, mais sur les personnes de ton entourage, comme ton père, comme moi ou le jeune Stéphane, le même qui te ferait craquer dans les années 1970 en t'avouant son amour, le même qui allait te délivrer de la cave en 2000.

Janine secoua la tête d'un air dubitatif: le raisonnement de son ex-mari, même s'il apportait un nouvel éclairage plein d'espoir, entrait directement en contradiction avec celui de son frère aîné…

— Je ne suis pas certaine, Pierre… Tu sais, pendant des années, je n'ai vécu qu'avec les recommandations de Laurent en tête.

«Ouais, ben, il n'est pas infaillible, ton frère», maugréa intérieurement Pierre, en pinçant les lèvres. Il garda cette réflexion pour lui: réfuter ouvertement le raisonnement de Laurent n'était pas une bonne idée; confronter la réalité en serait une bien meilleure.

— Tu devrais aller dormir un peu, lui conseilla-t-il en voyant ses paupières s'appesantir.

— Tu penses vraiment que j'ai envie de retourner au lit, dans l'état où je suis ?

— Bon, d'accord, dit-il en consultant sa montre. Il est presque six heures. Prépare-toi. Nous irons déjeuner quelque part avant de passer à la maison.

Janine s'attarda longuement dans la salle de bain. À la vue de son corps vieilli dans le grand miroir de la coiffeuse, elle poussa un soupir de dépit. Elle fila sous la douche, complètement démoralisée. Sous le jet qui lui fouettait le sang, elle se savonna avec vigueur en essayant de retrouver le moral. Du fond de sa mémoire, la voix de Stéphane vint à sa rescousse :

— Il y aura toujours cet écart de 22 ans entre nous, Janine, peu importe l'époque où nous serons, et dis-toi bien que ce n'est pas le regard des autres ni quelques rides qui m'empêcheront de t'aimer.

Elle sortit de la douche, ragaillardie. Dans sa chambre, elle choisit sa plus belle robe et se maquilla avec soin. Au restaurant, toutefois, elle sentit revenir ses appréhensions et ne mangea presque rien. Ils partirent rapidement vers la maison.

Son cœur battait follement dans sa poitrine au moment où Pierre se gara rue d'Orléans.

— Il est à peine huit heures. On va le réveiller, souligna-t-elle d'une voix rauque.

— *So what ?* Voyons, Janine, on ne peut tout de même pas passer la matinée à poireauter dans le char. Tu es assez nerveuse comme ça.

— J'ai les jambes trop molles. Vas-y, toi.

Pierre s'empara de sa main, elle était moite.

— Bon, d'accord.

Il gravit les marches de la maison en tentant de trouver une phrase d'introduction : pas évident... Il sonna.

Personne ne vint répondre. Après deux minutes et plusieurs autres coups de sonnette, il glissa sa main dans son veston pour prendre son cellulaire.

Janine descendit de l'auto et le rejoignit sur le balcon.

— Qu'est-ce que tu fais ?

— J'appelle. On verra bien.

Au bout d'une dizaine de sonneries infructueuses, il éteignit son appareil.

— Le répondeur ne s'est même pas déclenché. Qu'est-ce qu'on fait ?

Mue par un sombre pressentiment, Janine sortit son trousseau de clés de son sac à main.

— On entre !

Une fraîche odeur de détergent flottait dans l'air. Le silence oppressant qui enveloppait la maison méticuleusement rangée angoissa Janine. Elle retrouva son sourire à l'entrée de la cuisine : un magnifique bouquet de roses rouges trônait au centre de la table. Appuyée contre le vase de cristal, une épaisse enveloppe était adressée à son nom. En l'ouvrant, Janine constata, étonnée, qu'elle contenait une liasse de billets de 20 dollars et une feuille de papier.

Bonjour Janine,
La maison est à toi. L'argent, c'est pour payer le remplacement du plancher.

Je suis désolé de t'avoir bousculée, hier, à l'hôtel : j'ai été surpris, car je m'attendais à un autre genre de retrouvailles…

C'est long, 41 ans… Tu as refait ta vie et même si c'est difficile pour moi, je serais bien égoïste de t'en vouloir.

Tout ce que je te demande, c'est une dernière rencontre, histoire de nous permettre de boucler la boucle. Je te contacterai dans quelques semaines quand je me sentirai moins émotif. Pour le moment, disons que j'ai envie de prendre l'air…

Stéphane

P.-S. Le camion de vidanges passera vendredi matin. J'ai laissé des sacs dans la cour. J'ai tout ramassé, mais je n'ai pas eu le cœur de jeter le bouquet.

Chapitre 15

Pierre sortit de la maison en consultant sa montre : « *Shit !* 10 heures ! » Il traversa la rue, l'air contrarié : il détestait arriver en retard à une réunion d'affaires. Comment avait-il pu oublier la rencontre avec Ana Tanasescu ? Les derniers événements lui avaient-ils fait perdre la notion du temps à ce point-là ? Par chance, Ana avait appelé, un peu plus tôt, pour repousser leur rendez-vous d'une heure.

Il avait perdu, ensuite, un temps fou à convaincre Janine de l'accompagner.

— Non, je ne peux pas, si Stéphane revenait…

— Voyons, il a évoqué quelques semaines dans son message, il ne te contactera pas aujourd'hui. Allez, un petit effort, c'est toi qui vas prendre la direction de la galerie, il faut que tu sois là.

Rien à faire ! Pierre avait soupiré bruyamment. Combien de temps allait-elle rester cloîtrée dans la maison ?

Une idée lui était soudain venue. Il avait sorti son téléphone.

— Patrice doit avoir le numéro de Stéphane, je l'appelle.

Leur fils n'était pas chez lui, son cellulaire était éteint et, malheureusement, avec les 12 heures de décalage horaire, il était trop tard pour le joindre à sa clinique. Pierre avait laissé des messages dans toutes les boîtes vocales.

— Ne t'en fais pas, Janine, encore un peu de patience et on va le retrouver, ton Stéphane. On peut y aller maintenant ?

« Autant parler à un mur », avait-il maugréé en montant dans son auto.

Rue Laurier, Pierre remarqua l'affiche d'une agence immobilière accrochée au balcon surplombant la galerie.

« Ça y est, l'appartement de l'étage est officiellement en vente. Hum, ça pourrait être un bon endroit pour entreposer des tableaux. On pourrait même agrandir la galerie… »

Pierre s'excusa de son retard auprès d'Ana. Il fournit de vagues explications au sujet de l'absence de son associée, puis il lui fit part de son intérêt pour le condo.

Devant son empressement, la Roumaine, qui connaissait bien le vendeur – un musicien populaire – l'informa de ses conditions :

— En fait, l'appartement ne sera libre que dans deux mois, le temps que Jess aménage son studio d'enregistrement dans sa nouvelle maison. D'ici là, il compte passer deux à trois fois par semaine. Il a même permis à l'un de ses amis de s'installer quelques jours.

— Bah, je peux vivre avec ça. Seulement, si l'endroit me plaît, j'aimerais déposer une offre avant mon retour à San Francisco.

— Quel dommage ! L'agent est passé ce matin. Je l'aurais retenu si j'avais su…

— Ne vous en faites pas, Ana. Je vais le contacter. Vous avez sa carte ?

— Oui, attendez, je vais aller vous la chercher, dit-elle en se dirigeant vers l'arrière-boutique.

Elle revint avec la carte de l'agence. Pierre composa le numéro et laissa un message détaillé puis, après un moment d'hésitation, il demanda :

— Dites, pensez-vous que l'ami du propriétaire verrait un inconvénient à ce que je jette un petit coup d'œil ?

Ana secoua la tête d'un air navré.

— Vous n'avez vraiment pas de chance, je l'ai vu partir tout à l'heure.

— Bah, c'est pas grave, l'agent me donnera sûrement des nouvelles aujourd'hui. Bon, maintenant, passons aux choses sérieuses : vous avez les documents ?

— Bien sûr ! Suivez-moi. Nous serons plus tranquilles derrière.

Dans l'arrière-boutique, une vingtaine de dossiers étaient empilés sur une petite table : Ana Tanasescu avait dressé le profil de tous les artistes peintres ayant exposé leurs œuvres à la galerie dans les deux dernières années.

— Vous avez fait vite ! s'exclama Pierre en s'assoyant.

La Roumaine prit place à ses côtés et ouvrit le premier dossier.

— Le travail était déjà fait, il restait simplement à imprimer les photographies des œuvres.

Ravi, Pierre chaussa ses lunettes de lecture et inspecta le contenu de la première chemise.

— Vous êtes vraiment une personne méticuleuse, Ana, félicitations!

Ils passèrent l'heure suivante à étudier les dossiers jusqu'au moment où le carillon de la porte retentit.

— Un client, j'y vais!

Ana écarta le rideau de bambou.

— Ah! Vous voilà. Merveilleux! s'exclama-t-elle en allant à la rencontre de son visiteur.

— Ana, connaissez-vous un bon garagiste dans le coin? Mon moteur chauffe, il faut que j'y voie au plus vite. Ah… et vous allez être contente: j'ai trouvé la marque de café que vous cherchiez.

Derrière le rideau de bambou, Pierre se redressa et retira ses lunettes: cette voix lui semblait familière…

— Merci, Stéphane! Vous êtes toujours aussi prévenant.

«*My God!*»

Pierre bondit de sa chaise et poussa le rideau: Stéphane, ici, dans la galerie? Quelle chance inouïe!

Les deux hommes se dévisagèrent, aussi déstabilisés l'un que l'autre.

— Venez, Pierre, l'invita la Roumaine en l'apercevant. Je vous présente Stéphane Gadbois, c'est l'ami de Jess dont je vous parlais tout à l'heure.

Puis, s'adressant à Stéphane:

— Voici Pierre Bilodeau, le nouveau propriétaire de la galerie.

L'ex-mari de Janine tenta de rependre son sang-froid :

— Le monde est petit ! Stéphane, je suis vraiment heureux de te revoir.

Livide, Stéphane restait figé sur place, les mains agrippées à son sac de provisions.

— Ah, vous vous connaissez ? À la bonne heure, se réjouit Ana, étrangère aux émotions qui secouaient les deux hommes.

« Il faut absolument que je trouve le moyen de lui parler… », songea Pierre, ayant grand mal à contenir l'adrénaline qui grimpait en lui.

— Stéphane, me permettrais-tu de monter chez toi cinq minutes, pour visiter le condo ? demanda-t-il le plus naturellement du monde. Je souhaiterais peut-être l'acheter.

De plus en plus ébranlé, Stéphane déglutit péniblement, ne sachant s'il devait jouer le jeu de Pierre ou lui lancer la clé de l'appartement avant de déguerpir à toute allure.

— D'accord, murmura-t-il, même si son regard exprimait le contraire.

Les deux hommes sortirent dans la rue. Pierre rassemblait tant bien que mal ses idées afin de trouver les bons mots ; Stéphane tentait de museler la petite voix intérieure qui lui soufflait de garder espoir. Il avait passé une nuit terrible à pleurer son bonheur perdu. Il avait décidé de lâcher prise, et Pierre Bilodeau ne viendrait pas le troubler davantage. « Il a dit cinq minutes ? Pas de problème ! Je lui fais visiter l'appart en vitesse, ensuite, bye ! »

Il appuya son sac d'épicerie contre le mur, sortit la clé de sa poche et déverrouilla la porte en débitant son préambule :

— Jess a déménagé samedi dernier, mais il a laissé quelques meubles et une partie de ses instruments de musique.

— Ana m'a prévenu, répondit Pierre en lui emboîtant le pas dans l'escalier. Je ne suis pas pressé, je recherche simplement un endroit pour entreposer des toiles.

Le condominium était composé de cinq pièces plutôt spacieuses. Jess avait laissé le poêle et le réfrigérateur. Une table en bois égratignée et deux chaises dépareillées complétaient le décor d'une cuisine qui avait grand besoin d'une couche de peinture.

— Jess donne ses électros à l'acheteur, annonça Stéphane. Si ça ne t'intéresse pas, je pourrai t'en débarrasser.

Dans une chambre, une guitare acoustique, deux valises et quelques boîtes étaient posées par terre, près d'un matelas. Stéphane ferma la porte pour en ouvrir une seconde : le studio d'enregistrement.

— Cette pièce est complètement insonorisée. Jess a enregistré ses derniers succès ici.

Pierre remarqua la porte capitonnée ; sa main moite caressa la cuirette, son pouls s'accéléra : il ne pouvait plus se retenir…

— Ce Jess… c'est avec lui que tu as joué de la guitare, samedi dernier, quand tu as emmené Janine danser ?

Les yeux arrondis d'étonnement, Stéphane se retourna dans un sursaut. Pierre poursuivit sur sa lancée :

— Ensuite, vous êtes rentrés à la maison attendre son frère Laurent qui devait la ramener en 1959. Janine voulait rester, mais tu as réussi à lui faire entendre raison. C'est même toi qui lui as suggéré de tenir le journal que tu m'as remis.

Stéphane n'en croyait pas ses oreilles : depuis quand Pierre était-il au courant ? Et jusqu'où Janine avait-elle poussé la confidence ? Pierre connaissait-il la raison de son étrange revirement ?

— Écoute, je regrette de m'être emporté, hier, dans le garage, mais j'étais à bout de nerfs, se justifia-t-il. Dimanche, Janine ne s'est pas présentée à notre rendez-vous. Pourtant, elle était bel et bien à Montréal, j'avais vérifié. J'ai retrouvé son journal hier matin, mais elle n'écrivait plus depuis octobre 1978…

— … et quand, au bout de deux jours d'attente, tu es venu la relancer, enchaîna Pierre, elle t'a demandé de quitter la maison. Alors, oui, je peux très bien comprendre ta colère.

Stéphane sentit un certain soulagement le gagner : Pierre avait touché du doigt son sentiment d'impuissance, mais cette sincère bienveillance n'arrivait pas à étouffer sa rancœur.

— Elle va être contente ! J'ai remballé mes p'tits. Toute bonne chose a une fin ! lança-t-il avant de quitter la pièce en coup de vent.

« Ouf ! La partie est loin d'être gagnée… », soupira Pierre.

Il retrouva Stéphane dans la cuisine, en train de vider son sac d'épicerie sur le comptoir.

— Tu te trompes au sujet de Janine… Hier, elle n'était pas elle-même…

— Ça, c'est le moins qu'on puisse dire! coupa l'autre en rangeant quelques victuailles dans le réfrigérateur.

Il referma la porte du frigo, inspira profondément, se composa un air dégagé puis s'adressa à son visiteur:

— Je ne blâme pas Janine d'avoir refait sa vie… Qui sait ce que j'aurais fait à sa place? Mais moi, j'aurais eu au moins le courage de le lui dire en pleine face!

Le ton de Stéphane avait monté, mais Pierre ne s'en formalisa pas.

— C'est loin d'être aussi simple. Tu n'as aucune idée de ce qu'elle a vécu depuis les 22 dernières années.

Il prit une chaise et invita son hôte à l'imiter.

— Savais-tu que Janine a fait une grave dépression en 1978?

Stéphane se mordit les lèvres, ce rappel douloureux amortit sa colère. Il s'installa devant Pierre avec l'étrange impression de se rapprocher de Janine.

— Je l'ai su seulement hier …

Il parla alors du pli du notaire et dévoila le contenu troublant du message audio du grand-père.

— … c'est comme ça que j'ai appris où était le journal de Janine, conclut-il.

Un sourire fugace éclaira le visage de Pierre: «Sacré Ernest! Je ne vous croyais pas aussi futé. À moi de jouer, maintenant…»

Il plongea son regard dans les yeux de Stéphane.

— D'abord, il faut que tu saches que mon beau-père et moi détenions chacun une partie de la vérité. Malheureusement, notre manque de communication n'a fait qu'aggraver les choses. Ernest était de bonne foi lorsqu'il a enregistré son message : l'attitude de Janine l'inquiétait... Seulement, il en ignorait la cause parce qu'en 1978, j'avais décidé de le ménager...

Et Pierre relata les mois de calvaire de Janine et les circonstances entourant son hospitalisation en clinique psychiatrique.

— Quand je l'ai emmenée à San Francisco, je croyais qu'un changement d'air lui ferait du bien, mais elle a continué à s'enfoncer... Enfin, c'est ce que j'ai cru à l'époque...

Il rapporta les confidences de son ex-femme concernant l'homme à qui elle avait causé tant de chagrin, cet homme rencontré dans son futur... La voix étranglée par l'émotion, Pierre confessa son scepticisme :

— Je croyais qu'elle délirait. J'étais affolé... Si je l'avais dit à son père, il m'aurait sans doute parlé de toi et de l'aventure de Janine dans le futur. Ensemble, on aurait pu démêler la situation...

Il s'éclaircit la gorge et respira profondément avant de continuer.

— Mais cette histoire n'avait ni queue ni tête, et je trouvais qu'Ernest était assez inquiet comme ça...

Stéphane baissa les yeux. Lui aussi avait sa part de responsabilité dans la descente aux enfers de Janine en ayant passé sous silence ce qui s'était passé entre eux.

Il sentit la main de Pierre sur son bras. Ravalant ses regrets, il releva la tête.

—Janine… Comment a-t-elle réagi en voyant que tu ne la croyais pas?

—Tu la connais: elle m'a jeté hors de sa chambre. Le lendemain matin, quand je suis allé lui porter son café, je l'ai trouvée étendue dans son lit, les yeux au plafond: elle s'était fermée pour de bon, elle n'était plus là… Elle est restée dans cet état pendant des semaines… C'était épouvantable…

Dévasté, Stéphane sentit les larmes lui monter aux yeux: «Et moi, pendant ce temps-là, je paradais en Mustang et je trippais musique avec mes chums…»

—Plusieurs séances d'électrochocs ont été prescrites pour la sortir de sa torpeur, poursuivit Pierre d'une voix rauque. Il y a eu des séquelles…

Il toussota dans son poing, s'éclaircit de nouveau la voix. Stéphane se leva comme un automate et se rendit à l'évier remplir d'eau deux gobelets en carton. L'enfilade de mauvaises nouvelles l'avait sonné. Il déposa les gobelets sur la table et se rassit sans mot dire.

—Est-ce que le terme "amnésie psychogène" te dit quelque chose? demanda Pierre après avoir bu une longue gorgée.

Devant le mutisme de son interlocuteur, il ajouta:

—Le psychiatre a parlé d'une amnésie partielle causée par un traumatisme psychologique… À son retour à Montréal, en avril 1979, Janine avait complètement oublié l'épisode où elle s'était trompée de souterrain, la nuit de l'incendie. Par contre, elle se souvenait parfaitement de s'être enfuie de l'hospice en flammes, mais tout ce qui concernait son séjour dans le futur avait été occulté.

Le visage de Stéphane s'allongea. Le témoignage d'outre-tombe du grand-père lui revint en mémoire : «Après l'avoir vue se morfondre pendant des années en pensant à toi, c'était comme si elle t'avait sorti de sa vie... »

— Pierre... es-tu en train de me dire que Janine m'a complètement oublié ?

— Pendant les 22 dernières années, oui. Mais dans la nuit du 13 au 14 septembre, il s'est passé quelque chose...

Une petite ritournelle l'interrompit, il s'excusa en sortant son cellulaire.

— C'est elle... annonça-t-il après avoir jeté un coup d'œil à l'afficheur.

Stéphane retint son souffle, Pierre appuya sur un bouton :

— Allô ? (...) Non, pas de nouvelle de Patrice. Et toi, qu'est-ce que tu fais ?

Stéphane vit le visage de Pierre s'assombrir.

— J'aurais préféré que tu m'attendes pour continuer à lire, je te l'ai dit ce matin, la gronda-t-il. (...) Ben oui, je m'inquiète, tu n'en fais toujours qu'à ta tête ! Comment t'en sors-tu ? (...) Bon, donne-moi encore une petite demi-heure et j'arrive. Tu veux que je te rapporte quelque chose à manger ? (...) Bon, OK ! (...) Masson Hot-Dog ? Tu fais bien de me le dire, j'allais passer chez McDo (...) Il fait beau dehors. On devrait dîner dans la cour. Qu'est-ce que t'en penses ? (...) Parfait, à tantôt.

Il remit son cellulaire dans son veston et esquissa un large sourire.

— Rassure-toi, elle va bien. En tous cas, beaucoup mieux que les derniers jours : jeudi, à la date anniversaire de l'incendie, elle a fait un cauchemar, et vendredi, elle a eu un flash bizarre en visitant la galerie…

Des réminiscences ! Le même phénomène vécu par Marie-Claire Duminisle et Jo Larivière, lors du passage de Laurent dans leur passé… Stéphane s'agita sur sa chaise.

— Et son journal ? Comment a-t-elle réagi quand tu le lui as remis ?

— Je ne lui ai pas donné, elle l'a trouvé par hasard… cette nuit. La mémoire lui est revenue en apercevant la photo de vous deux prise devant une Mustang.

— Cette nuit… répéta Stéphane, sidéré.

— Ça l'a mise dans un état épouvantable : elle craint toujours que tu ne veuilles plus d'elle…

Stéphane se leva brusquement et s'empara de son trousseau de clés, sur le comptoir.

— Assez parlé ! Je veux la voir tout de suite ! Où est-elle ?

— À la maison. Nous sommes passés te voir, ce matin et…

« *My God !* Quelle fougue ! », songea-t-il en voyant Stéphane gagner la sortie à grandes enjambées.

Pierre dévala l'escalier à sa suite et le suivit dans la rue.

— Attends-moi ! Je dois passer prendre ma serviette à la galerie.

— Et moi, j'en peux plus d'attendre ! Alors fais ça vite ! lança Stéphane en claquant la portière de son auto.

Ses problèmes de moteur lui revinrent à l'esprit en démarrant. Grâce au ciel, le témoin d'alerte s'était éteint.

Pierre poussa la porte de la galerie, un sourire triomphant sur les lèvres. Ana discutait avec un client; il la salua d'un geste. La sonnerie de son téléphone retentit de nouveau lorsqu'il revint sur le trottoir. Il jeta un regard furtif vers Stéphane : ses doigts pianotaient d'impatience sur son volant : «Oups, je suis mieux de faire ça court...»

— Allô? (...) Enfin, te voilà! J'essaye de te joindre depuis ce matin. (...) Où es-tu? (...) QUOI? Tu parles d'une surprise!

Toute une surprise, en effet : Patrice, qui devait s'envoler pour San Francisco la semaine suivante, avait hâté son départ en troquant son billet d'avion pour une tout autre destination : Montréal!

— T'es arrivé quand? (...) Ben voyons donc! Où as-tu passé la nuit? (...) T'aurais dû nous prévenir, on serait venus te chercher... (...) Ben non, on est partis très tôt, ce matin... (...) Non, ta mère n'est pas avec moi pour le moment. Bon, attends-moi dans le hall, j'arrive tout de suite!

Pierre referma son cellulaire : «Encore une chance qu'il n'ait pas eu l'idée de débarquer rue d'Orléans avant de nous surprendre à l'hôtel. *My God!* La tête qu'il aurait faite en voyant l'état du plancher de la cuisine... Et Janine, je me demande bien quel genre d'explications elle lui aurait données...

Cette visite impromptue promettait de pimenter les retrouvailles de Janine et Stéphane, et Pierre avait la ferme intention de s'en mêler personnellement. « C'est fini les cachettes, le beau-père, murmura-t-il en levant les yeux au ciel. Regardez où ça nous a menés, tout le monde... »

Un petit coup de klaxon le tira de ses pensées : Stéphane lui lançait un regard exaspéré. Pierre s'approcha du véhicule et s'inclina vers la portière :

— J'ai une urgence, rien de grave, mais je vais devoir te faire faux bond. Tu trouveras Janine dans la cour. Oh ! N'oublie pas de passer chez Masson Hot-Dog lui chercher à dîner.

— Pas de problème, fit Stéphane. Qu'est-ce qu'elle veut ?

— Une poutine.

En route pour retrouver son fils à l'hôtel, quelques minutes plus tard, Pierre se demandait encore pourquoi Stéphane avait éclaté de rire en appuyant sur l'accélérateur...

Chapitre 16

Pierre aperçut tout de suite son fils dans le hall de l'hôtel. Se sentant observé, Patrice écarta son magazine médical.

— Papa ! Enfin !

Après une chaleureuse accolade, Pierre s'enquit de la raison qui l'avait poussé à devancer son voyage et modifier sa destination.

— Après vous avoir vus à San Francisco, j'avais déjà l'intention de faire un saut à Montréal pour régler certaines affaires. Seulement, quand j'ai su la raison qui vous avait amenés ici, j'ai changé mon billet d'avion pour venir fêter avec vous autres : je sais ce que cette galerie représente pour vous deux.

— Quelle bonne idée ! Ta mère va être tellement contente de te voir. Et moi… ta présence me touche, tu ne sais pas à quel point…

Pierre tenta en vain de réprimer ses larmes. Il extirpa un mouchoir de sa poche et se moucha bruyamment.

— Excuse-moi, Pat, mais je viens de passer une nuit blanche, et ces temps-ci, j'ai facilement la larme à l'œil.

— Tu as des ennuis ? s'inquiéta Patrice. C'est maman ? Pourquoi n'est-elle pas avec toi ?

— Ne t'en fais pas, tout va bien. Janine est à la maison avec Stéphane. Nous passerons les voir un peu plus tard, mais je dois te parler avant. On va monter tout de suite, si tu permets.

Patrice regarda son père, son air préoccupé ne lui disait rien de bon.

— Qu'est-ce qui se passe, papa ? Stéphane fait des histoires avec la maison ?

Pierre pressa le bouton de l'ascenseur.

— Tu lui as parlé récemment ?

— J'ai essayé de le joindre en arrivant à Montréal : je ne voulais pas me présenter à la porte, en pleine nuit, sans avertir. Stéphane n'était pas là et comme j'ai fait la gaffe d'oublier mon cellulaire à Hanoï, je ne pouvais pas le joindre autrement.

— Tu as bien fait de passer la nuit à ton bureau. Tu n'aurais rien compris si tu avais débarqué à la maison… Patrice… il s'est passé quelque chose, c'est compliqué et… disons-le, franchement incroyable.

Les portes de l'ascenseur s'ouvrirent. Les deux hommes entrèrent. Un couple dans la quarantaine s'y trouvait déjà. Pierre les salua d'un léger signe de tête et pressa un bouton : dix étages, c'était bien court pour rassembler ses idées…

— Maudit, on dirait que ça fait exprès ! maugréa Stéphane.

Après avoir trépigné d'impatience dans un bouchon de circulation, coin Papineau et Mont-Royal, il se butait maintenant à tous les feux rouges jalonnant sa route.

«Bon, bon, du calme, mon vieux», se dit-il en actionnant son clignotant pour tourner sur Masson.

— Merde!

Le voyant lumineux de son indicateur de température s'était rallumé. Une odeur suspecte lui monta au nez au moment où il passa sous le viaduc du chemin de fer. Coin d'Iberville, autre feu rouge; Stéphane dut de nouveau laisser son moteur tourner à vide. Arriverait-il à se rendre?

Il roula devant le Masson Hot-Dog sans s'arrêter, mais dut déclarer forfait quelques intersections plus loin: un filet de fumée s'échappait du capot. Il se gara devant l'église Saint-Esprit et sortit de sa voiture, les yeux tournés vers les deux clochers, se retenant de lever le poing pour invoquer tous les saints du ciel.

Un passant, vêtu d'un bleu de travail, s'arrêta.

— Ça m'a l'air d'un problème de thermostat, ouvre ton capot. Ouais, c'est en plein ça, conclut-il après avoir jeté un bref coup d'œil. Vérifie le niveau d'eau et redémarre dans une trentaine de minutes. Si t'évites le trafic et que tu roules tranquillement, ça devrait aller temporairement.

Stéphane remarqua alors l'écusson d'un concessionnaire automobile sur l'une des poches de son bon Samaritain.

— Vous êtes mécanicien?

— Ouais, fit l'autre, je travaille chez Honda, mais je fais aussi des p'tites jobs dans mon garage.

Stéphane ferma son capot et sortit son cellulaire.

— Écoutez, il faut absolument que j'y aille. Donnez-moi votre numéro. Je vous appellerai demain.

L'homme lui donna ses coordonnées. Stéphane balbutia des remerciements puis fit un pas dans la rue pour scruter la circulation automobile.

— Pas un maudit taxi ! Pourquoi y en a jamais quand on en a besoin ? maugréa-t-il.

Il fit quelques pas sur le trottoir, s'arrêta puis sortit ses clés et revint vers son auto. Il déverrouilla la portière et s'empara de la cassette d'Ernest dans la boîte à gants. Il reprit ensuite la route en marchant d'un bon pas.

Au coin de la 9e Avenue, il ralentit en levant les yeux vers le balcon surplombant le magasin d'électronique. Il lui semblait encore voir sa mère inspecter les alentours à sa recherche :

« Stéphannnne ! »

Dans le temps, tout le voisinage connaissait son prénom et s'amusait ferme en observant ses manœuvres pour s'esquiver en douce avant de filer vers l'est.

Beau temps, mauvais temps, à pied, en patins à roulettes ou en vélo, Stéphane fonçait vers la rue d'Orléans à un rythme d'enfer, comme s'il s'échappait d'une poudrière sur le point de sauter.

À son arrivée, Janine l'obligeait toujours à téléphoner à Solange pour la prévenir.

Au début, le petit Stéphane composait le numéro de chez lui en retenant son souffle, mais comme il était plutôt malin, il saisit rapidement qu'il lui suffisait de subir sans broncher les foudres de sa mère avant d'obtenir son consentement.

Quelques heures plus tard, il revenait chez lui d'un pas nonchalant, les patins en bandoulière, avec cette curieuse impression de rentrer chez des étrangers.

L'ambiance chez les Gadbois ne s'améliorait guère avec le temps et Stéphane s'attardait davantage chez les Bilodeau. Et puisqu'il lui fallait bien retourner dans sa galère, il enfourchait son vélo pour emprunter un long détour par la rue Beaubien.

Or, le jour où la mort d'Elvis avait secoué la planète, Stéphane avait filé droit chez lui, le cœur palpitant et la tête pleine de ce moment béni où Janine s'était blottie contre lui. Au départ, il avait cru la consoler de la mort de son idole, et par la suite, le cannabis l'avait fait dériver vers un fantasme délirant…

« J'étais prêt à n'importe quoi pour la serrer encore dans mes bras… J'étais certain qu'elle était amoureuse de moi… »

Perdu dans ses pensées, Stéphane traversa le boulevard Saint-Michel en accélérant le pas.

« Après notre visite chez Gaétan, je n'avais plus aucun doute ; je n'arrivais pas à croire à son histoire d'amant clandestin. »

Leur scène d'adieu lui revint aussitôt à l'esprit. Éconduit sans ménagement, il l'avait injuriée avant de piquer un sprint haletant, rue Masson, pour se retrouver en larmes dans sa chambre.

« Janine a pensé que je lui en garderais rancune. Elle le croit encore… »

Cette pensée lui fouetta les sens. Retrouvant son rythme d'antan, il prit ses jambes à son cou.

La jolie nappe fleurie s'éleva dans les airs puis s'étala sur la table de pique-nique. Des serviettes en papier et deux fourchettes complétèrent la mise en place. Janine se glissa sur le banc et lut quelques lignes de son journal.

Dès les premières pages, les événements reliés à son retour en 1959 avaient repris leur place, libérant une foule de souvenirs emmêlés d'émotions confuses.

« Pierre a raison, je ferais mieux de l'attendre, c'est trop difficile… »

Elle reprit le message de Stéphane, glissé entre les pages jaunies, et le parcourut encore une fois.

« Je lui avais juré de n'aimer que lui. Comment peut-il croire que je l'ai remplacé ? Il n'y a personne dans ma vie… D'ailleurs, je n'ai jamais eu personne, à part… »

Soudain, la mosaïque de Patrice s'imposa dans son esprit. Elle se leva et rentra dans la maison. Dans la chambre de son fils, elle se posta devant le mur tapissé de photos et retrouva la photographie prise lors de son voyage à Paris, deux ans plus tôt.

« Julius… », murmura-t-elle en arrêtant son regard sur l'homme qui l'enlaçait devant la tour Eiffel.

Dans son autre vie, pendant son absence de 22 ans, elle avait fréquenté plusieurs hommes, sans qu'aucun ne trouve grâce à ses yeux, et cela au grand désespoir de son amie Susan qui s'était donné une mission d'entremetteuse :

— Écoute, Susan, arrête de me présenter du monde. Quand j'aurai envie de m'attacher à quelqu'un, je m'arrangerai avec ça.

— Tu devrais au moins donner une chance à ton collègue du musée : veuf, pas d'enfants, charmeur, riche à craquer…

— Enzo m'énerve ! Depuis que j'ai accepté de souper avec lui, il s'imagine avoir trouvé le chemin de mon lit. J'en reviens pas encore qu'il ait profité du décès de papa pour me présenter sa mère au salon funéraire !

Sept ans plus tard, à San Francisco, Janine avait croisé un homme séduisant, apprécié du milieu de l'art et reconnu pour sa vie amoureuse éclatée : Julius Barnes aimait les femmes, *toutes* les femmes. Janine en savait déjà long sur lui quand il l'avait abordée lors d'un vernissage. Charmée, elle avait accepté d'aller prendre un verre. Ils avaient longuement parlé métier : Julius parcourait la planète à la recherche de peintres de talent, il préparait son prochain voyage à Florence. Malgré leur différence d'âge (Janine avait 15 ans de plus), elle s'était laissée tenter par son invitation à l'accompagner ; elle ne l'avait jamais regretté.

Avec les années, d'autres destinations artistiques s'ajoutèrent : Amsterdam, Londres, Barcelone, Paris,

Berlin… Des voyages en bonne compagnie, sans questions ni promesses, c'était suffisant pour elle.

« Julius n'était qu'un amant occasionnel, l'amour ne me disait rien : mon cœur était resté fidèle à Stéphane… »

En revenant dans la cuisine, elle entendit claquer le clapet de la boîte aux lettres. Elle traversa le couloir. Lorsqu'elle passa devant sa chambre, elle leva un sourcil perplexe : « C'est quoi ça ? »

Elle entra dans la pièce et ramassa la photographie qui avait glissé sous son lit…

Stéphane déboucha dans la ruelle, les tempes battantes et le front en sueur. Il s'appuya contre un mur en brique et il ferma les yeux, le temps de reprendre son souffle.

« Misère, j'ai pus de jambes », constata-t-il en sentant ses genoux fléchir.

La cour était déserte, mais la porte du perron était largement ouverte. Stéphane aperçut le journal de Janine sur la table de pique-nique.

Le cœur battant, il déclencha le loquet de la porte grillagée d'une légère pression du doigt. Une brise rafraîchissante ébouriffa ses cheveux, une feuille de papier virevolta autour de lui. Il la saisit au vol et reconnut sa propre écriture : « Janine ne s'attend pas à me revoir si tôt, elle va être surprise… »

Sa course folle lui avait desséché la gorge. Il s'approcha du pommier et détacha deux pommes qu'il frotta sur sa chemise. Machinalement, sa main palpa la cassette d'Ernest, dans sa poche : « Ça y est, pépère, j'y suis presque… »

Il examina les deux pommes, choisit de garder la plus rouge pour Janine et croqua dans la deuxième. Son goût juteux et sucré lui arracha un murmure de satisfaction. Il prit une autre bouchée et s'approcha du perron pour vérifier si Janine était aux alentours. Ne voyant personne dans la cuisine, il décida de terminer sa pomme avant d'agir.

※

Janine fronça les sourcils : « Une photo du voyage à Florence ? Qu'est-ce qu'elle peut bien faire là ? »

Les doubles de ses photos de voyage étaient à San Francisco, rangées dans des albums ; les autres étaient ici, dans son pupitre, classées par destination.

En ouvrant son dernier tiroir, elle aperçut un fouillis d'enveloppes vides et de photos : « Voyons donc, qu'est-ce qui s'est passé ici ? Qui a… »

Une idée surgit dans son esprit, elle ouvrit la porte de sa penderie : ses vêtements avaient été poussés d'un côté ; ses chaussures étaient entassées pêle-mêle et, sur la tablette du haut, le couvercle de sa boîte à chapeau était posé de travers.

« Stéphane… Il a fouillé ma chambre pour trouver mon journal et il est tombé sur les photos de Julius… »

※

Attablé devant le journal de Janine, Stéphane dégustait sa pomme en relisant quelques lignes :

Tu aurais dû me dire que Patrice et toi aviez été dans la cave. Si je l'avais su, j'aurais pu éviter cet accident à mon père. Il me semblait, aussi, que tu me cachais quelque chose à propos des tuiles dans la cuisine...

« Houlà ! Ce jour-là, si j'avais eu 40 ans au lieu de 11, je me serais fait passer un méchant savon. »

Stéphane finit sa pomme en deux bouchées, s'essuya les mains avec une serviette de papier puis monta sur le perron pour lancer le trognon dans la poubelle. Il en profita pour jeter un nouveau coup d'œil dans la cuisine. « Pas un chat... Elle est peut-être assise en avant en train d'attendre Pierre... » Il sortit son cellulaire et retourna s'asseoir : « Bon, d'accord, Janine, je te donne encore deux minutes. »

Janine sentit l'angoisse comprimer sa poitrine : « Stéphane ne peut pas avoir cessé de m'aimer, comme ça, en me voyant avec un autre homme... Je n'ai jamais été amoureuse de Julius, il faut qu'il le sache. »

La sonnerie du téléphone l'éjecta de ses pensées : « C'est peut-être Patrice. »

Elle décrocha fébrilement l'appareil posé sur la table de chevet.

— Allô ?

—Janine, c'est moi... Stéphane. Je voulais prendre de tes nouvelles.

Pétrifiée, elle ouvrit la bouche, mais resta muette. À l'autre bout du fil, Stéphane s'inquiétait :

—Janine... Parle-moi...

Une petite voix chevrotante lui répondit enfin :

— Où es-tu ? Oh, Stéphane, il faut que tu reviennes à la maison...

Stéphane se leva, un sourire taquin retroussa ses lèvres :

— Mais j'y suis !

— Qu... quoi ? parvint-elle à dire en sortant de sa chambre.

Stéphane fit quelques pas vers la galerie :

—Je t'ai même cueilli une belle pomme, rouge comme tu les...

Janine parut dans l'encadrement de la porte, une main plaquée contre sa bouche ouverte. Stéphane fit claquer son cellulaire et monta les marches à sa rencontre. Son sourire espiègle s'accentua :

— On n'avait pas rendez-vous, l'autre soir, toi et moi ?

Il la sentait tendue comme un arc. Au bout de son bras ballant, les doigts blanchis de Janine agrippaient le récepteur du téléphone.

—J'ai oublié... C'est compliqué, il faut que tu m'écoutes...

Stéphane fit un pas vers elle.

—Je sais, Pierre m'a tout raconté...

Janine ouvrit de grands yeux.

— Pierre ? Comment ça ? Je... je ne comprends pas...

Sans quitter Janine des yeux, Stéphane remit son cellulaire dans sa poche de jean et lui effleura l'épaule. Elle frémit lorsque sa main glissa sur son bras jusqu'au téléphone.

— Allez, raccroche, plaisanta-t-il en secouant légèrement la main crispée.

Janine fronça les sourcils, puis cligna des yeux en ouvrant la main. Stéphane lui enleva l'appareil et le déposa dans une boîte à fleurs avant de replonger son regard dans le sien.

— Hier, en revenant de l'hôtel, je n'avais qu'une idée : me pousser d'ici au plus vite. Je me suis installé dans le condo de Jess et tout à l'heure, j'ai croisé Pierre à la galerie...

Il s'arrêta puis secoua la tête avec un petit rire avant de l'attirer vers lui pour l'enlacer tendrement.

— Mais qu'est-ce que j'ai à jacasser comme une pie alors que je meurs d'envie de te serrer dans mes bras ?

Les mains de Janine se cramponnèrent à ses épaules. Il entendit un sanglot.

— Oh, Stéphane, je ne peux pas croire que tu es là... J'ai cru que je t'avais perdu...

Stéphane resserra son étreinte et la berça doucement.

— On est ensemble, mon amour, ne pleure plus...

— Ça ne devait pas se passer comme ça... hoqueta-t-elle. Tout a été de travers...

Il s'écarta d'elle pour prendre son visage entre ses mains.

— Peu importe, le temps s'est effacé : on a gagné, souffla-t-il. Et moi, je t'aime comme un fou…

Il termina sa phrase les lèvres collées aux siennes en l'embrassant tendrement. Le cœur battant à tout rompre, Janine vacilla. Stéphane relâcha son étreinte.

— Oups, c'est trop *heavy*… On ferait mieux de s'asseoir…

Ils prirent place sur la première marche de l'escalier puis leurs regards convergèrent vers le pommier, témoin de la terrible scène du 15 juillet 1978. Janine posa sa tête sur l'épaule de Stéphane. L'émotion l'avait vidée de son énergie : il était là, accroché à son bras, mais elle ne trouvait pas les mots pour lui demander de lui pardonner.

— Les dernières pages de ton journal m'ont bouleversé, avoua-t-il soudain en coulant un regard vers elle. Tu pensais que je t'en voudrais de m'avoir repoussé…

— J'ai si peur que tu m'en veuilles…

— Ah, mais je t'en ai voulu, et longtemps à part ça, ricana-t-il. Mais comme on dit, le temps arrange bien les choses.

— Je ne devais pas intervenir dans ta vie amoureuse, Laurent m'avait prévenue, souffla-t-elle en détournant les yeux.

— Il s'est trompé, ton frère…

Janine tressaillit vivement :

— Toi aussi ? Cette nuit, Pierre m'a dit la même chose… Il prétendait que Saint-Bruno faisait déjà partie de ton passé…

Un large sourire illumina le visage Stéphane : décidément, ce type lui plaisait de plus en plus, il regrettait de l'avoir mal jugé.

— Pierre a raison, dit-il en glissant son bras sur les épaules de Janine. Ta réaction en recevant mon bouquet de marguerites, notre escapade chez Gaétan et ce qui s'est ensuivi, tout ça, je l'avais déjà vécu quand je t'ai ouvert la porte de la cave.

Janine afficha un regard perplexe. Elle ne savait plus que penser.

— Alors... Ça veut dire que...

— Eh bien, ça veut dire que le cours du temps n'a jamais changé et que je suis toujours aussi amoureux de toi, conclut-il en resserrant son étreinte.

Janine ne broncha pas, elle réfléchissait : les avertissements de son frère avaient gouverné sa vie, elle n'arrivait pas à les balayer d'un revers de la main.

— Je ne comprends pas pourquoi Laurent insistait tant... J'ai bien hâte d'entendre ses explications...

— Ton frère n'a rien à se reprocher, c'est moi le responsable, précisa Stéphane, l'air contrit. Tu étais tellement inquiète, la nuit de ton départ... J'ai cru bien faire en t'avouant mon béguin de jeunesse. Seulement, j'ai préféré te cacher le reste de la vérité afin que tout se déroule comme prévu. Laurent m'a pris au dépourvu quand il m'a demandé s'il y avait eu un rapprochement entre toi et moi, dans mon passé. J'ai eu tort de ne rien lui dire. S'il l'avait su, il t'aurait probablement conseillé de vivre ce que tu avais à vivre, sans t'en faire.

— Il m'a recommandé d'agir comme si le voyage temporel n'avait jamais existé... "Comme si de rien n'était…" C'était sa façon de le dire, murmura Janine, d'une voix blanche.

Stéphane secoua la tête en soupirant.

— J'ai réalisé le poids de mon erreur quand j'ai appris ce qui t'était arrivé : ta dépression, tes 22 années d'absence… Si seulement je m'étais imaginé le tort que je te ferais… Mon amour, pardonne-moi…

Appuyés l'un contre l'autre, ils restèrent de longues minutes à remonter le fil du temps pour éclaircir la situation. Toutefois, Janine avait beaucoup de mal à confronter ses souvenirs à sa nouvelle réalité : la fatigue et les émotions des dernières heures lui embrouillaient les idées. Stéphane s'en rendit compte.

— Le mieux serait qu'on relise ton journal à tête reposée, suggéra-t-il.

Il se leva en se massant les genoux.

— J'y pense ! Tu dois avoir faim. Choisis ton resto, moi je conduirai… Ah, *shit* ! Mon char !

Il lui raconta sa mésaventure avec son auto puis il alluma son cellulaire.

— Qu'est-ce que tu fais ? demanda Janine.

— J'appelle un taxi. Dis-moi juste où tu veux aller dîner.

— Pas besoin de taxi, j'ai envie de prendre le métro, répondit-elle, songeuse.

Un souvenir de 1918 avait refait surface : la balade en Ford T, le Vieux-Montréal, la place Jacques-Cartier, le passage dans l'ancienne boutique du tailleur, rue Saint-Paul. Stéphane avait parlé d'un café du même nom…

— Le Café Saint-Paul ? Génial ! s'exclama Stéphane en remettant son téléphone dans sa poche. On y va ?

—◦◦◦◦◦—

— Dire que nous étions ici, il y a quatre jours…

Janine fit quelques pas vers la basilique Notre-Dame. Ses yeux se posèrent sur le parvis, puis refirent le trajet de leur fuite haletante vers le métro Place-d'Armes.

— Ouf ! Je ne pense pas que je réussirais à courir aussi vite, aujourd'hui, je n'ai plus 21 ans.

« Tu pourrais être surprise de l'énergie qu'on peut avoir parfois… », ricana intérieurement Stéphane en lui emboîtant le pas vers la rue Saint-Paul.

Janine marchait devant lui, d'un pas alerte, comme si elle était seule. Stéphane soupira. En sortant de la maison, elle s'était détournée lorsqu'il lui avait tendu la main. Il préférait ne pas insister : « Patience, mon vieux, notre différence d'âge doit encore la préoccuper… »

Il la rejoignit devant la boutique du musée de la Pointe-à-Callière.

— Alors, tu te reconnais ? demanda-t-il.

— Bien sûr, c'est l'ancien édifice de la douane.

Elle fit demi-tour et elle s'approcha de la devanture du Café Saint-Paul pour jeter un coup d'œil à l'intérieur.

— Et c'est d'ici que nous sommes partis pour retourner en 2000.

— C'est un resto sympathique, on y mange bien, affirma Stéphane. On entre ?

L'endroit, charmant mais exigu, était presque désert: un couple d'âge mûr et deux jeunes femmes papotaient à voix basse, une serveuse passait le balai. Janine et Stéphane choisirent une table longeant la vitrine et consultèrent le menu.

— Désolé pour la poutine, fit tout à coup Stéphane. Mon moteur chauffait tellement quand je suis passé devant le Masson…

— Quelle poutine? l'interrompit Janine. Ah, c'est vrai! J'avais demandé à Pierre… Coudon, il est rendu où, lui?

— Je ne sais pas trop, il est parti de son côté après avoir reçu un appel.

Janine étouffa un petit rire dans sa main.

— Cré Pierre! Il s'est trouvé une excuse pour s'éclipser en douce.

— Hum, pas sûr… Il avait l'air nerveux, il parlait d'une urgence… Rien de grave, ajouta-t-il aussitôt, en voyant le visage de Janine s'allonger.

— Rien de grave, mais il avait l'air nerveux? Tu permets que je lui téléphone? demanda-t-elle en ouvrant son sac à main.

Pierre décrocha après plusieurs sonneries. Il prenait l'apéro à l'hôtel et semblait en pleine forme. Il s'empressa de lui annoncer la grande nouvelle. Janine s'exclama:

— Oh, mon Dieu! Qu'est-ce qu'on va lui dire?

Stéphane fronça les sourcils: Janine avait pâli d'un seul coup, elle avait saisi sa main.

— Quoi? Voyons, Pierre, ce n'était pas à toi… Bon, d'accord, vas-y, soupira-t-elle.

Elle l'écouta, une petite grimace nerveuse au coin de la bouche, puis elle lui demanda d'attendre. Elle coupa le micro de son cellulaire et se pencha vers Stéphane qui la dévisageait avec curiosité.

— Patrice est à Montréal… Pierre lui a tout dit.

La réaction de Stéphane ne se fit pas attendre :

— Tant mieux, l'abcès est crevé ! lança-t-il en tapant les deux mains sur la table.

Le fracas fit sursauter la serveuse et lever les yeux des dîneurs.

— Oups ! S'cusez, fit-il en distribuant des sourires niais à la ronde.

La main de Janine se crispa sur la sienne :

— Je ne sais pas, Stéphane, j'ai peur de sa réaction : Patrice vient d'apprendre que je suis amoureuse de son ami d'enfance et maintenant il sait que je lui ai menti pour la cave.

Stéphane eut un léger haussement d'épaules.

— Mais puisqu'on est rendus là, autant voir le bon côté des choses. Un, Patrice a appris la nouvelle de la bouche de son père et, crois-moi, Pierre est notre meilleur allié. Et deux, ton fils est un scientifique : le récit de ton voyage va le fasciner. Comme je le connais, il prépare déjà ses questions.

— Oui, c'est probable, s'encouragea-t-elle. Seulement, je serais plus rassurée si je voyais mon fils au plus tôt… Pierre m'a dit qu'ils n'avaient pas encore dîné… J'ai bien envie de…

— Mais fais-le, ma chérie, souffla-t-il en désignant son cellulaire du doigt.

« Ma chérie »… Ces mots avaient glissé dans l'oreille de Janine, doux comme une caresse. Le rouge lui monta aux joues. Intimidée, elle baissa les yeux.

Au même moment, trois sexagénaires entrèrent dans le café et s'installèrent deux tables plus loin. Légèrement pompettes, elles riaient aux éclats. Janine sortit pour reprendre son appel. Elle revint quelques minutes plus tard.

— Ils seront ici dans une vingtaine de minutes.

— Ça va aller, la réconforta Stéphane en lui tapotant la main. J'ai confiance en Pierre… Tu sais que je l'ai bien mal jugé. Avant de lire ton journal, je croyais dur comme fer qu'il était membre du FLQ.

— Ah bon ? s'étonna Janine. Je pensais que Patrice t'avait mis au courant.

— Je ne voulais pas l'achaler avec ça, même si je me doutais qu'il avait changé d'école pour ça.

— Tu le savais ! s'étonna Janine.

— Ben oui… J'avais entendu mon père en discuter avec ma mère : des rumeurs de taverne. Moi, je m'en foutais. J'ai fait semblant de croire Pat quand il m'a dit que son père faisait carrière aux États, mais j'étais certain que ton mari avait pris la poudre d'escampette à cause de la Crise d'octobre.

Il se tut en voyant la serveuse s'approcher. Il commanda une bouteille de vin blanc et Janine choisit les plats.

— J'avais honte de mon père et je pensais que c'était pareil pour ton fils, reprit Stéphane lorsque la serveuse s'éloigna. J'enrageais de perdre mon chum une partie de l'été et pendant le congé de Noël juste parce que son père était trop lâche pour passer la frontière. Janine, ton mari, je ne le connaissais pas, mais c'est fou ce que je l'haïssais.

— Tu as dû revenir à de meilleurs sentiments quand tu l'as rencontré à la galerie, supposa-t-elle.

— Disons que j'étais dans mes petits souliers : si tu l'avais entendu plaider ta cause ! En plus, j'étais loin de me douter qu'il était au courant pour nous deux.

— Pierre l'a su, cette nuit, en lisant mon journal. Ce n'est pas son genre de fouiner dans mes affaires, mais...

Elle s'arrêta soudain, au rappel d'un détail important : Stéphane avait fouillé sa chambre de fond en comble pour finalement trouver son journal, ailleurs... En 1978, Ernest l'avait rangé quelque part dans la cave, mais Janine n'arrivait pas à se souvenir exactement à quel endroit. En principe, seul son père savait...

Un mince sourire apparut sur les lèvres de Stéphane.

— Comment j'ai su où était ton journal ? Bon, je veux bien te le dire, mais attends-toi à un choc. C'est ton père qui m'a dit où le trouver.

Janine écarquilla les yeux, elle nageait en pleine confusion.

— Voyons donc, papa est mort en 1988 ! Quand est-ce que tu l'as revu ?

— Jamais, affirma Stéphane. Seulement, ton père était un petit malin : quand il a vu que tu te désintéressais de moi et du journal, il a trouvé un moyen de me faire signe. Il a bien calculé ses affaires : il savait que nous devions nous retrouver le 17 septembre 2000.

Alors il s'est arrangé pour que je reçoive ceci, le lendemain.

Il sortit la cassette de sa poche et la déposa devant Janine qui étouffa un petit cri en reconnaissant la signature de son père sur le boîtier. Elle lut :

—Le 14 mars 1983. Un mois après sa crise cardiaque...

—Ton père avait peur que tu rates notre souper, il n'était pas au courant de ton amnésie, mais il sentait bien que quelque chose ne tournait pas rond.

Le cœur de Janine se gonfla de reconnaissance : même après sa mort, son père continuait à veiller sur elle.

La serveuse se présenta avec le vin et les entrées. Janine et Stéphane saluèrent Ernest en trinquant.

—Papa t'adorait. Te rappelles-tu ? Il sortait toujours son jeu de dames en te voyant arriver. C'était un peu comme si tu avais pris la place de son ami Jo. Et le hockey ! Vous passiez vos samedis soir à gueuler dans le salon.

Stéphane réprima un soupir douloureux.

—Il me manque tant, ton père, surtout pendant les finales. Il me semble l'entendre encore chialer : "Les torrieux d'arbitres, tous des maudits vendus !"

—Papa est ici, avec nous, j'en suis certaine, le réconforta Janine. Je sens sa présence depuis que j'ai vu sa berceuse dans la cuisine. C'est toi qui l'as retrouvée, elle était où ?

Perplexe, Stéphane se redressa et essuya ses yeux du revers de la main.

—Dans le hangar. Tu ne t'en souviens pas ?

La sonnerie de son cellulaire l'interrompit, il jeta un coup d'œil à l'afficheur :

— Oups, c'est Jess, je l'avais complètement oublié. Il doit être au condo à m'attendre en tapant du pied. Je règle ça en trois minutes. Tu permets que je sorte ? Il y a beaucoup de bruit ici.

Le front soucieux, Janine le regarda s'éloigner : «Mon Dieu, je l'aime tellement, pourquoi suis-je si coincée ? Stéphane a dû s'en rendre compte quand j'ai refusé de prendre sa main… Qu'est-ce que j'ai ? Ça ne peut pas être la différence d'âge : Julius avait 15 ans de moins que moi… »

Son regard glissa vers la vitrine. Sur le trottoir, Stéphane gesticulait, l'oreille collée au téléphone : Jess devait lui faire des misères… Un sourire narquois s'étira sur les lèvres de Janine : «Ah ! Celui-là… J'ai bien hâte de voir sa réaction quand nous nous retrouverons face à face… »

Phil Jessen, le leader du groupe The Time Men, avait connu la jeune Janine, quatre jours plus tôt, sous le prénom de Janie. D'entrée de jeu, Jess avait soupçonné son ami Stéphane de nourrir de tendres sentiments envers cette fille de 21 ans qui le suivait partout. Quel lien ferait-il entre la Janine sexagénaire et cette étrange jeune fille qui semblait sortir de nulle part ?

«Le mieux serait de me faire passer pour ma propre mère : Janie, Janine, le même nom de famille, la ressemblance… », rigola Janine en imaginant déjà la scène.

Tout à coup, elle aperçut Patrice et son père se diriger vers Stéphane. Pierre lui serra la main et entra dans le café, seul.

— Ne t'en fais pas au sujet de Patrice, tout va bien, lui chuchota-t-il à l'oreille en la serrant dans ses bras. Alors, t'es contente? Ça marche à ton goût?

— Je n'arrive pas à y croire, encore moins maintenant en le voyant avec Patrice.

Elle poussa le rideau de la vitrine pour les observer.

— Qu'est-ce qui se passe? Pourquoi ne rentrent-ils pas?

— Oh, Patrice avait seulement deux mots à dire à Stéphane, une vieille histoire…

Il se tut subitement: immobile, les yeux dans le vague, Janine semblait à des kilomètres. Pierre effleura sa main.

— Tu pourrais en profiter pour me raconter ce qui te tracasse. Qu'en penses-tu?

Dehors, Patrice examinait attentivement les lieux.

— Je me suis souvenu de ce café quand Pierre m'en a parlé, tout à l'heure, dit-il. J'ai mangé ici une couple de fois avec des amis. Si je m'étais douté…

Il se tourna vers Stéphane, les yeux pétillants d'excitation.

— Septembre 1918, Stef! Tu te rends compte? Janine et toi, vous étiez ici, au même endroit, trois semaines avant le début de l'épidémie de grippe espagnole!

— Ouais, j'y ai pensé et ça m'a donné froid dans le dos, répondit Stéphane en réprimant un sourire.

« Je le savais! Janine n'a plus à s'en faire, mon vieux chum capote comme un malade… »

— On est retournés en 2000 par le passage que Laurent avait découvert dans le sous-sol de cette bâtisse, expliqua-t-il. Janine et moi, on s'est retrouvés dans le sous-sol de Notre-Dame, face à face avec un gardien de sécurité. J'te dis qu'on a détalé ! Dans le métro, on avait l'air de deux itinérants d'opérette dans nos costumes d'époque, tout crottés.

— C'est donc le lendemain que tu as emmené maman voir les Time Men... murmura Patrice, comme pour lui-même.

Patrice avait détourné les yeux. Les mains dans les poches, il fit quelques pas, son pied envoya promener un caillou.

— T'as dû tripper en sacrament quand t'as donné ton show devant maman !

Son ton était cinglant, ses traits s'étaient durcis : une vraie douche froide !

« Mais qu'est-ce qui lui prend ? », s'alarma Stéphane.

Subitement angoissé, il lança la première chose qui lui vint à l'esprit :

— Je t'ai écrit, pas longtemps après avoir ouvert la trappe à ta mère, mais finalement, j'ai préféré attendre la suite des événements...

Mais, les yeux ailleurs, le fils de Janine semblait l'ignorer. Stéphane s'énerva :

— *Shit !* Tu le prends si mal que ça ? Je suis amoureux de ta mère, c'est toujours ben pas un crime !

Contre toute attente, le visage de Patrice se fendit d'un large sourire.

— Fais-toi-z'en pas, je trouve ça plutôt cool ce qui vous arrive à tous les deux. Penses-tu que j'le savais pas que t'avais un *kick* sur ma mère ? Tu avais une façon de la regarder…

Stéphane poussa un soupir de soulagement.

— Ouf ! Tu m'as fait peur ! C'est quoi, d'abord, ta montée de lait avec le show de Jess ?

— J'ai assisté au spectacle du groupe, à Bois-de-Boulogne, dans les années 1980, j'étais au premier rang. Je t'ai envoyé la main. Tu m'as vu, je le sais, mais tu as décidé de m'ignorer.

Loin de s'attendre à ce genre de reproche, Stéphane voulut d'abord protester puis, douloureusement conscient de la véracité du propos de son ami, il baissa les yeux.

Patrice reprit d'une voix plus posée, mais résolue :

— Quand papa m'a raconté ce qui s'était passé entre maman et toi, en 1978, j'ai enfin saisi pourquoi tu n'avais plus jamais remis les pieds à la maison. Tu n'avais pas le choix, ça je le comprends, mais ce n'était pas une raison pour me laisser tomber…

Stéphane se mordit les lèvres.

— Écoute, Pat… Excuse-moi… Je voulais couper tout contact avec Janine. Toi, t'étais son fils… Et, pour être vraiment franc, je n'ai pas pensé une miette à la peine que je te ferais. Je suis désolé…

— Allez, c'est correct, fit Patrice en lui tendant la main. Il fallait que je vide mon sac une fois pour toutes. J'ai bien failli t'en parler quand nous nous sommes rencontrés, sur Masson, mais j'étais trop content de te revoir, et puis, t'avais pas l'air dans ton assiette.

—J'étais pas mal déprimé, dans ce temps-là… avoua Stéphane en jetant un regard vers la vitrine du café.

Patrice aperçut Janine attablée contre la fenêtre et il la salua d'un grand geste de la main.

—Ouais, j'pense qu'on ferait mieux de rentrer avant que maman commence à flipper…

Deux heures plus tard, après un repas bien arrosé, Pierre et son fils prirent congé. Sur le trottoir, Pierre embrassa Janine :

—Avoue que tu te sens mieux.

—Tu m'as soûlée, mon démon ! lui glissa-t-elle à l'oreille.

—Ben voyons, tu as à peine touché à ta troisième coupe…

—Quelle troisième coupe ? J'en avais juste une et t'arrêtais pas de la remplir, plaisanta-t-elle.

—Bah, c'est normal si la tête te tourne un peu : une nuit blanche, le retour de Stéphane, le trop-plein d'émotions… Une promenade au grand air te fera du bien. Profites-en pour te laisser aller un peu. Rappelle-toi ce que je t'ai dit, tout à l'heure, et fais confiance à Stéphane : il t'aime vraiment. C'est si rare, un amour comme le vôtre…

Plus loin, Stéphane donnait une chaleureuse poignée de main à Patrice.

—Comme ça, c'est entendu ? Jeudi, après ta réunion, tu viens t'installer à la maison ? C'est encore chez vous, après tout.

— Parfait ! J'ai toutes mes soirées libres : on pourrait en profiter pour refaire le plancher pendant l'absence de maman.

Janine et Pierre devaient s'envoler pour San Francisco deux jours plus tard. Leur fils, retenu à Montréal pour organiser son retour définitif du Vietnam – au dîner, il avait pris tout le monde par surprise en annonçant cette décision –, devait rejoindre son père à San Francisco au début de la semaine suivante.

— Super ! Demain, j'irai choisir la céramique avec Janine. Lundi, à son retour, la cave sera condamnée : pépère pourra enfin dormir en paix.

Janine contemplait la place Jacques-Cartier. Depuis 1918, les fils électriques et les paratonnerres avaient disparu. Des restaurants avec de vastes terrasses avaient remplacé les maisons-magasins d'antan, un étage avait été ajouté à l'hôtel de ville, rénové dans les années 1920 après un violent incendie, et un minuscule kiosque à fleurs, planté aux abords de la colonne Nelson, perpétuait la tradition du marché public.

Perplexe, Stéphane regardait Janine qui marchait sans un regard pour lui. Pourtant, ils s'étaient rapprochés au café : elle riait de ses blagues et ne tarissait pas d'éloges à son égard devant Pierre et Patrice. Or, elle continuait d'agir avec lui comme s'il n'était qu'un bon copain.

—Janine revient de loin. Ne t'en fais pas trop si elle a l'air ailleurs, lui avait glissé discrètement Pierre avant de partir.

« Sois patient. » Le message était clair, mais Stéphane croyait plutôt que Janine redoutait d'être vue au bras d'un homme beaucoup plus jeune qu'elle. Pour cette raison, il avait préféré éviter tout geste malvenu lorsqu'il s'était retrouvé sur le trottoir, seul avec elle.

Seulement, en la voyant s'éloigner, une fois sur la place Jacques-Cartier, il s'était pris à imaginer le pire : la peur du qu'en-dira-t-on était donc plus forte que son amour pour lui ?

Cette perspective l'affola. Il lui fallait un signe, maintenant, tout de suite, sinon il n'aurait pas le courage de retourner à la maison, seul avec elle…

Janine aperçut Stéphane devant le kiosque à fleurs. Son cœur se serra en le voyant absorbé dans ses pensées : « Il est tout à l'envers depuis que Pierre lui a parlé… Qu'est-ce qu'il a bien pu lui dire ? »

Une douce euphorie s'était emparée d'elle pendant le dîner : le vin l'avait détendue, une atmosphère de gaîté régnait autour de la table. Stéphane la faisait rire : il possédait toujours ce don de conteur au langage coloré. Ils racontaient leur histoire chacun leur tour, terminaient les phrases de l'autre, mettaient leur grain de sel : leur complicité refleurissait.

Puis la voix de Stéphane s'était éraillée en parlant de leur visite chez le jeune Ernest. Sous la table, Janine avait effleuré sa main, il l'avait aussitôt saisie pour la presser très fort : la glace était brisée…

Pourtant, à la sortie du café, après lui avoir proposé de revoir l'ancienne place du marché, Stéphane l'avait devancée sur le trottoir. Cette fois, c'était lui qui s'était détourné lorsqu'elle avait voulu s'accrocher à son bras. «Et maintenant, nous sommes à quelques pas l'un de l'autre, mais on n'arrive plus à se rejoindre…» Janine soupira. Des larmes amères lui montèrent aux yeux. «C'est ma faute, j'ai tout gâché…» Aussitôt, elle se ressaisit: «Voyons! Qu'est-ce que je fais à m'apitoyer alors qu'il est là, planté tout seul?»

Le ventre noué par l'appréhension, Stéphane cherchait Janine du regard. Il sentit la caresse d'une main sur son épaule.

— Stéphane…

Janine le considérait avec des yeux inquiets, embués.

— On… On est bien mal partis, tu ne trouves pas? bredouilla-t-elle.

Le cœur chaviré, Stéphane prit ses deux mains dans les siennes.

— Oh, ma chérie, de quoi as-tu peur? Tout le monde s'en fout, de notre différence d'âge…

Les yeux de Janine s'agrandirent de stupéfaction. La situation était si ridicule qu'elle éclata d'un grand rire.

— De quoi parles-tu, grand fou? J'ai quand même évolué depuis 40 ans!

En remarquant son air ahuri, elle lui sauta au cou et se pressa contre sa poitrine.

Stéphane tombait des nues: il s'était trompé, les agissements de Janine témoignaient d'un autre malaise qui, jusqu'alors, lui avait complètement échappé.

— Alors, dis-moi, pourquoi tu doutes ? lui murmura-t-il à l'oreille.

Janine dégagea lentement son visage pour le regarder dans les yeux.

— C'est que... depuis ton retour, j'ai l'impression de rêver... et j'ai peur de tomber en me réveillant.

Stéphane prit son visage entre ses mains pour le couvrir de doux baisers.

— Tu ne rêves pas, ma chérie. Je t'aime et je ne te quitterai jamais, souffla-t-il. Mais tu as raison, on s'est accroché les pieds : au lieu de tout se dire, on s'est rongé les sangs chacun de son côté. Ça n'arrivera plus, dis-moi que ça n'arrivera plus...

— Jamais plus, Stéphane, je te le jure. On a perdu assez de temps comme ça : notre nouvelle vie commence ici, maintenant...

Les quelques badauds qui se retournaient, l'air amusé de les voir s'embrasser comme s'ils étaient seuls au monde, étaient loin de se douter que cette passion avait traversé trois époques avant d'éclater au grand jour au milieu de la place Jacques-Cartier.

L'amour n'a que faire de l'usure du temps...

Épilogue

Vendredi, 15 décembre 2000

(Extrait du journal de Stéphane)

Mission accomplie ! Ce matin, j'ai remis mon mémoire à mon directeur !

Il faut fêter ça ! Ce soir, j'emmène Janine danser : je lui dois tout, sans elle, je ne serais jamais passé au travers.

Il ne me reste qu'un cours à donner avant les examens de fin de session, et ensuite, nous nous envolerons vers le Cameroun où Laurent nous attend impatiemment. Quel dommage que Marie-Claire ne soit plus là... C'est vrai qu'elle serait centenaire, aujourd'hui...

Au retour, ce sera le branle-bas de combat : un grand vernissage est prévu à la galerie. Pierre ne s'est pas trop fait prier quand Janine lui a proposé le projet : il est plus que temps pour lui de sortir de l'exil.

En passant, Pierre a tenu le coup : il n'a rien dit à Garry. C'est le pacte que nous avons scellé au Café Saint-Paul : à part nous quatre, seul Laurent est au courant.

De mon côté, je me demande pourquoi je m'acharne à lire tout ce qui se dit sur Internet à propos des voyages dans

405

le temps. C'est tellement fastidieux (le jargon scientifique est assommant!) et déprimant (le mot « impossible » sort presque à toutes les pages, et jamais je n'ai lu quoi que ce soit tournant autour de passages temporels).

Bof! Tant pis! Janine et moi savons ce que nous avons vécu…

C'est plate, tout de même, de ne pas pouvoir en parler, surtout à mes étudiants…

Au moins, cette aventure m'a permis de retrouver le feu sacré, côté enseignement. L'histoire du Québec me passionnait déjà, mais maintenant j'en bouffe littéralement. Ça doit transparaître dans mes cours au cégep parce qu'il est rare de voir un de mes étudiants s'absenter.

La semaine passée, je me suis bien amusé en leur projetant une photo de la place Jacques-Cartier, prise en 1910, en leur demandant de dénombrer toutes les différences qu'ils y voyaient avec celle d'aujourd'hui. Succès instantané!

Parlant de la place Jacques-Cartier, j'y suis retourné hier avec Janine. J'ai choisi notre endroit de prédilection pour lui confier un projet un peu fou: écrire un roman à saveur fantastique inspiré de notre histoire d'amour. J'ai tout de suite ajouté que les noms seraient changés et l'action, située dans un autre quartier de Montréal. Elle était emballée! Elle a même proposé d'ajouter son grain de sel. Qui sait, un jour, peut-être des milliers de gens tiendront notre roman entre leurs mains? Nous n'avons pas fini de rêver… Une chose est sûre, nos lecteurs vont trouver que nous avons beaucoup d'imagination!

J'étais inspiré tout à l'heure: j'ai hâte que Janine revienne de la galerie pour lui faire lire ce que j'ai écrit.

Suivez-nous

Achevé d'imprimer en octobre 2014
sur les presses de Marquis-Gagné
Louiseville, Québec

Ça va lui plaire, même si elle va me dire qu'écrire le dernier paragraphe de l'épilogue, c'est mettre la charrue avant les bœufs...

Ce paragraphe, le voilà :

Chers lecteurs, ne laissez pas le scepticisme troubler votre cœur : cette histoire pourrait bien être réelle. Bon, je ne vous demande pas de me croire sur parole, mais si vous avez une vieille maison avec une trappe menant à une cave en terre, pourquoi ne descendriez-vous pas vérifier si un gros trou ne serait pas dissimulé sous un antique madrier ? Qui sait ?

FIN